Alice en exil

Traduit de l'anglais (États-Unis) par Sidonie Van den Dries

Frank Beddor

LES GUERRES DU MIROIR

TOME 1

Alice en exil

Traduit de l'anglais (États-Unis) par Sidonie Van den Dries

BAYARD JEUNESSE

En écrivant *Alice en exil*, tome 1 de sa trilogie *Les Guerres du miroir*, **Frank Beddor** a tenu à raconter la véritable histoire d'*Alice au Pays des Merveilles*. Éclectique, brillant, cet ex-champion de ski, acteur, producteur, notamment du célèbre *Mary à tout prix*, a rencontré succès sur succès tout au long de sa carrière.

Ouvrage publié originellement par Egmont sous le titre
The Looking Glass Wars
Texte © 2004, Frank Beddor
Illustration de couverture © Chris Appelhans (Alice) – Doug Chiang (Soldat-carte)
© 2006, Bayard Éditions Jeunesse pour la traduction française
3, rue Bayard, 75008 Paris
ISBN : 2-7470-1799-0
Dépôt légal : octobre 2006.
Loi n° 49-956 du 16 juillet 1949 sur les publications destinées à la jeunesse.

AVERTISSEMENT AUX LECTEURS

Voici quelques années, alors que j'étais à Londres pour affaires, je me suis rendu au British Museum, où je suis tombé par hasard sur une exposition de cartes à jouer anciennes. Dans la dernière salle se trouvait un jeu incomplet, éclairé d'une lueur inhabituelle, presque comme si les cartes étaient vivantes. Ce jeu fascinant présentait *Alice au Pays des Merveilles* sous un jour tout à fait nouveau pour moi.

Le lendemain matin, en route pour l'aéroport, j'ai fait une halte dans une boutique spécialisée dans les cartes à jouer. Lorsque j'ai parlé au vendeur de cette exposition étonnante, il m'a confié qu'il possédait les cartes manquantes du jeu en question. Puis il m'a raconté l'histoire des Guerres du miroir. Cette histoire est celle du livre que vous tenez entre vos mains...

Laissez-moi tout de même vous avertir : la véritable histoire du Pays des Merveilles est une succession de carnages, de meurtres, de vengeances et de guerres. Je demande par avance pardon à ceux qui pourraient trouver certains passages de ce livre pénibles. Il était important pour moi d'exposer les faits ainsi qu'ils se sont véritablement produits. Les plus sensibles d'entre vous préféreront sans doute lire le conte de fées classique de Lewis Carroll.

Frank BEDDOR

Je dédie ce livre à ma nièce Sarah,
et à son sens du merveilleux.

PROLOGUE

Oxford, Angleterre. Juillet 1863.

Son entourage était convaincu qu'elle avait tout inventé, et, quatre années durant, elle avait subi les moqueries et les sarcasmes de ses camarades, les réprimandes et les punitions des adultes. Des tourments qu'aucune enfant de onze ans n'aurait dû avoir à supporter. Puis l'occasion s'était enfin présentée de leur prouver, à tous, qu'elle avait dit la vérité. Une occasion en or : un universitaire cultivé s'était intéressé à son histoire et avait voulu en faire un livre.

La jeune fille était assise sur une couverture, au bord de la rivière Cherwell, en compagnie du révérend Charles Dodgson. Non loin, ses sœurs Edith et Lorina s'amusaient à pêcher des vairons. Le révérend, qui portait à l'avant-bras un panier contenant les restes de leur pique-nique, venait de lui remettre un gros et lourd ouvrage. Un livre qu'il se flattait d'avoir écrit et illustré lui-même. Le recueil était emballé dans un papier brun et ceint d'un ruban noir.

Anxieux, Dodgson la regarda dénouer le ruban et déballer le livre avec précaution.

– Oh !

Les Aventures d'Alice sous la terre ? Quel drôle de titre ! Et pourquoi le révérend avait-il fait une faute à son prénom ? Elle lui avait pourtant indiqué comment l'orthographier ; elle le lui avait même noté.

– De Lewis Carroll ? lut-elle, inquiète.

– Cela m'a semblé plus gai... À quoi bon préciser que c'est l'œuvre d'un ecclésiastique ?

« Gai ? » Elle ne lui avait pas raconté grand-chose de gai ! Son inquiétude se mua en peur, mais elle tenta de n'en rien laisser paraître : l'important n'était-il pas qu'il ait fidèlement retranscrit son histoire au Pays des Merveilles, telle qu'elle se l'était rappelée ?

Elle ouvrit le livre et admira ses pages grossièrement coupées, la netteté de l'écriture manuscrite. Cependant, la dédicace prenait la forme d'un poème dans lequel, de nouveau, son prénom était mal orthographié ; sans compter que son rythme enjoué était peu approprié au texte qu'il était censé introduire. Elle parcourut une des strophes :

> *En imagination elles poursuivent*
> *Un rêve enfantin à travers un pays*
> *De folles merveilles inconnues,*
> *Bavardant avec les oiseaux et les bêtes –*
> *Et finissent par y croire à demi* [1].

Un rêve enfantin ? Et qu'entendait-il par « croire *à demi* » ? Elle se pencha sur le premier chapitre, et aussitôt le souffle lui manqua. Elle avait l'impression que son ventre venait d'être pressé, comme les moitiés de pamplemousse que le doyen

---

1. Traduction de André Bay, ©1963, Éditions Gérard & C°, Verviers.

Liddell préparait chaque matin au petit déjeuner. Dans un terrier de lapin ? Mais d'où sortait cet inquiétant lapin blanc ?

— Alice, quelque chose vous contrarie ?

Elle tourna fébrilement les pages. L'Étang des Larmes, la Chenille, sa tante Redd... Tout avait été modifié, au point que c'en était devenu absurde.

— Vous avez transformé le général Doppelgänger, le commandant de l'armée royale, en deux garçons grassouillets coiffés de bonnets de laine !

— J'avoue avoir pris quelques libertés avec votre histoire, comme je vous l'avais annoncé, afin qu'elle devienne la nôtre. Reconnaissez-vous ce brave précepteur que vous m'avez décrit un jour ? C'est le personnage du lapin blanc. L'idée m'est venue lorsque je me suis aperçu que les lettres de son nom, arrangées autrement, donnent « White Rabbit[1] ». Tenez, je vais vous montrer.

Dodgson prit un crayon et un calepin dans la poche intérieure de son manteau. Alice refusa de regarder. Il lui avait certes promis que ce serait leur livre à tous les deux, et elle y avait puisé de la force. Une force qui lui avait permis de supporter les outrages qui lui étaient faits lorsqu'elle clamait une vérité que personne ne voulait croire. Mais ce manuscrit n'avait rien à voir avec elle.

— Vous voulez dire que vous l'avez fait exprès ? demanda-t-elle.

Le Chat du Cheshire et son sourire ! La folle partie de thé ! Elle lui avait décrit un monde plein de vie, dangereux mais porteur de promesses, d'espoir. Il avait utilisé ses souvenirs pour écrire une fable, un stupide conte pour enfants. Le révérend

---

1. Lapin blanc en anglais.

n'était qu'un incrédule de plus, et son livre, ce livre ridicule, était sa façon à lui de se moquer d'elle. Jamais, de toute sa vie, elle ne s'était sentie à ce point trahie.

— Plus personne ne me croira maintenant ! hurla-t-elle. Vous avez tout gâché ! Vous êtes l'homme le plus méchant que j'aie jamais rencontré, Mr Dodgson. Si vous aviez cru un seul mot de ce que je vous ai raconté, vous sauriez à quel point vous êtes cruel ! Je ne veux plus jamais vous voir ! Jamais !

Elle s'enfuit, abandonnant Edith et Lorina avec le révérend. Dodgson, tout retourné, ne comprenait pas ce qui venait de se passer. Pour lui, les enfants étaient des anges, dont les sourires le ravissaient. Il avait pensé que son acte désintéressé lui vaudrait les remerciements chuchotés de la fillette, et un baiser aérien de ses lèvres pures.

Il ramassa le livre encore tiède du contact d'Alice Liddell, ignorant qu'il n'aurait pas de sitôt l'occasion de la revoir.

Première partie

Chapitre I

Le Pays des Merveilles jouissait d'une paix fragile depuis la fin de la guerre civile, survenue douze ans plus tôt. Le conflit n'avait pas été le plus long de son histoire, mais certainement le plus féroce, et aucun Maravillien n'avait été épargné par le bain de sang. Une fois les hostilités terminées, ceux qui s'étaient livrés sans retenue au carnage et à la destruction avaient eu du mal à accepter le retour de la paix. Pris d'une folie meurtrière, ils s'étaient éparpillés dans les rues de Merveillopolis, la capitale, qu'ils avaient saccagée et pillée avant que la reine Geneviève ne les fasse arrêter. Elle les avait exilés aux Mines de Cristal, un dédale de galeries creusé au cœur d'une lointaine région montagneuse, où l'on envoyait ceux qui refusaient de se plier aux lois de l'honnête société. Les condamnés y trimaient, sans jamais voir le jour, pour extraire le cristal de la montagne impitoyable.

Hélas, même quand les rues furent débarrassées de ces vandales, la paix qui s'installa dans le royaume n'eut rien de comparable avec celle qui y avait régné avant la guerre. Un tiers des immeubles en quartz de Merveillopolis durent être reconstruits. L'amphithéâtre turquoise et les innombrables tours et flèches revêtues de pyrites flamboyantes avaient eux aussi subi de gros dégâts pendant les raids aériens. Cependant, les cicatrices de la guerre ne sont pas toutes visibles. Geneviève avait beau régner avec sagesse et se préoccuper du bien-être de ses sujets, la monarchie avait été à jamais affaiblie. La coalition des familles de Carreau, de Trèfle et de Pique qui composait le parlement était en lambeaux. Les trois autres reines jalousaient Geneviève, et chacune pensait pouvoir gouverner mieux qu'elle. Elles la surveillaient et attendaient l'occasion de lui ravir le trône, tout en gardant un œil méfiant sur les faits et gestes des familles rivales.

Douze ans après la fin de la guerre, la vie quotidienne au Pays des Merveilles avait repris un cours relativement normal. Le promeneur qui flânait dans les rues étincelantes de Merveillopolis pouvait admirer ses immeubles de cristal irrégulier et les vitrines de ses boutiques, regarder passer les métros de verre aux lignes pures, équipés de coussins d'air, s'arrêter pour acheter une tartatarte et laisser son goût incomparable éclater sur ses papilles... mais il ne pouvait savoir que dans certaines ruelles, sur certaines plaines dégagées, on se préparait au combat : des jeux entiers de soldats-cartes exécutaient des manœuvres militaires ; on construisait des chars, on créait et on testait des armes nouvelles...

Et ce promeneur n'était pas le seul à l'ignorer.

*

Installée au balcon du palais en compagnie de sa mère, la reine Geneviève, la princesse Alyss de Cœur ne pensait pas à la guerre. La ville était en liesse. Depuis la Forêt Immortelle jusqu'à la Vallée des Champignons, les Maravilliens étaient venus de partout pour fêter le septième anniversaire de leur future souveraine, que cette cérémonie ennuyait à mourir.

Alyss savait que devenir reine du Pays des Merveilles était un sort assez enviable, mais elle détestait se plier au protocole. Plutôt que de rester assise des heures en tenue d'apparat, elle aurait préféré se cacher dans une des tours du palais avec son ami Dodge, et se pencher par la fenêtre pour bombarder de joligelées les gardes postés en dessous. Dodge aurait protesté, bien sûr, car il estimait que les gardes méritent de meilleurs traitements ; le jeu n'en aurait été que plus divertissant.

Mais au fait, où était Dodge ? Il ne s'était pas montré de la matinée. Ce n'était pas très gentil de sa part, d'éviter la princesse le jour de son anniversaire ! Alyss le chercha dans la foule des Maravilliens qui admiraient la Parade des Inventeurs, dans la rue en contrebas. Il avait dû aller s'amuser ailleurs... Quoi qu'il fît, c'était forcément plus plaisant que de regarder les Maravilliens défiler avec leurs inventions ridicules !

Bibwit Harte, le précepteur d'Alyss, lui avait expliqué que cette parade était la fierté du Pays des Merveilles : une fois par an, les citoyens pouvaient montrer leurs talents et leur ingéniosité à la reine. Quand Geneviève trouvait une invention particulièrement réussie, elle l'envoyait dans le Cœur Cristal. Ce bloc miroitant, haut de dix mètres et long de seize, installé dans la cour du palais, était la matrice de toute création. Les inventions qui le traversaient étaient diffusées dans l'Univers, afin d'inspirer les créateurs des autres mondes. Si un Maravillien passait devant la reine en bondissant sur un bâton muni d'un ressort, de poignées et de repose-pieds, il suffisait qu'elle envoie ce curieux objet dans le cristal pour que, peu de temps après, dans une civilisation ou dans une autre, quelqu'un invente un bâton sauteur !

Alyss se demandait pourtant à quoi tout cela rimait. Devoir rester assise, immobile, jusqu'à en avoir des fourmis dans les jambes, était pour elle une véritable punition.

– J'aimerais tant que Père revienne !

– Il ne devrait pas tarder à rentrer de Limitrophie, dit Geneviève. En attendant, comme tous les autres Maravilliens sont là, je te suggère de leur montrer un visage plus avenant. D'ailleurs, c'est intéressant, tu ne trouves pas ?

Au même moment, un homme tomba du ciel, accroché à une espèce de champignon.

– Pas mal..., admit Alyss. Mais ce serait mieux avec de la fourrure.

Le champignon se recouvrit instantanément de poils, et son inventeur atterrit dans un bruit sourd.

La reine fronça les sourcils.

– Père est en retard, fit Alyss. Il m'avait promis d'être là ! Était-il obligé de partir juste avant mon anniversaire ?

Le roi avait eu d'excellentes raisons d'effectuer ce voyage, et la reine le savait mieux que personne. Selon les services secrets, ils avaient même attendu trop longtemps. Le bruit courait que Redd, de plus en plus puissante, entraînait ses soldats pour attaquer le Pays des Merveilles. Geneviève n'était pas certaine que son armée pourrait assurer efficacement leur défense. Elle était aussi pressée qu'Alyss de voir revenir le roi ; néanmoins, elle était déterminée à profiter de la fête.

– Oh, regarde ! dit-elle en montrant une femme qui marchait en se trémoussant pour maintenir un grand cerceau autour de sa taille. Comme c'est amusant !

– Ce serait plus drôle si ça lançait de l'eau, commenta Alyss.

Aussitôt, la surface du cerceau se couvrit de trous minuscules, d'où jaillirent de minces jets d'eau. L'inventeuse, bien que surprise, continua de se déhancher pour le faire tourner.

– Alyss, ce n'est pas parce que c'est ton anniversaire que tu dois faire l'intéressante ! gronda la reine.

La fourrure du premier parachute du monde disparut et les jets d'eau du hula hoop tout juste inventés se tarirent. Alyss les avait fait apparaître et disparaître par la seule force de son imagination. Cette faculté était très importante au Pays des Merveilles, et l'imagination de la fillette était la plus spectaculaire qu'on ait jamais observée chez une Maravillienne de sept ans. Cependant, comme tout talent exceptionnel, elle pouvait être utilisée à bon ou à mauvais escient, et la reine avait quelques raisons de s'inquiéter. La lune Thurmite n'avait en effet effectué qu'une révolution depuis les dernières frasques de sa fille. Fâchée contre le jeune Jack de Carreau, coupable d'une indiscrétion tout enfantine, Alyss avait imaginé que le pantalon du petit garçon était rempli d'asticoglues frétillants. Jack avait « senti quelque chose de bizarre », et quand il avait baissé les yeux, il s'était aperçu que ses culottes bougeaient toutes seules. Depuis, ses nuits étaient peuplées de cauchemars. Alyss prétendait qu'elle ne l'avait pas fait exprès. Geneviève n'aurait su dire si c'était la vérité : certes la fillette ne maîtrisait pas encore complètement son imagination, mais elle était aussi capable de raconter n'importe quoi pour éviter d'être punie.

— Tu seras la reine la plus puissante de tous les temps, prédit-elle à sa fille. Ton imagination fera l'orgueil de ce pays. Mais tu devras travailler dur pour la mettre au service des principes fondateurs de la dynastie des Cœurs : l'amour, la justice et le devoir envers le peuple. Une imagination indisciplinée est pire que pas d'imagination du tout, car elle peut causer plus de dégâts. Rappelle-toi ce qui est arrivé à ta tante Redd.

— Je sais ! fit Alyss, boudeuse.

La fillette n'avait jamais rencontré sa tante ; en revanche, elle entendait depuis sa plus tendre enfance les histoires qu'on rabâchait à son sujet. Elle n'avait pas cherché à les comprendre toutes, car elle trouvait l'Histoire ennuyeuse. Néanmoins, elle en avait conclu qu'être comme Tante Redd, ce n'était pas bien.

— Allez, trêve de sermons ! déclara Geneviève. C'est quand même ton anniversaire !

Elle frappa dans ses mains : aussitôt le parachute et le hula hoop passèrent dans le Cœur Cristal, pour la plus grande joie de leurs inventeurs.

Soudain, une paire de bottes appartenant au roi Nolan vint flotter derrière la porte du balcon, avant d'entamer une petite danse sous les yeux de la princesse morose. La reine ne put que constater, une fois de plus, l'extraordinaire imagination de sa fille.

— Alyss !

Son intonation incita la fillette à interrompre sa rêverie. Les bottes retombèrent sur le sol.

— Tout est dans ta tête, soupira Geneviève. N'oublie jamais cela, Alyss : quoi qu'il arrive, tout est dans ta tête.

C'était à la fois un avertissement et l'expression d'un espoir. La reine, consciente que des forces ténébreuses étaient à l'œuvre dans les étendues désolées du Désert de l'Échiquier, savait que le Pays des Merveilles ne connaîtrait pas éternellement la joie et le bonheur. Tôt ou tard, le royaume subirait des attaques. Il faudrait alors toute la puissance d'imagination d'Alyss – alliée à celle des nombreux autres Maravilliens – pour assurer sa survie.

Chapitre 2

Le roi Nolan et ses hommes, qui cheminaient depuis deux jours en Bêtasauvagie Extérieure pour rentrer au Pays des Merveilles, lancèrent leurs esprits-chiens au galop sur une étroite crête montagneuse. De face, ces créatures ressemblaient vaguement à des bouledogues au corps fuselé et sans queue, avec leur face plate, leurs yeux somnolents aux paupières lourdes, leurs narines dilatées comme des soucoupes et leur gueule railleuse. Si les esprits-chiens n'étaient pas le moyen de transport le plus rapide au Pays des Merveilles, ils étaient très commodes pour voyager en Limitrophie. C'étaient les seules montures capables de traverser en un temps record les terrains accidentés de Bêtasauvagie Extérieure, chargées non seulement de leur cavalier, mais aussi des vins et des cristaux que Nolan emportait en guise de présents.

Pour le roi, ce voyage n'avait rien d'une partie de plaisir. Il s'était décidé à le faire pour le bien du royaume, afin de proposer au roi Arch de Limitrophie une alliance de dernière minute contre Redd. La reine, qui menait en principe elle-même ce type de négociations, avait jugé plus sage d'envoyer son mari à sa place. La Limitrophie était en effet gouvernée par un homme qui méprisait ouvertement les souveraines, et se plaisait à répéter qu'une femme n'avait rien à faire sur un trône.

Le roi Arch accueillit son voisin avec lassitude, comme si sa simple vue l'épuisait.

— Pourquoi devrais-je conclure une alliance ? lui demanda-t-il, alors que Nolan venait de lui en expliquer tout l'intérêt. Redd n'oserait jamais s'attaquer à la Limitrophie.

— Parce que nous sommes voisins, Arch ! Si Redd prend le contrôle du Pays des Merveilles, il est probable que ses ambitions n'en resteront pas là. La Limitrophie sera sa prochaine cible.

— Je suis capable de me défendre contre n'importe quelle *femme*, et sans aucune alliance, fanfaronna Arch.

Puis il claqua des doigts, et une courtisane aux formes généreuses sortit de derrière une tenture pour lui masser les épaules.

— De plus, établir un partenariat avec un pays gouverné par une femme va à l'encontre de mes principes. Je ne voudrais pas que vos mœurs bizarres influencent ma population féminine, ni que les graines d'une plus grande ambition germent dans son esprit. Que les femmes de Limitrophie s'imaginent devoir consacrer leurs vies à des choses plus « nobles » que leurs devoirs conjugaux est bien la dernière chose dont j'ai besoin.

— Si Redd prenait le contrôle du Pays des Merveilles, je m'inquiéterais plutôt de sa mauvaise influence sur *toute* ta population, rétorqua Nolan.

Le roi Arch émit un grognement dubitatif :

— Franchement, Nolan, je ne t'estime guère ! Quand je vois comme tu te laisses mener à la baguette par ta femme...

Le roi Nolan n'avait pas l'impression d'être mené à la baguette par Geneviève. À vrai dire, cette idée ne l'avait même jamais effleuré. Il chérissait son épouse parce qu'elle était forte, volontaire et généreuse, mais aussi parce qu'il admirait la façon dont elle endossait ces responsabilités qu'Arch voulait réserver aux hommes. Pour lui, rien n'était plus précieux que l'amour de sa chère reine.

— Admettons, dit Arch, que je vous accorde mon soutien pour combattre votre ennemie... Qu'obtiendrais-je en échange ? Quels bénéfices mon peuple tirerait-il de cette association ?

— Je suis prêt à t'offrir les droits d'exploitation de certaines de nos mines de cristal, le versement deux fois l'an d'un million de gemmes de howlite, et une aide militaire, si le besoin s'en faisait sentir un jour.

Le roi Arch se leva, indiquant que l'entrevue était terminée :

— J'y réfléchirai, et je te ferai connaître ma décision dans le courant de la semaine prochaine.

Nolan, qui souhaitait être rentré au palais à temps pour l'anniversaire d'Alyss, pressa ses hommes sur le chemin du retour. Ils chevauchèrent à bride abattue, sans s'arrêter pour se reposer ni se restaurer. Bientôt, les montagnes furent derrière eux. Il leur restait encore une demi-journée de voyage. Au sortir d'une plaine poussiéreuse, ils gravirent une colline et aperçurent le palais de Cœur dans le lointain. Une rafale de vent leur apporta les sons des festivités, de la musique et des rires — ou du moins c'est ce qu'ils imaginèrent, car ils en étaient assez loin. Nolan s'arrêta net, et son escorte l'imita.

— Que se passe-t-il, Sire ?

— Elle ne me pardonnera jamais d'avoir manqué la fête.

— La reine passe tout à Sa Majesté.

— Je ne parlais pas de la reine, mais de la princesse.

— Ah... Avec elle, vous n'êtes pas au bout de vos peines !

Les hommes rirent. Il était certain qu'Alyss donnerait du fil à retordre à son père, mais le roi ne demandait pas mieux.

Même quand elle boudait, il trouvait sa fille délicieuse. Plus pressé que jamais de retrouver sa famille, Nolan éperonna vigoureusement son esprit-chien :

– Allez ! Hue !

Chapitre 3

Bibwit Harte rassembla ses livres et ses papiers en prévision de la leçon du lendemain. Maintenant qu'elle avait fêté son septième anniversaire, Alyss devait commencer à recevoir l'enseignement qui ferait d'elle une reine.

— Et ce n'est pas facile d'être une reine, marmonna le précepteur. Les souveraines héritent d'énormes responsabilités. Il leur faut étudier le droit et la politique, l'éthique et la morale. Elles doivent exercer leur imagination pour la mettre au service de la paix, de l'harmonie et de l'Imagination Blanche, car l'Imagination Noire est un fléau. Enfin, comme si tout cela ne suffisait pas, elles ont aussi le Dédale Miroir à traverser...

Bibwit, seul dans la bibliothèque du palais de Cœur, déclama de mémoire le texte fondateur du Pays des Merveilles, *In Regina Speramus* : « Il n'existe qu'un Dédale Miroir pour chaque reine en devenir. La future souveraine doit le traverser si elle veut atteindre le plus haut niveau de son imagination, et par conséquent être digne de gouverner. »

Puis, de son ton habituel, il conclut :

— Quant à l'emplacement du Dédale Miroir, seules les Chenilles le connaissent.

Bibwit Harte était un albinos d'un mètre quatre-vingts, dont on voyait les veines bleutées palpiter sous la peau. Ses oreilles immenses étaient si sensibles qu'il était capable d'entendre quelqu'un chuchoter à trois rues de distance. Il était en outre d'une intelligence remarquable et avait la manie de parler tout seul, ce qu'on s'accordait à trouver étrange. Les Figures — ainsi nommait-on les membres des familles de Carreau, de Pique et de Trèfle —, qui lui en voulaient d'enseigner depuis des décennies aux enfants de Cœur plutôt qu'aux leurs, ne se privaient pas de le tourner en dérision. Cela dit, Bibwit se moquait bien de ce que les autres pensaient de lui. Il parlait seul parce qu'il existait peu de gens aussi érudits que lui, et qu'il aimait s'adresser aux gens érudits.

— Joyeux anniversaire ! Joyeux anniversaire !

Le précepteur venait de pousser les battants d'une porte donnant sur les jardins du palais. Le volume sonore des voix aurait pu blesser ses oreilles hypersensibles s'il s'était agi de n'importe quelle autre chanson, destinée à n'importe quelle autre princesse. Cependant, rien ne lui paraissait excessif quand il s'agissait d'honorer Alyss. Dans le chœur des invités, conduit par les tournesols, les tulipes et les marguerites — au Pays des Merveilles, c'étaient les fleurs qui avaient les voix les plus mélodieuses —, Bibwit remarqua plusieurs Figures. Il croisa le regard de la Dame de Carreau et lui fit une révérence. Il assista au dédoublement du général Doppelgänger, le commandant de l'armée royale, qui laissa soudain place aux généraux Doppel et Gänger, sans doute désireux de prêter au chant deux voix plutôt qu'une seule. Il s'inclina devant la Chenille Bleue, l'oracle des oracles, sage d'entre les sages. Lovée dans un coin du jardin, elle tirait des bouffées de son narguilé tandis qu'un Gouinouk — une petite créature au corps de pingouin et au visage ridé de vieillard — se dandinait sur son dos.

— On sous-estime beaucoup l'art du dandinement, disait le Gouinouk à la Chenille. Laissez-moi donc tirer sur ce calumet.

— Tss-tss ! fit la Chenille, qui ne partageait jamais sa pipe avec les Gouinouks, fût-ce pour l'anniversaire d'Alyss de Cœur. Fumer est mauvais pour la santé.

— Aujourd'hui est un grand jour ! si une Chenille a fait tout le voyage depuis la Vallée des Champignons pour participer aux festivités, murmura Bibwit Harte.

Il regarda deux esprits-chiens tirer en direction d'Alyss un gâteau géant, couvert d'une multitude d'oiseaux-luces faisant office de bougies qui battaient des ailes. Aux côtés de la fillette se tenaient la reine et son garde du corps, le Chapelier Madigan. Ce dernier était un membre éminent de la prestigieuse force de sécurité du Pays des Merveilles, plus connue sous le nom de Chapellerie. Équipé du sac à dos caractéristique de son organisation, les poignets ceints de bracelets métalliques, vêtu d'un long manteau et coiffé du haut-de-forme qu'il ne quittait que pour combattre, il était le seul dans la foule à afficher un air grave, à rester vigilant. La chanson se termina. Les convives applaudirent, et la reine suggéra à Alyss de faire un vœu.

— À part souhaiter que Père ne soit jamais parti en voyage, déclara la princesse, je fais le vœu d'être la reine du jour.

La couronne de Geneviève se souleva et flotta en l'air jusqu'à la tête de sa fille. Tous les invités s'esclaffèrent, à l'exception du Chapelier Madigan, qui ne riait jamais.

— Madigan ! soupira Bibwit, vous devriez tout de même songer à vous détendre, de temps en temps...

— Tu seras reine bien assez tôt, lança Geneviève à Alyss.

Elle récupéra sa couronne de la même façon qu'elle l'avait perdue : son imagination n'avait rien à envier à celle de la princesse.

Alyss aperçut son précepteur à la porte de la bibliothèque et décida de s'amuser à ses dépens. C'était toujours ça, en attendant de trouver Dodge...

— Voulez-vous du gâteau, Bibwit Harte ?

Il hocha la tête, et elle lui en apporta une part sur une assiette en chocolat comestible :

— Joyeux non-anniversaire ! Il est aux raisins secs, au caramel et au beurre de cacahuète, avec des chamallows et des boules de gomme. C'est mon préféré !

— Merci, Alyss ! fit Bibwit. J'espère que vous serez aussi gentille avec moi demain, une fois que nous aurons commencé nos leçons !

— Je n'ai pas besoin de leçons ! protesta la fillette. Il me suffira d'imaginer que je sais tout pour tout savoir, et vous n'aurez plus rien à m'enseigner.

Le précepteur souleva le gâteau et l'examina en louchant :

— Ma chère enfant, vous ne pouvez tout imaginer parce que vous ignorez tout ce qu'il est possible d'imaginer. D'où l'utilité des leçons. Faites-moi confiance, je sais de quoi je parle. J'ai formé votre grand-mère et votre mère quand elles avaient votre âge, et je me suis même efforcé d'inculquer quelques connaissances à celle dont on doit taire le nom — autrement dit, votre tante Redd. Toutefois, nous n'aborderons pas ce sujet.

Il mordit sans conviction dans sa part de gâteau et mastiqua longuement, dubitatif. Il avait l'impression d'avoir quelque chose de vivant dans la bouche. Alyss éclata de rire. Il cracha dans sa paume et comprit qu'en fait de pâtisserie il avait mâché une pleine poignée d'asticoglues !

— Je vous ai bien eu ! s'écria la princesse en se sauvant.

La blague n'était pas gentille, vraiment pas ! Par chance, Bibwit n'était pas rancunier, et il comprenait qu'Alyss eût besoin de se distraire : il y avait si peu d'enfants de son âge au palais ! Il lorgna une dernière fois du côté des jardins. La Chenille Bleue avait dû aller se cacher quelque part. Les généraux Doppel et Gänger avaient de nouveau fusionné, et ils – ou plus précisément « il » : le général Doppelgänger – conversait avec sir Justice Anders, le capitaine des gardes. Le Chapelier Madigan, qui suivait la reine comme son ombre, était aussi inexpressif que d'ordinaire. Bibwit se retira dans la bibliothèque. Sur un rayonnage, les livres d'images d'Alyss côtoyaient une chronique en dix volumes de la guerre civile, écrite selon différents points de vue : celui des soldats-cartes ayant combattu au front, celui de membres de la milice des pièces d'échecs, celui du général Doppelgänger et de ses sergents, et même celui de la reine Geneviève. Elle contenait en outre les listes des Maravilliens tombés au champ de bataille et les explications des stratégies justifiant le sacrifice de leurs vies. Bibwit prit le premier tome de la chronique et le posa près des autres documents qu'il avait préparés pour les leçons d'Alyss. L'ouvrage recensait les atrocités que Redd avait commises – tortures, assassinats de prisonniers, charniers. Depuis le début, le précepteur se sentait responsable de la dérive diabolique de Redd, et s'était persuadé qu'il avait failli à son éducation. « Une future reine doit comprendre le plus tôt possible que gouverner un pays n'est pas une partie de plaisir », dit-il pour lui-même.

CHAPÎTRE 4

Le roi Nolan et ses hommes avaient laissé la Bêtasauvagie Extérieure derrière eux. Ils traversèrent quelques arpents de la Forêt Immortelle avant de pénétrer dans Merveillopolis par l'est, la partie la plus rurale de la capitale, où vivaient les fermiers et ceux qui appréciaient la tranquillité de la vie bucolique.

Soudain, leurs esprits-chiens s'arrêtèrent net et se cabrèrent, en proie à une grande agitation. Les voyageurs découvrirent alors des jeux entiers de soldats-cartes à la solde de Redd, partiellement camouflés par les ombres allongées du jour déclinant. D'apparence inoffensive, ils étaient entassés les uns sur les autres par groupes de cinquante-deux, attendant manifestement des ordres. « Et voilà ! songea Nolan. La décision du roi Arch n'a plus aucune importance, à présent. Le Pays des Merveilles ne peut s'offrir le luxe d'attendre sa réponse une semaine ou deux. »

— Redd a fait ses jeux ! s'écria-t-il. Il faut donner l'alerte au palais !

Un de ses hommes sortit un communicateur-miroir de sa sacoche et entreprit de taper un message codé sur le clavier. S'il avait eu le temps d'appuyer sur la touche « envoi », son message se serait affiché sur une visionneuse de cristal, dans la salle de contrôle du palais de Cœur. Hélas, avec un cliquetis rappelant celui d'une paire de ciseaux en mouvement, un jeu sortit d'un fourré voisin et se déploya en éventail autour du roi et de son escorte. Les soldats de Redd, débordant d'adrénaline, chargèrent en poussant d'affreux cris de guerre, auxquels firent écho les râles d'agonie des hommes de Nolan. Le communicateur-miroir tomba et se brisa sur un rocher tandis que son propriétaire rendait l'âme. Les Maravilliens se battaient à un contre cinq. Au centre de l'échauffourée, le roi Nolan, toujours juché sur son esprit-chien, repoussait vaillamment les attaques lorsqu'une silhouette drapée d'une cape écarlate parvint indemne jusqu'à lui et lui enfonça dans le cœur la pointe d'un sceptre. Du sang coula des commissures de ses lèvres.

— Ma Reine..., gémit-il en basculant vers la mort. Ma Reine...

CHAPITRE 5

« Je l'ai bien eu ! Je l'ai bien eu ! »

Laissant Bibwit Harte regarder, consterné, sa main pleine d'asticoglues à demi mâchés, Alyss courut en riant se réfugier dans la salle d'Issa, où elle trouva enfin Dodge Anders. Il l'attendait, au garde-à-vous. À son attitude, on aurait juré qu'il était capable de rester ainsi toute une vie si nécessaire.

— Où étais-tu passé ? lui demanda-t-elle, essoufflée. J'ai cru que tu ne voulais pas me voir.

— Il fallait bien que je te trouve un cadeau... Pourquoi tu cours ?

— Pour rien.

— Ah bon.

Dodge se doutait qu'elle avait fait une bêtise, car c'était toujours plus ou moins le cas, mais il n'insista pas. Il lui tendit une petite boîte fermée par un ruban rouge et esquissa une révérence :

— Joyeux anniversaire, Princesse !

— Arrête !

Alyss n'aimait pas que son meilleur ami la salue de la sorte.

Dodge le savait. Elle lui avait répété un nombre incalculable de fois qu'elle se moquait qu'il fût roturier... Il avait trois ans et quatre mois de plus qu'elle. Cela lui plaisait-il de s'incliner devant une fille plus jeune que lui ?

D'ailleurs, quel mal y avait-il à l'être ? Cela n'avait rien d'avilissant. Sa condition autorisait Dodge à quitter l'enceinte du palais, et Alyss aurait adoré pouvoir en faire autant. Elle avait beau être rebelle et libre d'esprit, elle n'avait jamais franchi les limites du luxueux palais de Cœur. Elle ouvrit le paquet et découvrit une dent triangulaire, acérée, étincelante, qui reposait sur un lit d'écume.

— C'est une dent de Jabberwock, lui apprit Dodge.

— J'espère que tu n'as pas tué la bête toi-même !

Les Jabberwocky étaient des créatures énormes et redoutables vivant dans les plaines volcaniques, une région traversée de rivières de lave, qui regorgeait de volcans en activité et de geysers de gaz nocifs, où l'on ne s'aventurait qu'au péril de sa vie. Mais Dodge était imprévisible. Déjà tout petit, alors qu'il trottinait encore sous les pans du manteau de sir Justice et singeait son salut militaire, chacun savait à quoi il consacrerait sa vie. Il voulait suivre les traces de son père, qui s'était distingué par sa bravoure dans la guerre civile et avait reçu de la reine, en récompense, le poste qu'il occupait actuellement.

Pour l'heure, Dodge se tenait devant Alyss dans son uniforme de garde, orné d'un badge à fleur de lys.

— Non. Je n'ai pas tué le Jabberwock. J'ai acheté la dent dans une boutique.

— Je la garderai toujours ! lui promit la fillette en la glissant sur son collier.

Elle avait grandi avec Dodge, et, depuis qu'elle était bébé, il était son partenaire de jeux. Sur sa table de chevet, un cristal holographique le montrait, âgé de quatre ans, l'embrassant sur la joue alors qu'elle était assise dans son landau. À l'arrière-plan, on voyait les officiers froncer les sourcils. Alyss n'avait jamais compris ce qui les chiffonnait ; cela ne l'empêchait pas de chérir ce cristal. Dodge rougissait chaque fois qu'elle le lui montrait, aussi le lui présentait-elle souvent. Il savait, lui, pourquoi les officiers plissaient le front : à cause de l'étiquette, ce code de bienséance qui voulait que l'on ne fraye qu'avec les membres du même rang que le sien. Alyss avait beau se moquer éperdument des différences de classes, sir Justice avait expliqué les faits à son fils. Dodge avait admis que, s'il voulait devenir garde, il devrait se plier aux convenances et ne pas faire passer ses sentiments – encore moins ceux qu'il nourrissait à l'égard d'Alyss – avant son devoir. « Tu ne pourras jamais te marier avec la princesse, Dodge, lui avait gentiment expliqué son père, un peu fier malgré tout que l'héritière du trône se soit prise d'affection pour son fils. Un jour, elle sera ta reine. Tu peux lui montrer ton dévouement en la servant de ton mieux, mais elle devra épouser un membre des Figures. Or Jack de Carreau est le seul jeune homme dont le rang et l'âge sont proches des siens. Je suis désolé, mon garçon, mais la princesse et toi... ce n'est pas dans les cartes. Je comprends, Père », avait dit Dodge.

Ce n'était qu'une demi-vérité. La tête du petit garçon avait compris, mais pas son cœur.

— Tu n'as pas d'exercices militaires à répéter ? demanda Alyss.

— Je suis toujours prêt à m'entraîner, Princesse.

— Arrête de m'appeler princesse ! Tu sais bien que j'ai horreur de ça.

— Je n'oublie jamais votre condition, Princesse.

Alyss fit claquer sa langue. Parfois, le sérieux de Dodge l'agaçait.

— J'ai un nouvel exercice à te proposer. On fait semblant d'être à un bal où l'on s'amuse. Il y a de la musique, un tas de choses délicieuses à manger, et on danse ensemble.

Elle lui tendit une main. Dodge hésita.

— Allez, viens ! insista-t-elle.

Le jeune garçon lui passa un bras autour de la taille et l'entraîna dans une valse. Il touchait son amie pour la première fois... du moins, de cette manière. Elle sentait la terre fraîche et la poudre. C'était un parfum propre, délicat. Il se demanda si toutes les filles sentaient ainsi, ou si c'était seulement les princesses. Dans un coin de la pièce, un tournesol en pot entonna une sérénade.

— Ce n'est pas un exercice militaire, protesta Dodge en tentant vaguement de se libérer.

— Je t'ordonne de rester ! Pendant qu'on danse, Redd et ses soldats enfoncent la porte et nous attaquent par surprise. Les invités hurlent et prennent la fuite. Il y a des morts. Toi, tu restes calme, et tu promets de me protéger.

— Tu sais bien que je te protégerai quoi qu'il arrive, Alyss !

Dodge eut une bouffée de chaleur et fut pris d'un léger vertige. Il tenait la princesse contre lui, sentait son souffle sur sa joue... Il était le garçon le plus heureux du royaume.

— Ensuite, tu combats Redd et ses soldats.

Dodge obéit à contrecœur : brandissant son épée, il se fraya un chemin à coups de lame entre des adversaires imaginaires, pivotant sur lui-même et esquivant les attaques, dans le style du Chapelier Madigan, dont il admirait et étudiait les techniques de combat.

— Après avoir mille fois risqué ta vie, poursuivit Alyss, tu viens à bout des soldats et tu enfonces ton épée dans le corps de Redd.

Dodge plongea son épée dans le vide, à l'endroit où il imaginait que Redd se trouvait. Il recula ensuite pour admirer son œuvre : ses ennemis terrassés gisaient à ses pieds. Puis il rangea l'épée dans son fourreau.

– Je suis sauvée, continua Alyss. Mais je suis bouleversée par ce que je viens de voir. Tu danses avec moi pour m'apaiser.

Le tournesol leur chanta une nouvelle sérénade. Sans hésitation cette fois, Dodge étreignit Alyss et la fit tournoyer dans la pièce. Il s'était détendu malgré lui, bien qu'il sût parfaitement ce que son père penserait de sa conduite. Il donnait libre cours à des sentiments qu'il n'aurait jamais dû s'autoriser à éprouver.

– Veux-tu devenir mon roi, Dodge ?

– Si tel est votre plaisir, Princesse, dit-il d'un ton qui se voulait nonchalant. Je...

– Toi, là, cire mes bottes ! cria une voix dans le couloir. Servante, obéissez !

Dodge lâcha Alyss, s'écarta précipitamment et se remit au garde-à-vous.

– Lave mon gilet ! Fais mon lit ! Poudre ma perruque ! reprit la voix.

Le jeune Jack de Carreau, dix ans, héritier de la famille du même nom, entra à grandes enjambées dans la salle d'Issa. Il s'arrêta en découvrant Alyss et Dodge.

– Qu'est-ce que tu fais ? lui demanda Alyss.

– Je m'entraîne à être un personnage royal. Ça ne se voit pas ?

Jack de Carreau aurait pu être un très bel enfant, s'il n'avait été aussi tyrannique et doté du derrière le plus gros et le plus rebondi de tout le Pays des Merveilles. On aurait dit qu'il transportait un coussin au fond de sa culotte. Il avait aussi la prétention ridicule de mettre une longue perruque poudrée, parce qu'il avait entendu dire que les grands des autres mondes s'en coiffaient. Il jeta un coup d'œil sur la boîte ouverte et le ruban abandonnés par terre, puis remarqua la dent de Jabberwock qu'Alyss portait autour du cou.

— La question qu'il faut poser, dit-il, c'est : « Qu'est-ce que vous faites, *vous* ? »

Ni Alyss ni Dodge ne répondirent.

— Tiens, tiens, on joue aux amoureux avec la princesse, on dirait ?

Jack gloussa, s'approcha d'Alyss et effleura son nouveau pendentif.

— Ne touche pas à ça ! l'avertit Dodge.

— Ma douce Princesse, quand nous serons grands et que tu seras ma femme, je t'offrirai des diamants, pas des dents pourries d'animaux ridicules.

— Va-t'en, l'implora Alyss.

— Laisse-la tranquille ! dit Dodge. Je ne plaisante pas.

Jack de Carreau fit volte-face pour défier le fils du garde. Il posa un doigt sur ses lèvres et feignit de se plonger dans une profonde réflexion :

— Voyons voir... Ah, ça me revient : « Am stram gram, pic et pic et colégram, moi je suis un fils de Dame ! »

Dodge lança un poing devant lui, qui envoya Jack de Carreau au tapis. Les quatre fers en l'air, la perruque de travers, il n'avait plus vraiment l'air d'une personne de haut rang. Dodge était prêt à se bagarrer, mais Jack se releva tant bien que mal et fila sans demander son reste en direction du jardin.

— Il est allé rapporter à son père, devina Alyss. On devrait s'enfuir avant d'avoir des ennuis.

Dodge fit alors un geste tout à fait déplacé de la part d'un garde : saisissant la main de la princesse, il la conduisit au pied de la statue de son arrière-grand-mère, la reine Issa. Il appuya sur le rubis qui ornait le devant de la couronne, et une porte se découpa dans le mur. Elle donnait sur l'un des nombreux tunnels de service sillonnant le palais de Cœur.

– Où va-t-on ? demanda Alyss.

– Tu verras.

Main dans la main, ils foncèrent dans le tunnel, croisant des gardes qui rejoignaient leurs postes, des serviteurs chargés de plateaux de joligelées, de chouquettes-surprises et de tartatartes.

CHAPITRE 6

Avec une reine, même la conversation la plus insignifiante, un jour de fête, peut dériver progressivement vers des sujets épineux. C'est ainsi que Geneviève se retrouva mêlée malgré elle à une discussion avec la Dame de Trèfle et la Dame de Pique, concernant la fâcheuse influence des sociétés d'Imagination Noire sur la jeunesse du Pays des Merveilles.

— Il paraît qu'ils boivent du sang de Jabberwocky, dit la Dame de Pique.

— Je trouve regrettable, déclara la Dame de Trèfle, que les jeunes d'aujourd'hui considèrent comme acquises la paix et l'harmonie qui règnent actuellement sur le Royaume. On dirait qu'ils veulent bouleverser l'ordre établi rien que pour le plaisir de détruire.

— Des membres de la Chapellerie ont infiltré la plupart de ces groupes, les informa Geneviève.

— Vraiment ?

La Dame de Trèfle, qui encourageait toute initiative susceptible de miner le pouvoir de sa rivale, lui sourit et décida à regret de ne plus sponsoriser les sociétés d'Imagination Noire. Elle venait de prendre cette résolution quand elle vit Jack de Carreau arriver en trombe dans la galerie en forme de cœur menant du palais aux jardins. Une demi-seconde plus tard, le garçon fut soulevé de terre. La perruque de guingois, il continua de pédaler dans le vide tout en se tortillant pour se libérer.

— Pourquoi êtes-vous si pressé, petit homme ? lui demanda Bibwit Harte. Quel est donc votre problème ?

— C'est vous, le petit homme ! riposta Jack.

— Ma foi... En nous plaçant à l'échelle de l'Univers, nous pouvons en effet considérer que je suis petit. Nous le sommes tous, si on va par là. Bien vu, Jack !

Jack ne comprenait pas ce que lui racontait ce type blafard, et c'était d'ailleurs le cadet de ses soucis :

— Lâchez-moi, espèce de... précepteur !

Lorsque ses pieds retrouvèrent la terre ferme, et après qu'il eut vainement tenté de redresser sa perruque, Jack de Carreau exposa la situation à Bibwit. Il lui raconta comment, alors qu'il ne cherchait de noises à personne, Dodge avait surgi de derrière une bibliothèque, l'avait assommé et lui avait sali ses pantalons. Il ajouta qu'il avait voulu arracher la princesse aux griffes de ce roturier, qui tentait de l'embrasser. Il allait de ce pas rapporter tout cela à son père et à la reine, afin qu'ils fissent exiler Dodge aux Mines de Cristal — un châtiment insignifiant, au regard d'un tel crime.

— Ce sont en effet des crimes sérieux, admit Bibwit Harte. Mais, Jack, ne croyez-vous pas qu'il serait temps d'embrasser les responsabilités de votre rang ?

Le garçon devint soupçonneux :

— Peut-être.

— À votre âge, vous ne devriez pas avoir besoin de votre père pour administrer des punitions. Je vais partir à la recherche du coupable et vous l'amener. En attendant, allez vous régaler d'une part de tartatarte, et ne parlez à personne de ce fâcheux incident. Je suis sûr que vous surprendrez la reine en infligeant vous-même à Dodge un châtiment approprié.

Bibwit regarda le garçon s'éloigner vers les jardins en se pavanant, son derrière dodu oscillant de droite à gauche, à chacun de ses pas. Grâce à ses oreilles ultra-sensibles, le précepteur avait entendu tout ce qui s'était passé dans la salle d'Issa. Quand il fut certain que Jack ne dirait rien de ce sujet insignifiant ni à la reine, ni au roi de Carreau, occupé qu'il était à dévorer une tartatarte, il partit à la recherche des deux fugitifs. Il dressa la tête, tel un chien alerté par un son aigu, et se mit à écouter les bruits dans le lointain. Il entendit des époux discuter d'un projet de safari en Bêtasauvagie Extérieure, un homme chuchoter à trois rues de là, puis un méli-mélo de voix étouffées. Se guidant à l'oreille, il sortit du palais.

Alyss et Dodge empruntèrent un dédale de tunnels habituellement réservés aux serviteurs. La princesse riait aux éclats, et s'amusait comme jamais. Quant à Dodge, il demeura sérieux et concentré, jusqu'au moment où il poussa de l'épaule une porte donnant sur la lumineuse Merveillopolis. Pour la première fois de sa vie, Alyss de Cœur quittait le palais.

– Waoh ! Quel spectacle réjouissant !

Partout dans la rue, des gens dansaient au son d'instruments de musique et jouaient des saynètes.

Apercevant Alyss, un commerçant tomba à genoux pour lui exprimer son respect et tous ses vœux de bonheur. D'autres Maravilliens l'imitèrent aussitôt, si bien que moins d'une minute après être sortis, Alyss et Dodge se retrouvèrent au centre d'une foule empressée, qui multipliait les courbettes.

– Euh... ouais ! lança Dodge à la cantonade. Elle ressemble drôlement à la princesse Alyss, n'est-ce pas ? Pourtant, elle se nomme Stella, et ce n'est personne en particulier.

Les Maravilliens relevèrent la tête et se consultèrent du regard, incrédules. Se pouvait-il que cette belle fillette brune aux yeux doux, coiffée comme la princesse, ne soit pas Alyss de Cœur ? Leurs doutes furent balayés par l'apparition de Bibwit Harte. Si le précepteur royal était à ses trousses, la petite fille était forcément la princesse !

— Cours ! cria Alyss.

L'albinos était très rapide, et il les aurait bien vite interceptés si sa toge ne s'était recouverte en un clin d'œil de plumes fluorescentes d'oiseau-luce. Elle se gonfla soudain autour de lui et le souleva dans les airs.

— Alyss ! Noooon !

Dodge regarda derrière lui :

— Que... ?

— Je ne l'ai pas fait exprès, s'excusa la fillette. Je voulais juste l'empêcher de nous rattraper...

Elle savait qu'elle n'aurait pas dû utiliser son imagination ainsi. Elle avait eu une minuscule idée pour ralentir Bibwit, et paf ! manque de chance : celle-ci avait pris corps. Bibwit retomba dans une flaque de boue et pataugea quelque temps avant de réussir à s'en extirper. Lorsqu'il y parvint enfin, Alyss et Dodge étaient déjà loin. Ils traversèrent au pas de course une enfilade de boulevards, d'avenues, de ruelles et d'allées. Enfin, les devantures clinquantes et les rues scintillantes de la capitale cédèrent la place à un chemin bordé de verdure. La végétation gazouilla d'étonnement à la vue de la princesse. Les fleurs écarquillèrent leurs pétales, afin de se présenter à elle le plus épanouies possible, tandis que les arbres écartaient leurs branches pour la laisser passer. Dodge et elle coururent, sautèrent pardessus les rochers et les lits des ruisseaux, jusqu'au bord d'une falaise.

En contrebas, Alyss découvrit une étendue d'eau ourlée de rochers de cristal.

— Qu'est-ce que c'est ? murmura-t-elle, à la fois parce qu'elle était impressionnée, et pour éviter que Bibwit la localise.

— On l'appelle l'Étang des Larmes, répondit Dodge, en chuchotant lui aussi. On raconte que ceux qui tombent dedans sont emportés dans un autre monde, mais personne n'en est certain. Une chose est sûre : nul n'en est jamais revenu.

Alyss demeura silencieuse.

— Parfois, des gens viennent ici pour attendre le retour d'êtres chers qui ont sombré dans l'Étang. Ils pleurent, et leurs larmes coulent dans l'eau. D'où son nom.

Alyss baissa les yeux vers l'onde. Comment le monde pouvait-il être aussi triste le jour de son anniversaire ? Ce n'était pas juste ! Elle tenta d'imaginer ce qu'elle ferait si Dodge ou l'un de ses parents tombait dans l'Étang des Larmes. À quoi ressemblerait sa vie sans eux ? Pour une fois, l'imagination lui fit défaut.

— Il est temps de rentrer, dit Dodge.

— Oui, oui, confirmèrent les arbres et les arbustes.

S'ils tardaient trop, les adultes se lanceraient à leur recherche. Sans doute enverrait-on le Chapelier après eux.

Alyss ne pouvait échapper à sa condition.

— Peut-être que si l'on rentre et que l'on fait semblant de rien, ce sera comme si rien ne s'était passé, suggéra-t-elle.

Dodge lui prêta son manteau d'uniforme. Ce n'était pas un geste anodin, vu l'importance qu'il accordait à ce vêtement. Reconnaissante, Alyss s'en couvrit la tête comme d'un châle pour ne plus être reconnue des passants, et compléta ce déguisement en s'imaginant un masque de chenille.

Toujours attentifs à ne pas se faire repérer par Bibwit, Dodge et la princesse se turent durant tout le trajet du retour, qui leur parut d'ailleurs beaucoup plus court qu'à l'aller. Ils atteignirent en un rien de temps l'alignement de fontaines majestueuses menant à l'entrée principale du palais. Derrière la grille fermée, Alyss vit le Cœur Cristal iridescent, dont s'échappaient des nuages blancs d'énergie imaginative.

– Miaou !

Un petit chat à la fourrure dorée vint se frotter contre sa jambe.

– D'où tu viens, toi ?

La princesse prit le chaton dans ses bras et s'aperçut qu'il portait un ruban en guise de collier. Attachée au ruban, une carte disait simplement : « JOYEUX ANNIVERSAIRE, ALYSS ! »

– Ça alors ! Il m'a reconnue malgré mon déguisement !

– Qui te l'a envoyé ?

– Je ne sais pas. La carte n'est pas signée.

Dodge jeta un coup d'œil aux alentours pour tenter de savoir qui avait eu cette généreuse idée. Une foule de Maravilliens faisait la fête devant le palais, mais personne ne sembla leur accorder la moindre attention.

– Il sourit, dit-il. Je ne savais pas que les chats pouvaient sourire.

– Il sourit parce qu'il est content d'être avec moi, expliqua Alyss, ravie d'avoir trouvé un nouvel ami.

Les gardes reconnurent Dodge Anders, mais refusèrent de faire entrer sa camarade sans autorisation. Alyss ôta alors son masque, et ils se hâtèrent d'ouvrir les grilles en grand.

– Acceptez nos humbles excuses, Princesse ! Nous ne nous attendions pas à vous voir. Nous vous demandons pardon.

– Je vous pardonnerai à une condition : vous ne direz à personne que vous m'avez vue avec Dodge à l'extérieur du palais. Puis-je compter sur votre discrétion ?

— Certainement, Votre Altesse !

— Alors, pas un mot !

Les gardes s'inclinèrent, et les deux amis entrèrent dans l'enceinte royale. Lorsque la grille fut refermée derrière eux, le chat sauta des bras de la princesse et se sauva en courant.

— Minou ! Attends !

Mais le félin continua de courir, comme s'il savait exactement où il allait ; comme s'il avait des choses à faire, un rendez-vous à honorer.

Et c'était précisément le cas.

CHAPITRE 7

Geneviève s'éclipsa pour aller se reposer un moment dans ses appartements, laissant ses invités livrés à eux-mêmes. Sans un mot, le Chapelier Madigan la suivit et se posta dans le couloir afin de veiller sur elle. Les appartements de la reine consistaient en trois salons contigus. Le premier était meublé de canapés rembourrés et de coussins géants destinés à envelopper Sa Majesté dans un confort voluptueux. Le deuxième, un vestiaire, renfermait ses innombrables tenues. Le troisième était une salle de bains équipée de rideaux à pompons coupés dans une étoffe luxueuse que l'on ne fabriquait qu'au Pays des Merveilles.

Geneviève examina son reflet dans le miroir de la salle de bains. L'anniversaire de sa fille lui rappelait toujours qu'elle aussi vieillissait. Il n'y avait pas si longtemps qu'elle-même avait reçu sa formation de future reine. Elle remarqua des rides, au coin de ses yeux et aux commissures de ses lèvres, qu'elle n'avait pas l'année précédente. Quel dommage que l'imagination ait ses limites et ne lui permette pas de retrouver les traits de sa jeunesse ! Soudain, une odeur fit palpiter ses narines. C'était un arôme familier, à la fois doux et épicé. Apercevant un panache de fumée bleue, elle le suivit jusque dans son boudoir, où elle trouva la Chenille Bleue qui rêvassait, lovée autour de son narguilé. En temps ordinaire, Geneviève aurait été fâchée de découvrir quelqu'un – à plus forte raison une larve géante – dans son sanctuaire sans qu'elle l'y eût invité. Cependant, la Chenille n'était pas n'importe quelle larve géante. Huit Chenilles vivaient au Pays des Merveilles, toutes de couleurs différentes. Déjà très âgées à l'avènement du royaume, elle en étaient les grands oracles. Elles servaient le Cœur Cristal et se souciaient peu de savoir qui occupait le trône, pourvu que la sécurité du cristal ne soit pas menacée. On les disait capables de prédire l'avenir parce qu'elles se refusaient à le juger. Ces derniers temps, toutefois, il était de bon ton parmi les membres des Figures de mépriser leurs prophéties, de taxer ces croyances de superstitions idiotes, de vestiges d'une époque barbare. Les Chenilles ne participaient pas aux travaux du gouvernement, et semblaient indifférentes aux rivalités qui opposaient les Figures. En revanche, elles pouvaient à l'occasion avertir Geneviève d'un danger menaçant la sécurité du Cœur Cristal, afin qu'elle agisse pour le protéger.

— Je vous remercie d'être venue aujourd'hui, Chenille, dit-elle. C'est un honneur pour moi, de recevoir un hôte d'une telle sagesse. Nous vous sommes tous humblement reconnaissants, Alyss, en particulier.

— Tss-tss ! fit la Chenille en exhalant un nuage de fumée.

La nuée prit la forme d'un papillon aux grandes ailes, qui céda ensuite la place à une succession de scènes confuses. La reine distingua un grand chat occupé à faire sa toilette ; quelque chose qui ressemblait à un éclair ; le visage de Redd... Puis la fumée reprit la forme d'un papillon, qui plia ses ailes.

Geneviève se réveilla sur un canapé, les narines encore pleines de l'odeur du tabac froid. La Chenille était partie. Le

Chapelier Madigan et un Morse boudiné dans un smoking trop petit étaient penchés sur elle.

— Vous vous êtes évanouie, Votre Majesté, dit le Morse-majordome. Je vais vous chercher un peu d'eau.

Il quitta précipitamment la pièce. La reine resta silencieuse un instant, puis annonça :

— La Chenille Bleue est venue me rendre visite.

Le Chapelier Madigan fronça les sourcils et mit une main sur le rebord de son haut-de-forme. Ses yeux scrutèrent la pièce.

— Je ne sais trop que penser de ce qu'elle m'a montré, poursuivit Geneviève.

— Je vais avertir le général Doppelgänger, ainsi que mes collègues de la Chapellerie. Nous renforcerons la sécurité afin de parer à toute éventualité.

Pour une fois, la reine aurait aimé relâcher la vigilance qu'elle était contrainte de maintenir à toute heure du jour pour assurer la protection du Pays des Merveilles. Les prophéties des Chenilles étaient toujours si vagues ! Parfois, leurs visions ne reflétaient que des éventualités, les sinistres projets d'individus qui ne songeaient pas à les faire aboutir. Cependant, elle ne pouvait prendre aucun risque ; surtout quand il s'agissait de Redd.

— Prenez soin de ne pas alarmer nos invités, recommanda-t-elle au Chapelier.

— Bien entendu !

Il lui fit une révérence et se retira.

Geneviève avait de la chance d'avoir un tel garde du corps. Madigan était capable de lancer un poignard — et même plusieurs — avec une vitesse et une précision inégalables. Il était agile et possédait de véritables talents d'acrobate. Pris dans une embuscade, il esquivait les tirs de bombaraignée à grand renfort de pirouettes et de sauts périlleux. Hélas, en dépit de toutes ses qualités, il ne pourrait protéger sa reine éternellement. Comment aurait-il pu savoir que les mesures qu'il allait prendre se révéleraient inutiles ? Qu'il était déjà trop tard ?

CHAPITRE 8

La plupart des convives étaient rentrés chez eux, et ceux qui restaient s'étaient rassemblés dans la salle à manger sud pour prendre le thé. Le Morse s'affairait autour de la longue table, à laquelle étaient assises la reine Geneviève et les Figures.

— Un morceau de sucre dans votre thé, Votre Majesté ? Une goutte de miel, Monseigneur ?

Geneviève sourit poliment, mais elle était distraite. Elle n'arrivait pas à se concentrer à cause de l'avertissement de la Chenille. De plus, le roi Nolan aurait déjà dû être rentré depuis des heures, et il ne lui avait envoyé aucun message.

Alyss et Dodge firent leur apparition. À quelles bêtises s'étaient-ils encore livrés ? Seul l'esprit d'Issa le savait.

— Tiens, tiens ! dit Geneviève, la reine du jour ! Où étiez-vous passés, tous les deux ?

— Nulle part...

Alyss s'assit, s'efforçant de paraître innocente. Elle lança un regard d'avertissement à Dodge qui prenait sa faction de garde très posément, le plus loin possible de son père. Jack de Carreau, dont les joues, le gilet et la perruque étaient parsemés de miettes de tartatarte, s'empourpra en les voyant. Il ouvrit la bouche pour annoncer la punition de Dodge au moment précis où Bibwit Harte entra, couvert de boue et de plumes.

– Bibwit ! souffla Geneviève. Que vous est-il arrivé ?

– Bah ! Trois fois rien, en vérité. Ma robe a attiré certains... comment dirais-je ?... attributs aviaires, et je me suis retrouvé en train de flotter en l'air. Par chance, j'ai très vite atterri dans une flaque de boue, même si j'ai dû déployer quelque ingéniosité pour m'en libérer...

La reine plissa les yeux :

– Alyss !

– Je n'ai pas fait exprès, se défendit la princesse. Ça s'est fait malgré moi.

Jack de Carreau grimpa sur sa chaise et pointa un doigt boudiné vers Dodge :

– Il a osé frapper ma royale personne et kidnapper la princesse Alyss. Regardez ! Ils ont de la boue sur leurs chaussures, preuve qu'ils sont sortis du palais ! J'exige que ce roturier soit déporté aux Mines de Cristal !

Les Figures se mirent toutes à parler en même temps, grognant de mécontentement, ou s'esclaffant, incrédules.

– Du calme, s'il vous plaît ! intervint Geneviève. Bibwit, est-ce la vérité ?

– Plus ou moins..., répondit le précepteur. Je crains, en effet, que les enfants n'aient quitté momentanément l'enceinte du palais.

– Dodge Anders ! tonna sir Justice. Approchez !

– Oui, monsieur !

Jack, qui venait de mordre dans une tartatarte, crachota une pleine bouchée de miettes dans les cheveux de la Dame de Pique en insistant :

– Aux Mines de Cristal !

Le Roi de Carreau se leva, comme pour plaider devant un tribunal :

— Votre Majesté, j'espère obtenir davantage de terres et une augmentation de la dîme en compensation de ce fâcheux événement. Le nom de ma famille a été effroyablement terni par le traitement que ce... ce... garçon a infligé à mon fils !

— Le nom de sa famille a été plus terni par son propre fils que par n'importe qui d'autre, murmura la Dame de Trèfle à l'oreille de son époux, qui s'étrangla de rire.

— Holà, holà ! s'écria le Roi de Pique en bondissant de son siège. Si les Carreaux reçoivent plus de terres et plus d'argent, nous en voulons autant !

— Il n'y aura d'augmentations pour personne ! trancha Geneviève, qui sentait venir une migraine.

Les Figures protestèrent et se lancèrent dans une discussion de plus en plus houleuse.

Sur ces entrefaites, le chaton d'Alyss entra dans la salle en trottant.

— Mon chat ! cria la princesse.

Le silence se fit aussitôt.

— Ton... ? commença la reine.

Elle ne put terminer sa phrase, car à cet instant précis un grondement sourd ébranla le palais. Les coupes et les chandeliers tremblèrent, cependant que le chaton entamait une transformation épouvantable. Ses membres grossirent et s'étirèrent : ses pattes arrière devinrent deux jambes puissantes et ses pattes avant se changèrent en bras sveltes et musclés, terminés par des griffes aiguisées qui n'avaient rien à envier à des couteaux de boucher. Son visage resta celui d'un chat, avec un nez plat et rose, des moustaches et des crocs baveux, mais ce n'était plus une adorable boule de poils : c'était

57

Le Chat, le redoutable assassin au service de Redd, mi-humain, mi-félin.

Avant que le général Doppelgänger ou sir Justice Anders aient pu réagir ; avant même que le Chapelier Madigan ait esquissé une pirouette, ou lancé sa toupie mortelle, on entendit des cris et une explosion. La double porte s'ouvrit à la volée, un mur s'effondra, et une horde de soldats-cartes s'engouffra dans la salle, épée en avant.

Debout au milieu des décombres se tenait un sosie, une version cauchemardesque de Geneviève. Une femme qu'Alyss n'avait jamais vue.

– Coupez-leur la tête ! hurla-t-elle. Coupez-moi ces têtes répugnantes et prétentieuses !

CHAPITRE 9

L'entraînement de ses soldats avait pris beaucoup de temps à Redd, et lui avait demandé de gros efforts. Elle était écœurée de voir combien d'imbéciles se prétendaient adeptes de l'Imagination Noire, sans réaliser quel travail colossal ils devraient fournir pour l'exercer de façon tout juste passable. Ou alors c'était l'ambition, la soif de vengeance et la haine, qui auraient permis à l'Imagination Noire de s'épanouir en eux, qui leur faisaient défaut. Cela dit, ils n'avaient jamais brillé par leur sens de la discipline. Redd, bannie du Pays des Merveilles des années plus tôt, avait été contrainte de vivre dans une forteresse sordide perchée sur le Mont Isolé, en plein Désert de l'Échiquier – une vaste étendue désolée où alternaient acres de neige glacée et acres de bitume noir, qui évoquait, vue de haut, un échiquier géant. Elle s'était alors entourée d'une armée de déserteurs, de mercenaires et de scélérats, parmi lesquels on trouvait beaucoup de Deux, ou de Trois, de la chair à bombaraignées, des soldats-cartes condamnés à périr en première ligne. Heureusement, Redd avait aussi à sa disposition des Quatre, des Cinq et des Six, ainsi qu'un groupe d'anciens civils maravilliens peu recommandables, qui n'avaient jamais

59

fait partie du Jeu, mais ne s'étaient pas sentis à leur aise dans le brillant et joyeux Pays des Merveilles.

Combien de fois, par le passé, avait-elle fait la tournée de ses camps d'entraînement dans l'espoir d'assister à la glorieuse éclosion d'une machine de guerre composée de soldats disciplinés, bien entraînés et avides de carnage ? Trois cent quarante-sept fois exactement.

Et combien de fois avait-elle été déçue de ne voir que des bons à rien se livrer à des manœuvres militaires désordonnées, inefficaces ? Trois cent quarante-six fois !

Un jour, elle avait été témoin d'une altercation entre un Six – un lieutenant –, et une espèce de Deux idiot qui caressait un amour de cochon d'Inde tout doux.

« Je t'ordonne d'avoir des pensées *noires*, et voilà ce que tu fais ! hurlait le lieutenant. Ne me dis pas que tu considères ce cochon d'Inde comme l'incarnation du mal ?

— Pourquoi pas, si c'est un cochon d'Inde maléfique ?

— Et celui-ci te paraît-il maléfique ? »

Le lieutenant et le Deux avaient regardé l'animal. Installé sur le bras plié du soldat, la pauvre bête remuait le museau en toute innocence.

« Ce n'est pas un cochon d'Inde maléfique ! » avait beuglé le lieutenant.

Redd, qui avait pourtant besoin de tous les renforts dont elle pouvait disposer, avait ordonné au lieutenant de tuer le soldat.

Grâce à son entêtement haineux, et grâce aussi à l'entraînement que ses troupes subissaient dix heures par cycle lunaire, son armée était enfin prête. Elle avait décidé d'attaquer à l'occasion du septième anniversaire d'Alyss. Le Pays des Merveilles fêterait sa future reine ; quelle meilleure occasion

pour reprendre par la force ce qui lui appartenait ? Elle donnerait une nouvelle souveraine au Pays des Merveilles ; seulement, ce ne serait pas celle que les citoyens attendaient.

Redd envoya en reconnaissance des Chercheurs, des créatures implacables à corps de vautour et à tête de mouche, qu'elle
avait elle-même élevées et entraînées. Ses troupes s'équipèrent,
affûtèrent leurs lames, chargèrent leurs fusils à cristal et leurs
sphérogénérateurs. Puis elle tint face à elles, au sommet déchiqueté du Mont Isolé. Elle étendit les bras comme pour
embrasser le mal et harangua son armée :

— Voici des années, ma propre famille m'a chassée de chez
moi. On m'a ravi le pouvoir qui, de par ma naissance, me revenait de droit. Vous aussi, vous avez dû quitter vos maisons
pour telle ou telle raison. Survivre sur ces terres stériles est
pour nous une souffrance quotidienne, mais nous n'avons pas
eu d'autre choix. Aujourd'hui, notre calvaire touche à sa fin.
Aujourd'hui, nous allons retourner à l'endroit où nous sommes
nés pour le remodeler à notre image — c'est-à-dire, à *mon* image.
Aujourd'hui, nous allons écrire l'histoire. Cependant...

Redd se renfrogna et considéra les troupes massées au pied
de la montagne :

— Si certains d'entre vous hésitent ; s'ils ne sont pas sûrs
d'être prêts à mourir pour ma cause, qu'ils fassent immédiatement un pas en avant. Ils seront dispensés de bataille jusqu'à
ce qu'ils se sentent aptes à combattre, et on leur servira de surcroît une tasse de thé.

Redd fit alors une chose extraordinaire : elle sourit. Mais
les muscles de son visage n'étaient pas habitués à sourire ainsi,
et les soldats lui trouvèrent l'air plus féroce que jamais. Nul ne
se risqua à avancer d'un pas.

— À la victoire ! cria-t-elle.

Si ses coquins de soldats manquaient d'inventivité, s'ils étaient novices dans l'art de l'Imagination Noire, Redd devait par contre leur reconnaître une qualité : ils avaient tous appris à tuer. Maniant avec une égale dextérité le sabre, le poignard, le gourdin à pointes, la lance, le sphérogénérateur ou le fusil à cristal, ils eurent facilement raison des gardes-frontières du Pays des Merveilles. Redd s'assura qu'aucun signal d'alerte ne parvenait au palais en les brouillant grâce à son imagination ; aussi ses hommes massacrèrent-ils sans plus de difficulté les patrouilles intérieures. Ils entrèrent dans Merveillopolis frais et dispos, traînant dans leur sillage des nuages rouge sang et des vents déchaînés. En les voyant, les Maravilliens, encore en liesse un instant plus tôt, abandonnèrent leurs jeux et coururent se réfugier dans les abris précaires de leurs maisons. Tous les citoyens âgés de plus de douze ans se rappelaient les ravages de la guerre civile qui avait opposé Redd et Geneviève. Ils savaient pourquoi Redd était revenue.

Les assaillants arrivèrent devant le palais et virent briller le Cœur Cristal, ultime source de lumière dans l'obscurité qu'ils avaient répandue sur leur passage. Redd ordonna à ses troupes d'encercler les lieux. Dans son œil imaginatif, elle vit son redoutable homme de main, sous l'apparence d'un chaton inoffensif, arpenter d'un pas feutré des couloirs en forme de cœur, passer devant des postes de garde, où on l'interpellait affectueusement : « Oh, le mignon petit chat ! Hé, minou, minou ! » Mais le chaton ne s'arrêtait pas : il était en mission. Parvenu devant le QG de surveillance, il se changea en assassin, défonça la porte verrouillée et attaqua par surprise les cinq hommes qui paressaient devant les consoles et les moniteurs de cristal. À tour de bras, il les projeta à terre comme autant de poupées de chiffon et les abandonna près de la porte, gisant dans leur sang. Il arracha le passe-partout de la ceinture du chef des gardes et l'inséra dans la console de sécurité. Puis il tourna la clé et poussa d'une chiquenaude tous les interrupteurs. Les serrures se déverrouillèrent aussitôt ; les portes et les portails s'ouvrirent en grand et les troupes de Redd s'engouffrèrent dans le palais tel un ouragan. Le Chat redevint chaton et fonça vers la salle à manger sud, où se tenaient la reine, la princesse et leurs invités, qui ignoraient encore ce qui se passait.

C'était la première fois, depuis de longues années, que Redd pénétrait dans le palais. Ce palais où elle était née, où elle avait passé le plus clair de son enfance, *son* palais ! Alors, toute la souffrance, toute la rancœur qu'elle avait si longtemps tenté de maîtriser la submergèrent. Sa colère grandissait à mesure qu'elle approchait de sa sœur. Elle avait été désobéissante... et alors ? Elle avait fait des expériences avec du cristal artificiel et des imaginostimulants... et alors ? Elle n'avait jamais été sensible à ces prétendues valeurs qu'on nommait la justice, l'amour, le devoir envers son prochain, et bla bla bla... et alors ? Elle était libre de ses choix. Pourquoi ses parents n'avaient-ils pu l'admettre et la laisser en paix, plutôt que de la contraindre à devenir la princesse parfaite qu'elle ne serait jamais ? Pourquoi ne l'avaient-ils pas aimée comme elle était ?

Le souvenir du jour où elle avait été évincée de la succession lui revint avec une violence à couper le souffle, et l'emplit de fiel.

La reine Théodora, la sagesse incarnée, avait décidé qu'elle ne pouvait confier ses pouvoirs à une personne aussi indisciplinée que sa fille aînée, et déclaré que Geneviève deviendrait reine à la place de sa sœur. À cette annonce, les traits de Redd s'étaient déformés, durcis sous l'impact de la fureur. Elle avait toujours été sujette à la jalousie, à l'amertume et à la rage. Désormais, ces sentiments étaient si exacerbés qu'ils pourraient alimenter ses rancœurs toute sa vie durant. Elle les avait cultivés jusqu'au jour où, cédant à sa colère, elle s'était glissée dans la chambre de sa mère endormie.

« Même toi, tu ne peux me prendre ce qui m'appartient ! » lui avait-elle lancé, menaçante, en lui plaçant sur la langue un champignon rose vénéneux.

Nourries par la salive de la reine, les racines du champignon s'étaient frayé un chemin dans sa gorge et lui avaient étranglé le cœur. Le chapeau qui était ensuite sorti de sa bouche signifiait que ce dernier avait cessé de battre.

Quant à son père, le roi Tyman, Redd lui avait laissé la vie sauve. C'était un homme faible, un incapable. Après le meurtre de sa bien-aimée Théodora, il était devenu fou. Il passait ses journées à converser avec feu son épouse en traînant inlassablement ses savates dans les couloirs du palais. Redd serait alors devenue reine, portée par son sens inné du pouvoir, si sa sœur ne s'était mise en travers de son chemin. C'était presque risible, quand elle y repensait : cette sainte-nitouche de Geneviève s'était convaincue qu'elle devait gouverner ! Finalement, Redd avait armé ses partisans, Geneviève les siens, et le conflit avait éclaté. Des gens avaient péri, des foyers avaient été détruits... Redd possédait une imagination plus puissante que celle de Geneviève, mais ses adversaires étaient plus nombreux que ses défenseurs, et les membres de la Chapellerie avaient pris le parti de sa sœur. À l'époque, il lui manquait quelqu'un pour rivaliser avec le Chapelier Madigan. Aujourd'hui, elle pouvait compter sur le Chat. Sur les Chercheurs. Et le temps n'avait pas estompé le souvenir de sa cuisante défaite. Elle ressentirait à jamais la honte d'avoir été battue à plate couture par sa sœur cadette et bannie du Pays des Merveilles.

Blême de rage, Redd se dirigea à grandes enjambées vers la salle à manger sud, insensible aux tirs éclatant de tous côtés. Elle n'accorda pas un regard aux gardes qui tombaient comme des mouches sous les coups de ses soldats. Elle ne ralentit même pas lorsqu'un sphérogénérateur explosa devant elle. Traversant la fumée et les flammes, elle surgit au milieu des décombres. Et là, enfin face à sa sœur, elle poussa un hurlement sauvage.

Elle allait tous les tuer !

CHAPITRE 10

Le souffle de l'explosion fit tomber Alyss à la renverse. La fillette toussait au milieu de la poussière et des gravats quand elle vit un escadron de soldats-cartes et d'individus patibulaires attaquer des civils et des courtisans innocents.

– Non !

Une main la bâillonna. C'était celle de Dodge, qui l'attira sous la table :

– Tais-toi, ou ils te tueront aussi ! Reste ici, et surtout ne bouge pas !

Alyss n'avait pas l'intention de bouger, encore moins de quitter son refuge. Il se passait trop de choses au-dessus d'elle, et rien qui vaille. Mais Dodge était là ; il la protégeait. « Tant que je suis avec Dodge... », songea-t-elle.

Aussitôt après l'explosion, le général Doppelgänger se faufila derrière une lourde tenture et abaissa un levier, qui fit surgir une manivelle à demi enterrée. Lorsqu'il l'actionna, les carreaux noirs du sol de la salle à manger se retournèrent pour libérer une armée de pièces d'échecs blanches : des cavaliers, des tours, des fous et des pions. Les échecs se ruèrent sur les envahisseurs ; les lames se croisèrent, les corps tombèrent... Le général se dédoubla, après quoi les généraux Doppel et Gänger se divisèrent à leur tour, de sorte que deux généraux Doppel et deux généraux Gänger affrontaient à présent les soldats-cartes. Alyss n'avait pas encore fait le rapprochement entre la femme haineuse qui avait vociféré : « Coupez-leur la tête ! » et sa tante Redd, pour la simple raison qu'elle était trop occupée à chercher Geneviève dans la mêlée. Où la reine était-elle passée ? La fillette l'aperçut enfin, aux prises avec deux ou trois soldats qu'elle combattait vaillamment. Alyss ignorait que sa mère savait se battre. Elle frémissait chaque fois qu'une lame manquait de l'atteindre, et la regardait avec stupéfaction s'imaginer de nouvelles armes – des épées, des sabres, des gourdins à piques – à mesure que les précédentes lui étaient arrachées des mains. Geneviève était toujours équipée d'au moins quatre armes, dont deux que son imagination brandissait dans son dos pour parer aux attaques par-derrière.

Mais pourquoi n'imaginait-elle pas que les soldats-cartes étaient morts ?

Alyss tenta de le faire à sa place. Elle ferma les yeux et se représenta les soldats sans vie, entassés au centre de la salle. Seulement, personne ne pouvait tuer par le seul pouvoir de son imagination quelqu'un qui désirait vivre, et lorsque la fillette rouvrit les paupières, le chaos régnait toujours dans la pièce. Des pions blancs, des tours et des cavaliers succombaient sous les coups de l'ennemi. Leurs cris de souffrance lui emplissaient les oreilles.

Un corps s'abattit brutalement sur la table, et Dodge lui passa un bras autour des épaules, comme si cela suffisait à la protéger.

– Ne bouge pas ! Surtout ne bouge pas ! chuchota-t-il.

Alyss se blottit contre lui. Elle n'avait plus envie de regarder ; elle voulait laisser son visage enfoui dans l'épaule de son ami, et ne le relever que lorsque cette scène épouvantable aurait pris fin, que tout serait redevenu comme avant.

Le Chapelier ôta son haut-de-forme et, le tenant par le bord, amorça un geste vif du poignet. Le chapeau s'aplatit instantanément et se divisa en une série de lames en forme de « S », fixées ensemble au centre de ce qui avait été le couvre-chef. Puis le disque coupant s'envola en tournoyant et faucha quelques ennemis, avant d'aller se planter dans le plâtre du mur, à l'autre bout de la salle. Un soldat-carte, un Quatre, arracha l'arme à la paroi. Mais lancer le haut-de-forme n'était pas à la portée du premier venu, et chaque fois que le Quatre tentait d'imiter le geste du Chapelier, l'arme retombait sur le sol dans un bruit métallique.

Alternant pirouettes et sauts périlleux, Madigan se fraya un chemin jusqu'à son chapeau, son long manteau flottant derrière lui comme une cape.

Ses bracelets d'acier s'ouvrirent avec un « clac ! », et ses poignets se retrouvèrent équipés d'hélices tranchantes. Son sac à dos se hérissa lui aussi, tel un couteau suisse, de lames et de tire-bouchons de longueurs et de diamètres variés.

Le soldat paniqua en le voyant approcher. Le haut-de-forme tomba une dernière fois. Le Chapelier le ramassa et l'examina pour s'assurer qu'il n'avait subi aucun dommage.

— Le lancer de chapeau ne s'improvise pas, dit-il au Quatre. Tenez, laissez-moi vous montrer comment on s'y prend.

Ce furent les derniers mots que le soldat entendit.

Redd allait et venait nonchalamment au cœur de la bataille, indemne. Quand un pion blanc avait le malheur de s'en prendre à elle, elle dardait sur lui un long doigt osseux et l'envoyait d'une chiquenaude se fracasser contre un mur, ou s'empaler sur la pointe d'une lance. Elle jubilait de voir Le Chat combattre avec une telle efficacité, percer de ses griffes des trous fatals dans les pièces d'échecs, et faire au moins autant de victimes parmi elles que n'en faisait le Chapelier parmi les soldats-cartes. Elle était également satisfaite de la rapidité avec laquelle les Figures avaient capitulé. À peine avait-elle ordonné qu'on leur coupe la tête que le Roi de Carreau s'était bravement avancé vers elle, s'était fendu d'une révérence et lui avait déclaré : « Votre Majesté, nous regrettons d'avoir été privés de votre présence pendant si longtemps et nous nous réjouissons de votre retour. » Les Piques et les Trèfles l'avaient imité, à grand renfort de courbettes, redoublant leurs témoignages d'affection. Elle décida de leur laisser la vie sauve. Du moins, pour le moment. De plus, le jeune garçon de Carreau l'intriguait, avec son joli minois, son gros derrière et sa perruque sale. Debout près de son père, qui lui avait passé un bras protecteur autour des épaules, il semblait plus intéressé qu'effrayé, comme s'il essayait de tirer des enseignements de la violence qui l'entourait. Qui sait : peut-être s'avérerait-il utile en grandissant ?

*

Sir Justice Anders faisait un carnage dans les rangs des envahisseurs. Il vola au secours de plusieurs pièces d'échecs momentanément dominées par une bande de Deux, et, profitant d'une brèche dans la défense du Chat, se jeta sur lui en brandissant son épée.

Dodge ne perdit pas une miette de la manœuvre.

— Regarde ! dit-il à Alyss, fier de la bravoure de son père.

Hélas, Le Chat n'eut aucun mal à esquiver l'attaque du chef des gardes. D'un coup de patte, il envoya valser sir Justice, dont l'épée ricocha sur le sol, hors d'atteinte. Puis il le releva et le gifla à toute volée.

— Noooon !

Avant qu'Alyss ait pu l'arrêter, Dodge avait bondi de sous la table, ramassé l'épée de son père et s'était rué sur Le Chat.

— Yaaah !

L'assassin sourit et le jeta à terre d'une pichenette. Six pièces d'échecs blanches convergèrent vers lui pour l'empêcher de l'achever.

Dodge tomba en sanglotant sur le corps de son père ; sur sa joue droite, quatre coupures parallèles saignaient, laissées par les griffes du Chat.

Alyss, restée seule sous la table, se mit à pleurer elle aussi. Des larmes mouillaient ses joues depuis le début, mais elle n'en avait pas pris conscience, comme si quelqu'un d'autre les avait versées, comme si son corps avait réagi avant son cerveau à l'horreur de la scène. Désormais, elle s'abandonnait au chagrin. Elle était secouée de sanglots. « Sir Justice est mort. Dodge m'a abandonnée. Et pourquoi Père est-il parti ? Et où est Mère ? Où est... »

C'est alors qu'un visage apparut devant le sien. Des yeux noirs, enfoncés ; une peau ravagée, d'aspect maladif ; des cheveux ternes.

— Bonjour, ma nièce !

Alyss sentit qu'on la tirait par ses longs cheveux bruns.

— Alors, tu devais devenir reine, n'est-ce pas ? grogna la femme, railleuse.

— Tante Redd ?

— Elle-même.

— Laisse-la partir ! intervint Geneviève.

— Serait-ce un ordre ? demanda Redd, sarcastique. Regarde autour de toi : l'époque où tu pouvais donner des ordres est révolue.

— Je t'en prie, laisse-la partir.

Redd s'impatienta :

— Tu sais parfaitement qu'il n'en est pas question. Et tu l'as bien cherché, *reine* Geneviève. Je ne peux pas me permettre de laisser un seul Cœur vivant – à part moi, bien entendu !

— Prends-moi à sa place.

— Imbécile ! Toi, je t'ai déjà. Et, au fait, si tu attends toujours ton roi, j'ai le regret de t'informer qu'il ne rentrera jamais !

Un nuage de fumée rouge jaillit du sceptre de Redd, qui servit d'écran à un défilé d'images animées : le roi Nolan et ses hommes pris dans une embuscade aux abords du palais de Cœur. Redd se ruant sur le roi et le tuant de la pointe de son sceptre...

— Père ! cria Alyss.

— Oh, mon roi ! souffla Geneviève.

Elle darda sur sa sœur dix-huit cônes aux pointes d'acier, tranchants comme des poignards. Redd leva paresseusement la main, et les cônes s'immobilisèrent en l'air, avant de retomber au sol. Le lustre accroché au-dessus de sa tête se détacha et fondit sur elle. Elle fit mine de chasser un moucheron, et le lustre se changea en poussière.

— Ne me dis pas que c'est le mieux que tu puisses faire, ma sœur ! s'esclaffa-t-elle.

Une série de lances à double tranchant se précipita vers elle en faisant des roues. Elle les écarta l'une après l'autre, l'air lassée de sa propre force, fatiguée d'être harcelée par Geneviève.

— Fin de la récréation ! siffla-t-elle.

Elle appuya son index contre son pouce et Alyss se mit à suffoquer. Elle avait l'impression que sa gorge s'était serrée au point d'étouffer. Sa mère était incapable de la défendre ; c'était donc à elle d'imaginer une riposte. Seulement, elle avait du mal à se concentrer.

Une meule de fromage alla rouler contre le pied de Redd ; une paire de pantoufles se mit à danser devant ses yeux.

Redd éclata de rire :

– Quelle reine tu aurais fait, avec une imagination pareille !

Alyss crut qu'elle allait exploser tant elle manquait d'air. Elle trouva à tâtons la dent de Jabberwock accrochée à son collier et la planta dans l'avant-bras de sa tante, de toutes ses forces.

– Aïe !

Redd desserra son étreinte et Alyss retrouva la liberté. Sans lui laisser le temps de se remplir complètement les poumons, sa mère l'entraîna dans le couloir, et elles volèrent plus qu'elles ne coururent jusqu'aux appartements royaux. Elles dépassèrent en trombe les canapés, les fauteuils rembourrés, les costumes pendus dans le vestiaire, et atteignirent enfin la salle de bains... où les accueillit Le Chat, tendu, prêt à bondir. La mère et la fille crurent leur dernière heure venue, quand un disque passa en vrombissant près de la tête d'Alyss et se ficha dans la poitrine de l'assassin, qui s'écroula. Le Chapelier s'approcha de la bête et arracha son haut-de-forme de la blessure mortelle. Geneviève lui indiqua le miroir :

– Emmenez Alyss et partez ! Le plus loin possible !

– Mais, Majesté...

– Je vous rejoindrai quand je pourrai... si je peux. En attendant, vous devrez cacher la princesse en lieu sûr, jusqu'à ce qu'elle soit en âge de régner. C'est la seule chance que le Pays des Merveilles survive. Promettez-le-moi.

Le Chapelier hocha la tête. Tant que Geneviève était en vie, son devoir lui commandait de combattre à son côté. Mais il comprenait aussi que l'avenir du Pays des Merveilles dépendait de la survie d'Alyss. Le royaume comptait davantage que la vie d'une reine, quelle qu'elle soit.

— Je vous le promets !

Geneviève s'agenouilla devant sa fille :

— Quoi qu'il arrive, ma chérie, je serai toujours auprès de toi. De l'autre côté du miroir. Et, surtout, n'oublie jamais qui tu es. Tu m'entends ?

— Je veux rester ici !

— Je sais, Alyss. Je t'aime !

La fillette se jeta au cou de sa mère :

— Non ! Je reste !

À cet instant, un mur céda, et Redd surgit, un peloton de soldats-cartes sur ses talons.

— Oh ! Comme c'est touchant ! s'exclama-t-elle. Et moi, on ne m'embrasse pas ?

Sa mine féroce contredisait ses paroles. Sans attendre une seconde de plus, le Chapelier saisit la main d'Alyss et sauta dans le miroir. Geneviève brisa la glace avec son sceptre et se tourna pour affronter sa sœur. Elle eut du mal à croire ce qu'elle vit au passage : Le Chat, allongé par terre, un trou béant dans la poitrine, venait de rouvrir les yeux ! À peine sa blessure fut-elle cicatrisée qu'il se précipita sur elle. Tout se passa en un clin d'œil. Geneviève fit jaillir un éclair blanc d'énergie imaginative et le projeta sur l'assassin, qui mourut une seconde fois.

Les soldats-cartes voulurent charger, mais Redd les arrêta. Elle arracha d'un coup sec l'éclair au bord déchiqueté de la poitrine du Chat et le fit tournoyer comme un bâton de majorette, si vite qu'il vira au rouge.

— Bien, ma sœur... Que te dire ? Pour être honnête, je dois admettre que ça me démange de te supprimer !

Sur ces mots, elle jeta violemment l'éclair à terre, et des dizaines de roses noires surgirent au point d'impact. Leurs tiges hérissées d'épines emprisonnèrent Geneviève et la ligotèrent étroitement. Leurs pétales s'ouvrirent, révélant des bouches voraces, avides de mordre dans la chair royale.

– À mort ! commanda Redd en récupérant l'éclair d'énergie.

– Non !

Geneviève luttait contre les rosiers, refusant d'abandonner son peuple à la vindicte de sa sœur. Et Alyss ? Elle n'était encore qu'une enfant...

Redd lança alors l'éclair de toutes ses forces. La tête de Geneviève se sépara du reste de son corps ; sa couronne roula sur le sol telle une pièce de monnaie. Redd la ramassa et s'en coiffa.

– La reine est morte. Vive la reine... Vive moi !

Le peloton de soldats-cartes l'acclama.

Redd balança un coup de pied au Chat qui gisait par terre, la langue pendante, l'air on ne peut plus mort :

– Debout, toi ! Il te reste encore sept vies.

Le félin cligna des paupières et ouvrit les yeux.

– Trouve Alyss et tue-la !

La nouvelle reine fit un signe de la main, et le miroir se reconstitua. Le Chat s'élança au travers, à la poursuite de la seule survivante des Cœurs, hormis Redd.

CHAPITRE 11

Le transport cristal – appelé aussi transport miroir – se pratiquant couramment au Pays des Merveilles. Toutes les surfaces réfléchissantes donnaient accès au Continuum Cristal, un réseau de voies de communication permettant à tous les Maravilliens d'entrer par un miroir et de sortir par un autre. Les miroirs convergents menaient à des destinations précises : par exemple, l'angle de l'avenue des Merveilles et de la rue Tyman. Les miroirs ordinaires, eux, autorisaient les voyageurs à choisir leur destination, pourvu qu'elle soit équipée d'une surface capable de les réfléchir. Ainsi que le précisait l'ouvrage *In Regina Speramus,* « de même qu'un corps plongé dans un liquide a tendance à remonter à la surface, un corps qui entre dans un miroir veut en être reflété ». C'est pourquoi il fallait disposer d'un certain entraînement pour maîtriser les bases de la navigation et rester à l'intérieur du Continuum. Un voyageur novice pouvait fort bien traverser un miroir chez lui, dans l'intention de rendre visite à un ami de l'autre côté de la ville, et se trouver reflété inopinément chez son voisin.

Il arrivait même que ce voyageur, franchissant le miroir de son voisin pour continuer son périple, soit reflété chez le voisin de son voisin... et ainsi de suite, jusqu'à ce qu'il atteigne la maison de son ami, à l'autre bout de la ville. Avec le temps, et à force de pratique, il pourrait faire le trajet avec un minimum de haltes. Cela dit, il était difficile, voire impossible, hormis pour les voyageurs les plus expérimentés, de couvrir de longues distances dans le Continuum Cristal. Seuls les courts trajets étaient à la portée de tous.

Le miroir situé dans les appartements de la reine n'était pas relié au Continuum. C'était un miroir convergent, destiné à n'être utilisé qu'en cas d'urgence par les membres de la famille royale et leurs proches. Il conduisait celui ou celle qui s'y engouffrait au plus profond d'une forêt, où se trouvait le portail de sortie, soigneusement dissimulé dans un fourré.

Alyss se retourna aussitôt après être entrée dans le Continuum, et vit l'image brouillée de sa mère se fondre progressivement dans le lointain, tandis que le Chapelier l'entraînait à sa suite dans un tunnel étincelant aux parois cristallines. Lorsque cette image explosa en milliers de fragments, des éclats déchiquetés de Geneviève restèrent un instant en suspension dans l'air.

– Mère !

Puis ce furent les ténèbres, la fin de tout. Un trou noir sembla avaler le Continuum derrière eux, à une vitesse affolante. Ce phénomène se produisait chaque fois qu'un miroir convergent était détruit, qu'une destination était gommée de la carte.

Où Madigan l'emmenait-il ? Où ? Où ? Où ?

Le vide se rapprochait, gagnait du terrain sur eux, quand...

Le sommeil était un effet secondaire du transport miroir qui affectait les enfants et les voyageurs inexpérimentés. Alyss se réveilla dans les bras du Chapelier. Sa joue rebondissait contre son épaule. Ils avaient quitté le Continuum et progressaient à présent dans une forêt obscure. La fillette ne distinguait rien, ni devant elle, ni derrière, et elle n'aurait sans doute pas deviné qu'ils étaient dans un sous-bois si elle n'avait perçu les chuchotements des arbres alentour. Il se mit à pleuvoir, puis un orage éclata, accompagné de tonnerre et d'éclairs. Le vent se leva. Comment diable le Chapelier pouvait-il savoir où il allait ?

Au-dessus d'elle, Alyss entendit des hurlements, sinistres et douloureux à la fois.

— Des Chercheurs, murmura le Chapelier, plus pour lui-même que pour la princesse.

Oui, des Chercheurs, qui avertissaient de leur position celui ou celle qui les suivait. Car quelqu'un ou *quelque chose* était sur leurs traces, c'était une certitude. Le Chapelier l'entendait filer à toute allure, pénétrer tête baissée dans les fourrés, briser des branches et patauger dans les flaques, tout à sa hâte de les rattraper.

Une éternité plus tard, le Bois Murmurant s'ouvrit sur une vaste étendue dégagée, bordée par un précipice. Il fallut quelques secondes à Alyss pour reconnaître les lieux. Ils étaient arrivés au bord de la falaise surplombant l'Étang des Larmes, où Dodge et elle étaient venus quelques heures plus tôt. Comme elle aurait aimé que Dodge soit encore là, avec elle ! Au pied de la muraille, l'eau noire bouillonnait. Soudain, elle comprit.

— Personne n'en revient jamais, dit-elle en regardant tristement l'Étang.

— Mais *vous*, vous en reviendrez ! lui assura le Chapelier. Vous n'avez pas le choix !

Au même moment, Le Chat fit irruption dans la clairière et fondit sur eux.

Le Chapelier sauta. L'assassin parvint à agripper la manche de la robe d'anniversaire de la fillette, qui se déchira, et ce fut tout. Alyss de Cœur, blottie contre le Chapelier Madigan, entamait une descente vertigineuse vers l'Étang des Larmes.

CHAPITRE 12

— Pointez les pieds vers le bas ! lui cria le Chapelier, qui s'efforçait de se tenir lui aussi le plus droit possible.

Il savait que s'ils n'entraient pas dans l'étang avec le minimum d'incidence, cela reviendrait à atterrir sur une plaque de diamant, et ils seraient tués.

Alyss eut tout juste le temps de suivre ce conseil avant de percuter la surface de l'eau. Cependant, le choc fut tel qu'il lui fit lâcher la main du Chapelier. Ce dernier chercha vainement à la rattraper : dans la panique, la fillette battait des bras et fut bientôt hors d'atteinte. Alors qu'elle s'enfonçait dans les profondeurs, Alyss ouvrit les yeux, mais ne vit que de la mousse et un tourbillon de bulles. Elle les referma aussitôt de peur d'affronter l'inconnu. Au moment précis où, certaine de ne pouvoir retenir son souffle plus longtemps, elle crut qu'elle allait se noyer au fond de l'eau, le mouvement s'inversa et elle fut propulsée vers le haut avec la même force et la même vitesse que lors de la descente.

Elle jaillit, tel un boulet de canon, d'une flaque d'eau sale en plein milieu d'une rue où passait un défilé. Sur les trottoirs se pressaient des individus aux visages étrangers, anonymes, habillés dans différents tons de gris. Ils l'applaudirent.

« Qui sont ces gens qui sautent, qui tournoient et qui jonglent ? se demanda-t-elle. Et eux, là devant ? Est-ce que ce sont des soldats ? »

Les badauds l'avaient prise par erreur pour l'une des saltimbanques qui faisaient des cabrioles, des pirouettes et des tours de passe-passe dans le sillage d'un régiment en marche.

— Bravo ! Bravo ! scandait la foule.

Cinq chapeaux melons, une canne au pommeau d'ivoire, une paire de lunettes en écaille de tortue, un journal roulé, une pomme de terre et deux assiettes — l'une pleine de steak et l'autre de tourte aux rognons — s'envolèrent en décrivant des cercles au-dessus des têtes. Le journal gifla un petit garçon assis sur les épaules de son père, et une femme reçut la tourte en pleine figure. Alyss était tellement hébétée qu'elle ne se rendit même pas compte que c'était son imagination qui était responsable de ce désordre. Elle surveillait sa flaque du coin de l'œil, espérant y voir apparaître le Chapelier, quand un carrosse doré surgit, tiré par huit chevaux aux harnais couverts de bijoux, et l'éclaboussa en roulant dedans. Elle aperçut furtivement une femme à l'intérieur — une reine ? Oui, c'était une reine ! — qui faisait des signes de main à la foule.

— Mère ?

C'était possible, après tout : Geneviève avait pu arriver dans ce monde avant elle. Et peut-être que lorsqu'on était reine dans un monde, on était reconnue comme telle dans les autres... Alyss oublia la flaque d'eau sale et s'élança à la poursuite du carrosse. Les chapeaux melons, les lunettes, la canne, la pomme de terre, le steak et la tourte aux rognons tombèrent par terre.

— Mère, mère ! Attendez !

La fillette se faufila entre les soldats. Ils la bousculèrent et lui donnèrent des coups de coude :

— Dégage, sale gosse !

— File de là, polissonne !

Alyss s'en rendait à peine compte. Elle gagnait du terrain. Sa mère allait la voir, ordonner qu'on arrête le carrosse et qu'on la hisse près d'elle sur la banquette de cuir. Elles seraient de nouveau réunies, et Geneviève lui expliquerait le pourquoi de cette horrible dernière demi-heure : « C'était un test. Ton premier test de future reine, rien de plus. »

Alyss était à une trentaine de mètres du carrosse quand, ayant passé les derniers rangs du régiment, il bifurqua dans une rue latérale et prit de la vitesse. L'entrée de la rue fut bloquée par une haie de soldats, empêchant quiconque de le suivre. La fillette rassembla sa fierté et, certaine de son bon droit — elle était princesse, tout de même ! — s'approcha des sentinelles :

— Où va ce carrosse ?

Pas de réponse. Peut-être les soldats ne l'avaient-ils pas entendue ? Elle allait réitérer sa question quand l'un d'eux daigna enfin la regarder. À en juger par son air dégoûté — comme si on lui avait mis une vieille chaussette sous le nez —, l'allure débraillée d'Alyss lui avait fait piètre impression.

La fillette baissa les yeux sur sa robe déchirée, trempée, et dut admettre qu'elle n'avait pas l'air très majestueuse.

— Ben, au palais de Buckingham, tiens ! bougonna le soldat. Qu'est-ce que tu croyais ?

Alyss ne croyait rien. Les événements se succédaient trop rapidement pour qu'elle puisse leur donner une quelconque signification. Ce qu'elle savait, c'était juste que sa mère s'était rendue au palais de Buckingham.

— Et où est-il, ce palais ?

— Tu ne sais pas où est le palais de Buckingham ?

— Si vous ne me le dites pas, je vous promets que vous aurez des ennuis !

Cette repartie amusa le soldat :

— Sans blague ? Et pourquoi je devrais te dire où est le palais ? Si ça se trouve, tu veux faire du mal à la reine...

— Je suis la princesse Alyss de Cœur. La reine est ma mère, et...

— Ta m... Ben voyons !

Le soldat se tourna vers son collègue, qui avait tout entendu :

— Hé, George ! Cette gamine prétend que la reine est sa mère.

— Ça alors ! dit George en se tournant vers son voisin :

— Timothy, tu as entendu ? Cette gosse est la fille de la reine. Toi et moi, on est censés risquer notre peau pour la protéger !

— Vive la princesse ! se moqua ledit Timothy en se courbant jusqu'à terre.

Ses camarades s'esclaffèrent.

Alyss avait beau savoir qu'il était dangereux de mettre son pouvoir au service de la colère, ces hommes étaient trop irrespectueux ! Elle se les représenta la bouche cousue, incapables d'ajouter un mot. Toutefois, sous l'influence de sa méchante humeur peut-être, ou parce qu'elle était dans une ville étrangère, son imagination ne produisit pas l'effet escompté, et les manteaux, ainsi que les braies des soldats se déchirèrent simplement aux coutures. Croyant qu'ils avaient fait craquer leurs uniformes à force de rire, les soldats redoublèrent d'hilarité.

La colère d'Alyss s'évanouit, la laissant triste et dubitative. Était-il possible que la femme assise dans le carrosse ne soit pas sa mère ? Après tout, elle avait vu son image voler en éclats, puis céder aux ténèbres et au vide. Et pourquoi son imagination lui avait-elle joué un tour ?

Sans s'en apercevoir, elle s'était éloignée des soldats.

— Chapelier ? appela-t-elle.

Mais il n'y avait autour d'elle que des étrangers, qui conversaient par petits groupes sur les trottoirs ou passaient à la hâte, pressés d'arriver Dieu seul sait où. Et que de la suie, de la crasse, mêlées à la puanteur du crottin de cheval.

Alyss résolut de retourner dans la flaque qui l'avait éjectée dans ce monde, espérant y retrouver le Chapelier et, pourquoi pas, regagner ainsi le Pays des Merveilles. Elle rebroussa chemin et s'aperçut que la rue était constellée de petits trous d'eau. Était-elle allée trop loin ? Avait-elle dépassé *sa* flaque ? Tout lui semblait pareillement inconnu. Avait-elle vraiment parcouru une telle distance en suivant le carrosse ? Et si elle ne retrouvait pas son eau à elle ? Que se passerait-il quand le soleil percerait les nuages ?

Devait-elle s'arrêter pour réfléchir ? « Non, surtout pas ! », se commanda-t-elle. Penser à son père assassiné ? À sa mère, probablement morte... À sir Justice Anders, la gorge tranchée ? À Dodge, son meilleur ami... « Non, n'y pense pas ! » Et à elle-même, seule, prisonnière de ce monde étranger ? « N'y pense pas non plus ! »

Elle devait être forte. Elle était une princesse, la future reine du Pays des Merveilles. Elle n'avait pas le droit de pleurer comme un bébé.

Prenant son élan, elle sauta dans la flaque la plus proche, s'éclaboussant copieusement, et aspergeant aussi un couple qui passait tout près.

— Mon Dieu ! Quelle mal élevée ! s'offusqua la femme.

L'homme fit mine de la prendre en chasse, mais Alyss fonçait déjà vers la flaque suivante. Elle s'y précipita à pieds joints, et trempa cette fois un jeune homme fringant qui sortait de chez son tailleur.

– Argh ! Cette cravate à elle seule vaut plus cher que toi, espèce de souillon !

Alyss sauta ainsi de flaque en flaque. Chaque fois qu'elle prenait son élan, elle fermait les yeux, croyant dur comme fer qu'elle allait regagner le Pays des Merveilles. Mais lorsqu'elle les rouvrait, elle était toujours mouillée, et dans ce monde inconnu. Dire qu'elle s'était plainte des responsabilités qui incombaient à une princesse. C'était quand même mieux que ça !

« Je ne retrouverai jamais le chemin pour rentrer chez moi, songea-t-elle. Jamais, jamais, jamais ! »

Désespérée, elle sauta plusieurs fois dans la même flaque en criant : « Non ! non ! non ! », jusqu'à ce que ses larmes se mêlent aux éclaboussures.

– Tu prends un bain, ou quoi ? lui demanda un garçon qui la regardait de loin, à une distance prudente.

Elle s'immobilisa et renifla. Le garçon portait une culotte grise, rapiécée aux genoux et aux cuisses, une redingote trop grande pour lui, dont la queue lui arrivait presque aux talons, et des chaussures de cuir crevassées sans lacets.

– Je suis la princesse Alyss de Cœur du Pays des Merveilles, lui lança-t-elle d'un air de défi.

– Ouais, et moi, je suis le prince Quigly Gaffer de Chelsea. Tu en as, un drôle de costume !

Elle baissa les yeux sur sa tenue d'anniversaire sale et trempée : une robe à volants au jabot froissé, serrée à la taille et évasée sous les genoux, qui se terminait par un cerceau encombrant, ornée de cœurs multicolores, dans des teintes qu'on ne trouvait qu'au Pays des Merveilles... Et même là-bas, ce genre de robe n'était pas ordinaire. On ne la sortait qu'une fois l'an, pour l'aérer et pour que les tailleurs du palais l'ajustent aux nouvelles mensurations de la princesse, qui avait grandi.

— C'est tout ce que j'ai ! dit-elle en se remettant à pleurer.

Quigly l'observa un moment. Même couverte de boue et de crasse, même en larmes, cette fille l'intriguait. Elle était plus lumineuse que la plupart des gens, un peu comme si elle était éclairée de l'intérieur par une petite lanterne, dont la lueur filtrait à travers les pores de sa peau.

— Vous devriez venir avec moi si vous voulez des habits secs, Votre Altesse, lui suggéra-t-il.

Il partit en avant. Alyss hésita. Une vingtaine de mètres plus loin, Quigly se retourna et lui fit signe de le suivre.

— Alors, qu'est-ce que tu attends ?

La fillette chercha une dernière fois le Chapelier du regard, puis abandonna son trou d'eau, décidant qu'elle avait bien besoin d'un ami.

CHAPITRE 13

Aucun entraînement au monde n'aurait pu préparer le Chapelier à être ainsi aspiré à travers l'Étang des Larmes. Il sortit d'une flaque en plein saut périlleux et retomba sur ses pieds avec l'agilité... d'un chat !

Il laissa son instinct de survie prendre les commandes. Son sac à dos était hérissé de son assortiment d'armes habituel. Ses bracelets d'acier s'ouvrirent avec un bruit sec ; leurs hélices coupantes bourdonnèrent. Il chercha son haut-de-forme : il ne l'avait plus, et c'était une mauvaise nouvelle. Une très mauvaise nouvelle ! Le chapeau était son arme de prédilection, celle qui lui avait demandé le plus de travail, et dont il allait avoir grand besoin, à en juger par les mines consternées et les visages inquiets des gens qui l'entouraient.

Il se trouvait à Paris, en France, en 1859, au beau milieu d'une large avenue connue sous le nom de Champs-Élysées. À sa vue, les Parisiens renversèrent leurs cafés, les voitures à cheval virèrent de gauche et de droite, perturbant la circulation. L'une d'elles renversa un étalage de fruits, une autre écrasa des paniers de baguettes et de miches. Les chevaux, énervés, hennirent et piaffèrent.

Qui était donc cet individu étrangement vêtu, équipé d'un sac à dos plein de couteaux et de tire-bouchons géants ? Sans parler des lames inquiétantes qui ornaient ses poignets...

Le Chapelier, lui, surveillait la flaque du coin de l'œil, craignant d'en voir jaillir à tout instant Le Chat, ou les soldats de Redd.

– Alyss ?

Mais la princesse n'était pas là. L'avoir perdue était mille fois pire que d'avoir égaré son haut-de-forme ! Il n'avait passé qu'un instant dans l'Étang des Larmes, avec pour seule mission de veiller sur la future reine du Pays des Merveilles, et il l'avait laissée s'éloigner de lui. Elle avait dû sortir par un autre portail...

Des hommes s'approchèrent ; des hommes en uniforme, coiffés de petites casquettes raides avec des visières. Ils semblaient troublés et vraiment effrayés.

Le Chapelier ferma ses lames de poignet et partit en courant. Il n'avait pas peur d'eux : il avait peur de ce qu'il pourrait leur faire. Même ici, dans ce monde étranger, il était soumis aux règles de la Chapellerie du Pays des Merveilles, qui stipulaient qu'on ne devait pas combattre un individu tant qu'il n'avait pas fait montre de son hostilité. Et encore convenait-il d'en mesurer la nécessité. De plus, il préférait attirer le moins possible l'attention sur lui, et disparaître afin de retrouver au plus tôt la princesse Alyss.

Son ample manteau flottant autour de lui, il traversa les Champs-Élysées et s'engouffra dans une rue résidentielle. Il était plus rapide et plus agile que ses poursuivants, et leur aurait facilement échappé s'il avait su se repérer dans Paris. À plusieurs reprises, alors qu'il pensait les avoir semés, il s'était finalement rendu compte qu'ils avaient emprunté un raccourci et qu'ils se trouvaient en face de lui.

Décidé à se débarrasser d'eux pour de bon, il cessa de courir et les laissa approcher. Quand ils furent à moins de vingt pas, il ouvrit d'un geste vif ses lames de poignet et feignit de les attaquer. Les Français s'éparpillèrent dans les cafés, les brasseries, les pâtisseries ou les boulangeries voisines, cherchant à se mettre à l'abri comme ils pouvaient. Le Chapelier rentra ses lames et fila. Cette fois, personne ne le suivit.

Il se cacha sous un pont et attendit la tombée de la nuit sur les berges de la Seine, convaincu qu'il se ferait moins remarquer dans la pénombre. Il avait prévu de passer Paris au peigne fin, de chercher la princesse jusque dans les plus petites ruelles, les allées minuscules, avant d'aller tenter sa chance dans une autre ville. Il se procurerait des cartes, fouillerait ce monde de fond en comble si nécessaire, franchirait les frontières tel un fantôme, fidèle à la promesse qu'il avait faite à Geneviève, la reine qu'il avait laissée derrière lui.

Dans l'obscurité, il arpenta la cité d'un bout à l'autre. Chemin faisant, il nota que certaines personnes avaient l'air de rayonner. Supposant que c'était là l'effet de leur imagination, il suivit jusque dans la rue de Rivoli un homme particulièrement lumineux. Celui-ci entra dans une modeste boutique, dont la porte était coiffée d'une enseigne de bois imitant un chapeau haut-de-forme. Peut-être était-ce un lieu destiné aux membres de la Chapellerie locale, où il trouverait de l'aide et un peu de réconfort ? Il pénétra à son tour dans l'échoppe, pleine de toutes sortes de chapeaux : des derbies, des melons, des bérets, des fez, des casquettes... Un assortiment de couvre-chefs impressionnant, même pour lui. Le Chapelier prit un haut-de-forme et fit son geste vif du poignet, mais le chapeau conserva sa forme innocente.

Un tout petit monsieur à la moustache clairsemée s'approcha de lui :

— Bonjour, monsieur, puis-je vous aider ? lui demanda-t-il dans sa langue.

— Je viens du Pays des Merveilles, où je dirige la Chapellerie, annonça le Chapelier.

Il attendit que le commerçant réagisse à cette annonce importante, mais l'homme demeura imperturbable.

— C'est un chapeau de grande qualité, lui assura-t-il simplement en désignant le haut-de-forme.

Le Chapelier reposa l'article :

— Je cherche la princesse Alyss du Pays des Merveilles. Elle est entrée dans ce monde, comme moi, par un portail, et...

L'homme ne parut pas comprendre, et ses yeux n'exprimèrent rien de spécial à l'énoncé du nom d'Alyss. Quand il entreprit de lui vanter les mérites d'un béret, le Chapelier quitta son échoppe. Il en essaierait d'autres par la suite. Il se fiait davantage à ceux qui avaient affaire aux couvre-chefs qu'à quiconque.

Quelques porches plus loin, trois hommes éméchés sortirent d'un café. Ils s'arrêtèrent et écarquillèrent des yeux vitreux à la vue du Chapelier, et de son étrange accoutrement.

— Je n'aime pas les étrangers, éructa l'un d'eux.

Le Chapelier n'avait pas besoin de comprendre le français pour sentir l'hostilité qui perçait dans sa voix. L'homme fit semblant de lui envoyer un coup de poing, et ses compagnons s'esclaffèrent.

— Je ne veux pas me battre avec vous, dit le Chapelier sans même ciller.

— Non ?

— Non.

L'ivrogne bouscula le Chapelier, qui ne broncha pas : un modèle de retenue.

— Qu'est-ce qu'il y a là-dedans ? demanda l'homme, indiquant le bagage du Chapelier. Donne-moi ça !

Il avança d'un pas et tendit la main vers le sac à dos.

Convaincu que seul un ennemi tenterait de lui prendre ses armes, le Chapelier activa ses bracelets à hélices et fit un saut périlleux arrière pour se donner un peu de marge. Puis il fouilla dans son sac et lança une poignée de dagues.

Tchac ! Tchac ! Tchac ! Les poignards épinglèrent le poivrot par les manches à une charrette. Le Chapelier espérait que cette démonstration prouverait à ses agresseurs qu'il était capable de les tuer tous les trois, si tel était son désir.

Plusieurs dizaines d'hommes sortirent alors des cafés voisins, inquiets, et l'encerclèrent. L'un d'eux braqua un revolver sur lui.

Le Chapelier reconnut vaguement dans l'arme à feu une invention maravillienne datant de son enfance. Pour s'en remémorer les caractéristiques, il fixa l'homme et dit : « Bouh ! »

Paniqué, celui-ci tira.

Prompt comme une langue de Jabberwock, le Chapelier esquiva le projectile : une bille d'acier qui passa près de lui en sifflant. Il appuya sur la boucle de sa ceinture, et une série de lames incurvées comme des sabres jaillit tout autour de sa taille. Le groupe s'éparpilla en un clin d'œil ; chacun prit ses jambes à son cou sans insister, ce qui n'empêcha pas les hommes, plus tard, de rapporter qu'ils avaient vu un étranger massacrer une vingtaine de civils innocents avec ses armes sophistiquées. Eux-mêmes n'avaient survécu pour le raconter que par la grâce de Dieu.

Le Chapelier rétracta les sabres hérissant sa ceinture et ses lames de poignet, puis s'autorisa un bref sourire, soulagé de n'avoir eu à tuer personne. Il ne vit pas les six courageux marchands de tapis s'avancer derrière lui avec un grand kilim richement décoré. Les hommes abattirent le tapis sur lui et le roulèrent soigneusement dedans. Ses armes avaient transpercé la laine épaisse, mais ses bras étaient rivés le long de son corps, de sorte qu'il ne pouvait ni atteindre la boucle de sa ceinture, ni faire le petit geste du poignet qui lui aurait permis d'ouvrir ses bracelets.

Hissant le prisonnier sur leurs épaules, les hommes le transportèrent jusqu'au Palais de justice. Pourtant, même là, alors qu'il respirait tant bien que mal à travers les fibres du tapis, le Chapelier ne s'inquiétait pas de sa propre sécurité, mais de celle d'Alyss de Cœur, sa princesse égarée dans un monde hostile.

CHAPITRE 14

Debout au bord de la falaise, Le Chat regardait l'eau écumer et clapoter à l'endroit où Alyss et le Chapelier avaient plongé. Un éclair zébra le ciel, suivi d'un coup de tonnerre, et il se mit à pleuvoir des cordes. S'il y avait bien une chose que Le Chat n'aimait pas, c'était l'eau. La pluie, les douches, les bains, qu'importe : il avait horreur d'être mouillé. Il fit demi-tour et repartit dans la forêt en fulminant, le bout de la robe d'Alyss serré dans sa patte.

— Tu les as laissés filer, dit une voix.

Le Chat s'arrêta, tendu.

— Ils se sont échappés, fit une autre voix.

L'assassin se retourna, mais ne vit personne. C'était la forêt qui lui parlait : les arbres, les plantes et les fleurs.

— Alors, alors ? gloussa un lilas tout proche. On a eu peur d'aller à l'eau ?

La forêt trouvait ça très drôle, et Le Chat détestait qu'on se moque de lui. Il arracha rageusement l'arbuste et le jeta par terre. La forêt se tut. Le félin s'approcha d'un arbre :

— Tu me parlais ?

Pas de réponse.

Il regarda à gauche, puis à droite :

— Je ne vois personne d'autre. C'est donc forcément toi qui m'as parlé.

Comme l'arbre continuait de se taire, il lui lacéra le tronc de ses griffes, le dépouilla de son écorce.

— Aaaaaouille ! cria la victime.

Le Chat regagna le Continuum Cristal par le miroir de la forêt, dont le gardien, le buisson touffu, s'était fait pour l'occasion plus touffu que jamais. Il en ressortit dans la salle de bains de Geneviève. Il traversa ses appartements dévastés en bombant le torse et emprunta le passage en forme de cœur menant à la salle à manger sud. Chemin faisant, il piétina les cadavres de soldats-cartes et de gardes qui gisaient là comme s'ils n'avaient jamais été vivants, n'avaient jamais ri, ni pleuré, ni aimé, ni été attendus chez eux par ceux qui les chérissaient.

En dépit de l'explosion qui avait ébranlé le palais, et des cadavres qui jonchaient les tables et le sol, la salle à manger sud était le théâtre d'une véritable orgie. Les soldats de Redd se goinfraient de chouquettes-surprises, de loirs rôtis et de tous les mets délicats leur tombant sous la dent, qu'ils engloutissaient sans aucune délicatesse. Peu intéressés par le thé, ils avaient fait une razzia dans les caves à vin du palais et se remplissaient la panse des meilleurs nectars du royaume.

— À la santé de la reine Redd !

— À la mort de la reine Geneviève !

Ces toasts se valaient tous pour Redd, qui se prélassait dans un fauteuil, coiffée de la couronne ensanglantée.

— Alors ? demanda-t-elle quand elle vit entrer son assassin. Où sont leurs têtes ?

On ne pouvait admettre un échec devant Redd et espérer s'en sortir sans douleur, voire pire. Le Chat lui montra le lambeau de la robe d'Alyss.

— C'est tout ce qu'il en reste. Je suis désolé, Votre Majesté. Je n'ai pas pu me contrôler.

— Il n'est pas sage de se contrôler dans ce genre de situation, déclara Redd. Joli travail !

Toutefois, une personnalité calculatrice et malhonnête soupçonne toujours les autres de calcul et de malhonnêteté. Aussi Redd essaya-t-elle de voir Alyss dans son œil imaginatif, afin de découvrir la vérité par elle-même. Elle ne discerna rien. L'imagination ne pouvait pas pénétrer l'Étang des Larmes. C'était une chance pour Le Chat.

Une voix s'éleva de derrière un rideau :

— Elle est morte ? Alyss est morte ?

Redd fit un signe de la main, et le rideau s'écarta, laissant apparaître Bibwit Harte.

— Tiens, tiens, ne serait-ce pas mon sage et lettré précepteur ?

Bibwit Harte était un homme loyal, et c'est par loyauté envers Geneviève et Alyss, envers l'Imagination Blanche, qu'il décida d'assurer sa survie en apaisant Redd. Bien qu'il ne fût qu'un érudit, il se jura de renverser un jour cette maîtresse de l'Imagination Noire et de rendre au Pays des Merveilles une paix glorieuse. Il inclina la tête :

— Pour vous servir, Votre Impériale Malveillance.

Redd ricana :

— Votre Impériale Malveillance ? Ha, ha ! Oui, c'est parfait ! À partir de maintenant, tout le monde me nommera ainsi ou mourra. Toi, là !

— Oui ma rei..., commença un Deux.

Le Chat lui perça aussitôt le poumon d'un coup de griffe.

— Toi ! dit Redd à un Trois.

— Hem... Oui, Votre... Votre Impériale Malveillance.

— Je veux une liste des sympathisants de l'ancienne reine qui ne sont pas morts dans cette pièce. Je ne vois nulle part le cadavre du général Doppelgänger. Mettez-le en premier sur la liste. Pour le reste, demandez-leur, à *eux*.

Elle se tourna vers les Figures, blotties les unes contre les autres, soucieuses de se faire les plus petites possible.

— Je suis sûre qu'ils se montreront coopératifs.

— Oh, oui ! s'écria le Roi de Carreau, qui avait toujours une main sur l'épaule de Jack.

— Absolument, confirma la Dame de Pique.

— Bien sûr ! Ça ne fait pas un pli, ajoutèrent la Dame de Trèfle et son mari.

Redd n'était pas une idiote. Elle savait qu'user de la peur et de l'intimidation ne suffirait pas à gouverner le royaume. Les Figures entretenaient des relations avec les maires des principautés et des hommes d'affaires influents, avec des personnages clés de ce qu'il restait de l'armée. Des relations à exploiter pour son bénéfice et son plaisir.

— Quelques changements interviendront dans le royaume, annonça-t-elle. Des changements qui pourraient vous profiter à tous. Comme je n'ai ni héritiers ni descendance, et que je ne désire pas en avoir, je choisirai mon successeur dans les familles de la haute société. Ceux d'entre vous qui me serviront le mieux ne seront assurés de rien ; toutefois, ils auront plus de chances que les autres d'accéder au trône.

Son Impériale Malveillance daigna alors sourire. Un rictus que la Dame de Pique trouva encore plus épouvantable que les cadavres alentour, et qui, à vrai dire, coûta beaucoup à la reine.

— J'espère que vous ne m'en voulez pas de faire ainsi appel à vos ambitions...

— Pas du tout ! s'exclama le Roi de Carreau.

— Absolument pas, renchérit la Dame de Pique.

— Oh, non ! Ça ne fait pas un pli ! dirent la Dame de Trèfle et son époux.

Les Figures se creusèrent la tête pour se rappeler qui avait échappé au massacre. Ils citèrent des pions, une tour, un cavalier et de nombreux soldats-cartes.

— Dodge Anders s'est enfui ! signala Jack de Carreau, plus fort que tout le monde.

— Et qui est ce Dodge Anders ? s'enquit Redd.

— C'est le fils d'un garde. Il est amoureux de la princesse Alyss, mais il fait semblant de rien. C'est son père, là ! ajouta-t-il en montrant du doigt le corps sans vie de sir Justice.

Redd s'approcha du garçon. Ses gredins de soldats suspendirent momentanément leurs agapes. Le Chat se figea. Personne ne savait comment elle allait réagir.

— Tu es très serviable, n'est-ce pas ? dit-elle en lui pinçant les joues, telle une grand-mère affectueuse.

Jack ne put répondre, tant elle le tenait fort.

— Ajoutez le nom de Dodge Anders sur la liste ! commanda Redd avant de le libérer.

De petits bleus se formèrent sur les joues de Jack, aux endroits où elle l'avait pincé. L'usurpatrice ôta sa couronne et la lança à Bibwit :

— Préparez mon intronisation devant le Cœur Cristal sur-le-champ. Tous les membres de la haute société ont ordre d'y assister — à moins, bien sûr, qu'ils ne préfèrent le confort du sommeil éternel...

Escortée par Bibwit Harte, Le Chat, les Figures, les soldats qui n'étaient pas trop saouls pour tenir debout, et d'autres, qui l'étaient, Redd descendit dans la cour du palais, se présenta devant le Cœur Cristal et déclara sous un ciel zébré d'éclairs :

— Je suis prête à pardonner à ceux qui ont prospéré durant mon exil et n'ont rien fait pour m'aider à revenir, à une exception près : quiconque hébergera ou aidera un sympathisant de l'ancienne reine ou de l'Imagination Blanche sera traqué, emprisonné et soumis à des tortures atroces avant d'être exécuté. Maintenant, mettez-moi la couronne.

Bibwit Harte s'empressa d'accéder à sa requête. Cependant, tout rapide qu'il était, il n'alla pas assez vite à son goût. D'un crochet du doigt, Redd lui arracha la couronne, qui fila directement sur sa tête.

— Je reconquiers mon royaume ! clama-t-elle en appliquant les deux mains sur le Cœur Cristal.

Le choc énergétique fut tel que tout son corps fut pris de secousses. Le cristal passa du blanc au rouge, un rouge si intense, si pénétrant, que Bibwit et les autres durent se détourner ou fermer les yeux pour éviter que leurs pupilles soient brûlées.

Redd venait de s'emparer du pouvoir du Cœur Cristal.

CHAPITRE 15

Les généraux Doppel et Gänger et les quelques rescapés de l'attaque de Redd évitèrent le Continuum Cristal, craignant que les envahisseurs n'en aient déjà pris le contrôle. Ils gagnèrent à pied la Forêt Immortelle, où ils trouvèrent refuge dans une petite clairière entourée d'arbres prêts à donner l'alerte à l'approche d'ennemis. Ceux qui s'en étaient sortis indemnes portaient les blessés, mais tous avaient l'âme meurtrie par leur défaite et par la perte d'êtres chers laissés derrière eux.

— Nous devons nous organiser très vite, déclara le général Doppel.

— Avant que Redd ne s'installe sur le trône, ajouta le général Gänger.

Le Cavalier blanc hocha la tête, et Doppel continua :

— Notre seule chance de réunir une armée est de le faire maintenant. Même si un tel recrutement peut paraître délicat dans ces circonstances...

Ils considérèrent les soldats-cartes contusionnés, qui se traînaient à l'abri des arbres.

— Mes fous et moi sommes prêts à risquer notre vie pour le bien du royaume, dit le Cavalier. Nous trouverons des Maravilliens pour combattre Redd à nos côtés, soyez-en certains.

Il rassembla ses fous et leurs pions.

— Dispersez-vous dans la capitale, leur ordonna-t-il. Dénichez tous ceux qui souhaitent lutter pour l'Imagination Blanche et dites-leur où nous avons établi notre camp. Ils devront nous rejoindre par leurs propres moyens, le plus discrètement possible. Cependant, assurez-vous de leur sincérité, ou vous nous trahirez, et nous serons perdus.

Parmi les résistants rassemblés dans la forêt se trouvait un jeune garçon inconsolable, qui n'avait rien d'un soldat. Affalé contre un tronc d'arbre, en proie à une crise de larmes, il se fichait bien que Redd l'entende. Un Jabberwock déchaîné eût été moins difficile à apaiser que cet enfant en deuil.

— Vous n'auriez jamais dû m'amener ici, gémissait Dodge. Je n'aurais pas dû les quitter !

— Tu ne pouvais plus rien pour eux, mon garçon, dit le général Doppel.

— Tu aurais été tué, ajouta le général Gänger.

— Au moins, je serais mort près de mon père ! J'aurais pu protéger Alyss.

— Si le Chapelier n'a pas...

— ... alors personne n'en aurait été capable, hélas !

Dodge s'essuya le nez.

— Nous sommes vraiment désolés, dirent les généraux Doppel et Gänger d'une seule voix.

— J'ai perdu mon père et... et Alyss !

Les généraux baissèrent la tête et attendirent un moment avant de conclure :

— Nous avons tous perdu la princesse Alyss...

— ... et nous partageons ta peine.

Dodge en doutait. Il était impossible qu'ils ressentent la même souffrance que lui. La douleur, la solitude soudaine et déchirante. Ils avaient perdu leur princesse, certes... Mais, pour lui, Alyss était tellement plus que cela ! Ne verrait-il plus jamais la radieuse Alyss de Cœur, son amie au doux parfum ? Ne pourrait-il plus jamais lui confier ses rêves de gloire ? À quoi bon avoir des rêves, désormais ? Et son père... Il ne pouvait le concevoir, mais il ne le reverrait plus, lui non plus. Les deux grands amours de sa vie s'en étaient allés, et il était confronté au néant, au vide.

— Nous sommes désolés, répétèrent les généraux.

Sauf qu'ils avaient, eux, les vestiges de leur armée pour se consoler. Ils le quittèrent pour arpenter à grands pas les rangs de leurs soldats, distribuer des paroles de réconfort aux blessés et les inciter tous à la bravoure.

Dodge ne se rappelait pas s'être assoupi. Il ne comprit qu'il avait dormi qu'en se réveillant en sursaut, le lendemain matin. Une idée lumineuse avait germé dans son esprit, et il était déjà résolu à la mener à bien. Quand les généraux vinrent le trouver, le jeune garçon arrachait de son uniforme de garde son badge en forme de fleur de lys. Ils le regardèrent enfiler son manteau à l'envers et le salir avec des poignées de terre, jusqu'à le rendre méconnaissable.

— Qu'est-ce que tu fabriques ? lui demanda le général Doppel.

— Il est peut-être trop tard pour sauver Alyss, mais il reste au moins une chose que je peux faire pour mon père.

Les généraux échangèrent un regard inquiet.

— Je vais aller récupérer son corps, dit Dodge. Le chef des gardes du palais mérite un enterrement digne de son rang, et je vais le lui donner.

— Tu ne peux pas retourner là-bas ! s'insurgea le général Gänger.

— Pourquoi pas ?

— Qui sait si le corps de sir Justice s'y trouve encore...,
enchaîna le général Doppel.

— ... Et les soldats de Redd sont partout, termina le général
Gänger. Tu n'y arriveras jamais.

— J'y vais.

— Nous te l'interdisons !

Dodge Anders s'était toujours montré respectueux envers
la hiérarchie et soumis volontiers à la discipline militaire.
Pourtant, il ne put s'empêcher d'aboyer :

— Qui êtes-vous pour me l'interdire ? Est-ce que le sang des
Anders coule dans vos veines ?

— Mes généraux, je l'accompagnerai si cela vous rassure...

Ainsi venait de s'exprimer La Tour blanche. Dodge sentit
son cœur battre dans sa gorge ; sa respiration s'accéléra. La pièce
d'échecs s'approcha de lui. Dodge ne la connaissait pas bien,
mais il acquiesça. Il n'était pas fâché d'avoir de la compagnie.

Les généraux hochèrent la tête, impressionnés par la force
de caractère du garçon, même s'ils étaient convaincus que son
entreprise était pure folie.

Sans se consulter, ils ôtèrent tous deux leur médaille en
forme de quadruple cœur, incrustée de cristal et de pierres précieuses, et la tendirent à Dodge.

— Avec tout notre respect pour ton père..., commença le
général Doppel.

— ... nous te chargeons de lui remettre ceci, compléta le
général Gänger.

Dodge empocha précautionneusement les médailles. Sa
lèvre inférieure tremblait. Il pivota sur ses talons et s'éloigna
à la hâte.

— Prenez soin de lui, recommandèrent les généraux à la
pièce d'échecs.

La Tour craignait d'attirer l'attention sur lui lorsqu'ils atteindraient la capitale. En quittant le campement, il attrapa une couverture, dont il drapa ses créneaux pour se donner l'apparence d'un pauvre hère. Puis, silencieux, les sens en alerte, Dodge et lui prirent le chemin du palais de Cœur.

Merveillopolis était presque déserte. De petits groupes de soldats à la solde de Redd se prélassaient, saouls, devant des cafés, et harcelaient les quelques Maravilliens qui s'étaient hasardés dans les rues. Ceux-là vaquaient à leurs occupations, tête baissée, déterminés à ne s'occuper que de leurs affaires.

Dodge et La Tour se frayèrent un chemin dans la ville en évitant les soldats. Parvenus au palais sans encombre, ils furent surpris de le trouver abandonné, déserté par les gardes.

– Où est le Cœur Cristal ? s'étonna La Tour.

Dodge scruta en vain la cour. Comme elle paraissait lugubre sans la lumière du puissant cristal ! Soudain, une silhouette sortit du palais en courant. Ils dégainèrent leurs épées. Précaution superflue : l'homme, les bras pleins de coupes et de plats, les dépassa sans les voir et disparut. Un autre traversa la cour en trottant, chargé d'une boîte à musique et de plusieurs coussins.

Dodge regarda La Tour, perplexe. Que se passait-il ?

Dans les couloirs obscurs du palais, ils croisèrent quantité de pillards pressés, louvoyant en silence et s'appropriant les souvenirs de l'ancienne famille royale. Un homme passa en trombe avec un assortiment d'asticoglues rougeoyants : un vieux jouet d'Alyss. Dodge esquissa un geste pour l'intercepter, mais La Tour lui posa une main sur l'épaule. Ils devaient se concentrer sur ce qu'ils étaient venus faire.

Aussi furtifs que les voleurs, ils traversèrent une enfilade de salles de réception et de salons. Ils virent d'innombrables cadavres de soldats gisant par terre et sur les tables, mais aucune trace de Redd, ni du Chat. Ils approchaient de la salle à manger sud, piétinant des soldats-cartes et des gardes morts, quand Dodge se boucha le nez :

– Quelle odeur !

– Ce sera pire à l'intérieur, l'avertit La Tour.

Ils ne trouvèrent âme qui vive dans la salle à manger, sans doute parce que la puanteur y était trop insoutenable pour les pillards. La Tour s'arrêta à l'entrée de la pièce, stupéfait par l'ampleur du carnage. Aussi épouvantable que fût la scène, Dodge ne vit que le corps de son père. Debout au-dessus de sir Justice, il versa des larmes silencieuses.

– Dépêchons-nous, murmura La Tour.

Dodge s'essuya le visage et hocha la tête, plus pour lui-même que pour son compagnon, afin de se convaincre qu'il avait la force de continuer.

Profitant de la confusion ils transportèrent sir Justice dans le jardin, où, avec le dossier d'une chaise cassée en guise de pelle, ils commencèrent à creuser. La tâche était pénible, et ils terminèrent en nage, les muscles endoloris. Lorsque son père fut étendu dans le trou, Dodge sortit de sa poche les médailles que lui avaient confiées les généraux et les déposa sur sa poitrine. Avec des gestes timides et mal assurés, il entreprit de rabattre la terre meuble dans la tombe.

Non ! C'était impossible ! Voir la terre recouvrir son père, l'homme qui lui avait donné la vie, était la chose la pire qu'il ait jamais vécue. Dodge poussa un hurlement, lança au loin sa pelle de fortune et courut se cacher dans un coin du jardin. Comment pourrait-il vivre désormais ? Pourquoi le devrait-il, alors que les êtres qu'il avait le plus aimés ne vivaient plus ?

Peu à peu, il retrouva son calme, mais il était accablé. Comment et pourquoi devait-il vivre ? Voilà les questions auxquelles il lui faudrait répondre. Les seules questions qui importaient.

Quand il sortit enfin de sa cachette, sir Justice était enterré. La Tour s'était chargé de tout... ou presque.

— Est-ce que tu aimerais t'occuper de cela ? demanda-t-il au jeune garçon en lui tendant une graine.

La Graine de l'Au-delà.

Dodge la prit et la lança sur la sépulture de son père. Elle prit racine instantanément, et un magnifique bouquet de fleurs jaillit du sol, dont l'arrangement dessinait le portrait de sir Justice, tel un mémorial vivant.

— Merci, murmura Dodge.

La Tour accepta ses remerciements sans mot dire et ne détecta aucune trace de larmes sur ses joues. Les lèvres serrées de Dodge, son regard déterminé évoquaient plus la colère que la tristesse.

Côte à côte sur la tombe, ils rendirent un dernier hommage au défunt.

— C'était un homme de bien, murmura La Tour. Un homme d'honneur, courageux.

— Ouais, et voilà sa récompense ! grogna Dodge, amer.

Chapitre 16

Alyss aimait bien Quigly Gaffer. De tous les orphelins errants et autres fugueurs de la bande, c'était lui le plus gentil. Et pas seulement parce qu'il la couvrait d'attentions : il était prévenant avec tout le monde. Il était moins maussade que ses camarades, et se décourageait moins facilement. Sa vivacité, son assurance leur remontait le moral quand il n'y avait pas assez de quignons de pain pour tous, quand il faisait froid et humide et qu'ils avaient été chassés d'un nombre incalculable de porches. Autrement dit, Quigly leur rendait espoir lorsque la vie leur semblait désespérée. Pourtant, il avait connu son lot de souffrances, lui aussi.

En marchant près d'Alyss, ce premier jour à Londres, il lui avait demandé : « Alors, princesse, parlez-moi un peu de vous », et elle lui avait raconté ses malheurs avec une brutalité qui l'avait elle-même étonnée :

— Mon père, le roi du Pays des Merveilles, a été assassiné. Ma mère, la reine, est morte. Ils ont tous les deux été tués par ma tante. Mais ce serait pareil s'ils étaient vivants parce que, de toute manière, je ne peux plus rentrer chez moi.

— Mes parents aussi ont été assassinés, lui confia Quigly. On était dans notre voiture à cheval quand deux voleurs ont décidé que notre tête ne leur revenait pas et ont tué mon père en l'assommant d'un coup de gourdin. Ensuite, ils ont battu ma mère à mort alors qu'elle les suppliait de l'épargner. J'aurais eu droit au même traitement si je ne m'étais pas enfui dans le noir et caché pendant que les voleurs essayaient de lui arracher ses bagues. Ça nous fait un point commun, à toi et moi, pas vrai ?

Alyss aurait préféré avoir d'autres points communs que celui-là avec Quigly. Elle l'ignorait – et ce n'était probablement pas ainsi que Bibwit Harte le lui aurait enseigné –, cependant au contact du jeune garçon, elle apprenait quelque chose qui lui serait très utile, un jour, lorsqu'elle serait reine.

Dans le programme soigneusement planifié de Bibwit, c'était la leçon numéro deux : « Pour la plupart des habitants de l'Univers, la vie ne se résume pas à un festin de boules de gomme et de tartatartes. C'est un combat permanent contre les épreuves, les injustices, la corruption, les mauvais traitements et l'adversité sous toutes ses formes. Le simple fait de survivre – et encore plus de survivre dignement – est héroïque. De nombreuses personnes traversent avec courage une vie tissée d'échecs. Pour régner avec bienveillance, une reine doit être capable de s'identifier à ceux qui ont moins de chance qu'elle. »

– Même sans ta robe, j'aurais deviné à ta façon de parler que tu n'étais pas d'ici, dit Quigly. Je ne reconnais pas ton accent. D'où il vient ?

– C'est l'accent du Pays des Merveilles, j'imagine.

– Le Pays des Merveilles... Ouais, ouais ! s'esclaffa Quigly. Parle-moi donc un peu de ce pays, princesse...

C'est ce qu'elle fit. Plus elle racontait, plus elle abandonnait le ton froid, impersonnel qu'elle avait employé pour évoquer la mort de ses parents, et bientôt elle fut submergée par la tristesse. Elle se languissait déjà de ce qui était devenu si vite et de façon si brutale son passé. Elle était sûre que la parade des inventeurs ne l'ennuierait plus autant, si seulement elle avait pu retourner sur le balcon du palais pour y assister.

— Tu vois cette lampe ? demanda-t-elle à Quigly en lui montrant un des réverbères à gaz qui bordaient la rue. Elle a été inventée au Pays des Merveilles, sauf qu'à la place d'une flamme, il y avait une ampoule de verre, et qu'il suffisait d'appuyer sur un bouton pour l'allumer.

Elle lui décrivit le palais de Cœur, les fleurs qui chantaient dans les jardins, le Continuum Cristal...

— Et ce n'est pas pour me vanter, ajouta-t-elle, mais j'ai une imagination très puissante.

— Sans blague !

— Tu crois que j'invente, n'est-ce pas ?

Quigly ne répondit pas. Alyss aperçut alors un pissenlit solitaire qui poussait au milieu d'une flaque de boue. Elle le fixa intensément et imagina qu'il chantait. Cela lui demanda plus d'efforts et lui prit plus de temps qu'au Pays des Merveilles, mais les pétales de la fleur finirent par remuer et, du centre, s'éleva une voix fragile, minuscule :

— La la la la, la la la la, la la la la, laaaaaaaa.

Ce fut tout ce qu'Alyss put obtenir ; cependant, il n'en fallait pas plus pour impressionner Quigly. Il avait entendu parler de ces magiciens capables d'envoyer leur voix au loin en faisant croire que quelqu'un ou quelque chose parlait à l'autre bout de la pièce, alors qu'en fait c'était eux.

— Joli tour ! apprécia-t-il.

— Ce n'est pas un tour.

Soudain, la princesse exilée se souvint d'un détail, et ajouta tristement :

— Aujourd'hui, c'est mon anniversaire.

— Joyeux anniversaire, m'dame !

Alyss sentit ses yeux se mouiller et le chagrin l'accabler.

— Hé ! protesta Quigly, on ne pleure pas le jour de son anniversaire ! Viens, je vais te présenter mes amis. Ils te mettront de bonne humeur.

Elle le suivit dans une impasse, à l'ombre du pont de Londres, où un groupe d'enfants en haillons âgés de cinq à douze ans paressait, assis sur de vieux cageots.

— Oyez, oyez ! s'écria Quigly. Je vous amène une nouvelle recrue.

Les enfants regardèrent Alyss avec indifférence. Ils étaient habitués à voir leur groupe changer sans cesse : tel garçon, telle fille y entrait un jour, partageait leur pitance pendant quelques semaines ou quelques mois avant de disparaître définitivement. Personne ne savait s'ils avaient été arrêtés pour vol, pris au piège dans une maison, assassinés, ou quoi.

Quigly se chargea des présentations :

— Le gros, c'est Charlie Turnbull. À côté de lui, celui avec le grain de beauté sur le nez, c'est Andrew MacLean — il est orphelin, lui aussi. Lui, là, c'est Otis Oglethorpe. Il a fugué, mais sa mère est morte depuis. Et chez les dames, voici Francine Forge, Esther Wilkes et Margaret Blemim. Toutes les trois orphelines. Mes amis, permettez-moi de vous présenter la princesse Alyss du Pays des Merveilles. Elle est arrivée chez nous en passant par une flaque d'eau, et je vous suggère de vous comporter avec elle comme il convient en présence d'une Altesse.

— Une flaque ? s'esclaffa Charlie Turnbull. La princesse du Pays des Merveilles ?

Quigly ne prit pas la peine de lui expliquer. Il fouilla dans un tas de fripes et proposa à Alyss un pantalon, une blouse et un manteau d'homme :

— Je pense qu'ils devraient t'aller à peu près...

Alyss hésita : où était-elle censée se changer ?

— Désolé, princesse, dit Quigly. On n'a pas de cabines d'essayage dans les impasses de Londres.

Elle se dévêtit en prenant l'air le plus détaché possible, comme si elle avait l'habitude de se déshabiller devant tout le monde. La blouse était à sa taille, mais le pantalon et le manteau étaient trop grands. Elle lança sa robe sur la pile de hardes et de couvertures, pour qui la voudrait une fois qu'elle serait sèche. Puis elle ôta ses souliers d'anniversaire et enfila la paire de chaussures que Quigly lui avait dénichée.

— Bon, bon, voyons ce que nous avons, dit Quigly aux autres.

Ils vidèrent leurs poches de leurs trésors : quelques piécettes, un portefeuille presque vide, du fromage, des saucisses, une cuisse de poulet. Otis Oglethorpe y ajouta une tranche de pain cachée sous son manteau et Charlie Turnbull sortit une demi-tourte à la viande de dessous son chapeau.

— Et toi ? demanda Otis à Quigly. Qu'est-ce que tu nous as rapporté ?

— J'ai amené la princesse.

— Elle n'est pas comestible, grogna Charlie Turnbull. Au contraire, c'est une bouche de plus à nourrir, du coup, nous aurons moins à nous mettre sous la dent.

— Je me rattraperai demain. La princesse et moi, on vous rapportera plein de bonnes choses à manger, ne vous inquiétez pas.

Charlie lança à Alyss un regard assassin. Elle songea que, tout compte fait, rencontrer les amis de Quigly n'avait rien de réjouissant.

La nourriture fut divisée en huit portions égales. Le fromage et la saucisse n'avaient pas la saveur de leurs équivalents au Pays des Merveilles : le fromage était pâteux, et la saucisse fade. Quant à la tourte à la viande, Alyss lui trouva un goût de vieille chaussette.

Après le repas, Andrew, Francine et Margaret, les plus jeunes des orphelins, allèrent s'allonger sur le tas de vêtements et se blottirent les uns contre les autres pour dormir.

Charlie se fabriqua un lit en assemblant trois cageots, qu'il recouvrit d'un vieux plaid. Otis se coucha à même le sol, utilisant son manteau comme couverture. Esther Wilkes s'endormit assise, adossée à un mur, les jambes étendues devant elle.

Alyss ne put trouver le sommeil. Elle essaya de compter les Gouinouks : un Gouinouk, deux Gouinouks, trois Gouinouks... Sans succès.

— Tu es agitée, princesse ?

Quigly lui proposa de lui tenir compagnie quelque temps.

— Pendant la journée, on part chacun de son côté, lui expliqua-t-il. Pour mendier, emprunter ou voler, ça dépend... Francine, Andrew et Margaret travaillent en équipe. Il y en a deux qui retiennent l'attention d'un type pendant que le troisième lui fait les poches. Certains jours, on fait le tour des boutiques pour récupérer la nourriture périmée que les marchands veulent jeter. Chaque soir, on se retrouve ici et on partage ce qu'on a dégoté. Même si ce n'est pas forcément plus facile pour nous de s'en sortir ensemble, et si Charlie ne partage pas toujours avec nous ce qu'il a trouvé — il ne sait pas que je le sais, alors ne lui dis pas ! —, c'est réconfortant de faire partie d'un groupe. On se sent seul quand on n'a pas de famille.

— Certainement, dit Alyss.

Quigly se pelotonna sur le sol, utilisant ses mains comme oreiller :

— Bon, maintenant, il faut que je dorme un peu. J'ai fait une promesse aux autres, et demain on va devoir en mettre un coup. J'ai des projets pour nous – toi et moi. Bonne nuit, princesse !

— Bonne nuit, Quigly.

Alyss fut bientôt la seule à veiller. Autour d'elle s'élevaient les respirations calmes et régulières des enfants des rues, qui dormaient paisiblement. Francine grognait dans son sommeil, son visage enfoui dans le creux du bras d'Andrew. Charlie ronflait. La fillette contempla le firmament, cette étendue illimitée qui, aussi loin qu'elle s'en souvienne, lui rappelait les extraordinaires perspectives s'offrant à elle.

« Quatre Gouinouks, cinq Gouinouks, six... »

Ce soir-là, impénétrable, dépourvu d'étoiles, le ciel lui paraissait seulement vide. « Sept Gouinouks, huit Gouinouks, neuf Gouinouks... »

Dernière endormie, Alyss fut aussi la dernière à se réveiller. Elle se frottait encore les yeux quand Quigly vint lui offrir, dans ses mains en coupe, une fleur blanche dont les racines étaient prisonnières d'une motte de terre boueuse.

— Tu crois que tu peux refaire ton tour, là ?

Il lui fallut un instant pour comprendre : la fleur chantante.

— Ce n'est pas un tour !

— Ouais, mais tu crois que tu peux le refaire ?

— Je ne sais pas... Oui, je pense.

— Fais-le.

Elle mit plus de temps encore que la veille, et dut fournir plus d'efforts de concentration, mais la fleur finit par gazouiller une chanson.

— Youpiii ! triompha Quigly en caracolant dans l'impasse.

— Où sont les autres ? voulut savoir Alyss.

— Ils sont déjà partis vaquer à leurs occupations, princesse. Et il est temps qu'on y aille, nous aussi.

Le jeune garçon choisit un coin de rue animé et Alyss s'assit sur un cageot retourné, avec pour toute mission de faire chanter la fleur quand il lui en donnerait le signal.

— Qu'avons-nous là, mesdames et messieurs ? beugla-t-il, interpellant les Londoniens pressés. C'est la seule fleur chantante au monde, voilà ce que c'est ! Elle nous vient tout droit d'Afrique, et c'est du jamais vu ! Elle ressemble à n'importe quelle fleur, mais, croyez-moi, elle est très différente : elle chante ! Qui veut l'entendre chanter un petit air ? Approchez, approchez !

Lorsque suffisamment de curieux se furent rassemblés, Quigly adressa un clin d'œil à Alyss, qui fit chanter la fleur. Ce ne furent que quelques mesures ; pourtant, la foule fut subjuguée par cet exploit, qu'elle prit pour de la magie.

Quigly se mêla alors au public afin de convaincre les spectateurs de lancer des pièces dans son chapeau :

— À votre bon cœur, messieurs-dames ! Tout le monde n'a pas eu la chance de voir l'incroyable fleur chantante ! Allons, allons ! C'est que ça coûte cher, la traversée depuis l'Afrique !

Alyss donna quatre représentations supplémentaires, une toutes les heures. Chacune l'épuisait un peu plus que la précédente, et elle dut s'arrêter. Qu'importe : ils avaient déjà gagné plus d'argent que Quigly n'en avait jamais vu.

Ils allèrent rejoindre leurs camarades au fond de l'impasse. Les orphelins étaient occupés à vider leurs poches : de la petite monnaie, une montre cassée, un salami et des patates bouillies...

— Et vous deux, qu'est-ce que vous nous rapportez ? demanda Charlie.

— Bah, trois fois rien, fanfaronna Quigly en retournant ses poches pleines de pièces.

Les enfants écarquillèrent les yeux, incrédules. Où Alyss et Quigly avaient-ils trouvé tout cet argent ? Quigly ne pipa mot. Il tenait à garder pour lui le secret du talent d'Alyss.

— On en aura autant demain, affirma-t-il. La princesse et moi, on a une technique qui fonctionne, et c'est tout ce que vous avez besoin de savoir. Charlie, Otis, venez avec moi. On va se faire un festin qu'on ne sera pas près d'oublier. Qui veut quoi ?

Quand les autres furent couchés, Alyss expliqua à Quigly qu'ils n'étaient pas obligés de rester des heures au coin d'une rue pour gagner de l'argent.

— Je peux imaginer autant de sous qu'il nous en faut, dit-elle.

— Je serai ravi de dépenser tout l'argent que tu te procureras, princesse, quelle que soit la manière dont tu t'y prends.

Alyss tenta alors d'imaginer un tas des différentes pièces qu'elle avait vues dans la journée. Elle les imagina pesant dans les poches de son manteau. Hélas, elle n'était pas encore remise de sa fatigue, et Quigly lui rit au nez avant qu'elle ait pu faire apparaître un penny :

— Si tu voyais ta tête !

Il imita son expression têtue, ses traits crispés par l'effort. Alyss prit la mouche :

— Puisque c'est comme ça, je n'imaginerai pas d'argent pour toi. Jamais !

— Allez, princesse, fais pas la tête ! Je ne voulais pas te vexer. On a tous l'air drôle, quelquefois. Il y en a même qui ont l'air drôle en permanence... Vas-y, imagine ce que tu veux.

Mais Quigly ne pouvait s'arrêter de rire, et Alyss renonça à faire apparaître des pièces ce soir-là, et tous les autres soirs. « On fera les choses à la dure, puisqu'il y tient », décida-t-elle.

Ils passèrent donc leurs journées au coin des rues. Alyss faisait chanter la fleur pendant que Quigly récoltait de l'argent parmi les badauds. Toutefois, chaque jour semblait affaiblir ses capacités, et ses performances étaient de moins en moins fréquentes. Plus Alyss passait du temps dans cette ville morne et humide, moins elle croyait à son imagination. « Elle n'est pas aussi puissante que Mère le disait, songeait-elle. Elle ne l'a jamais été. »

Régulièrement, entre les représentations, elle essayait d'imaginer où était passé le Chapelier. En vain : elle n'avait pas assez exercé son œil imaginatif. Finalement, à bout de forces, elle ne parvint plus à faire chanter la fleur qu'une fois par jour. Quigly décida que ce serait au crépuscule, lorsque les rues se peuplaient de gens qui rentraient chez eux après le travail. C'était l'occasion d'attirer le plus de public possible.

Chaque soir, après le repas, le ventre plein grâce aux prouesses d'Alyss, Andrew, Margaret et Francine l'imploraient de leur raconter le Pays des Merveilles. Le monde de cristal scintillant qu'elle leur décrivait, avec son palais de Cœur, ses Morses-majordomes et ses Chenilles géantes fumant le narguilé leur permettait d'échapper un court instant à la pauvreté, à la misère de leur existence. Otis, Quigly et Esther étaient moins transportés que les plus jeunes par les histoires d'Alyss au Pays des Merveilles ; cependant, elles leur plaisaient assez pour qu'ils les écoutent dans un silence empreint de nostalgie. Charlie Turnbull, quant à lui, n'en croyait pas un mot :

– Des sornettes !

Alyss avait parlé du Chapelier Madigan à Andrew, Francine et Margaret. Elle leur avait confié combien elle regrettait d'avoir perdu son garde du corps, si doué au combat. Si elle avait eu le Chapelier à son côté, disait-elle, elle n'aurait jamais rencontré ni Quigly, ni aucun d'eux. Pour illustrer ce que pouvait faire un tel homme, elle décrivit les soldats-cartes blessés, se tordant de douleur sur le sol du palais de Cœur ; leurs mains pressées contre leurs blessures ; le sang qui jaillissait entre leurs doigts crispés.

— Tu connais vraiment un homme capable de se battre contre autant d'ennemis à la fois ? demanda Margaret.

— Oui.

— C'est un mensonge ! s'écria Charlie.

— Dodge Anders deviendra le plus grand garde qu'ait jamais eu le Pays des Merveilles, continua Alyss. Il est beau, courageux, gentil et intelligent. Plus tard, ce sera un combattant aussi valeureux que le Chapelier. Je l'aide à s'entraîner à l'escrime, quelquefois. Je tiens des boucliers de toutes les couleurs, et quand je nomme une couleur, il doit planter son épée dans la cible correspondante, pendant que je la bouge pour que ce soit plus difficile. Dodge est mon meilleur ami... Enfin... je veux dire était.

Elle regarda tout autour d'elle et répéta :

— Dodge était mon meilleur ami.

— Continue, Alice, l'implora Andrew, après qu'elle fut restée quelque temps silencieuse.

— Non, lâcha-t-elle d'une voix étouffée. Je ne veux plus parler du Pays des Merveilles.

Puis vint le jour où l'imagination lui fit complètement défaut. C'était au crépuscule, à l'heure où Quigly le bonimenteur rassemblait habituellement une foule de Londoniens curieux d'entendre chanter la fleur africaine. Il fit un clin d'œil à Alyss, qui se figura les pétales de la fleur s'ouvrant et se refermant comme des lèvres, son bouton s'éclaircissant la voix pour fredonner quelques mesures, une berceuse peut-être, ou...

Rien ne se produisit. Elle accentua ses efforts et se mit à grogner. Certains spectateurs crurent qu'elle allait se trouver mal.

« Chante, fleur ! »

Une minute s'écoula. Puis une autre. Alyss transpirait sous ses haillons crasseux.

« Chante, fleur, chante ! »

La foule commença à se disperser en maugréant. Certaines personnes jurèrent.

— Allez ! Il faut l'encourager ! cria Quigly.

Il ôta son chapeau et s'avança vers les badauds :

— Deux pennies chacun, et je vous garantis que cette fleur africaine chantera pour vous. Croyez-moi, vous n'avez jamais rien entendu de tel !

Personne ne lança d'argent dans le chapeau ; en revanche, un gentleman les menaça d'appeler la police. Quigly en avait assez entendu. Il saisit la main d'Alyss et tous deux partirent en courant, abandonnant derrière eux la fleur et le cageot.

— Je suis désolée, dit Alyss quand ils s'arrêtèrent à l'abri pour reprendre leur souffle.

— Qu'est-ce qui s'est passé ?

— Je ne sais pas.

Elle était effrayée, comme si elle venait de perdre l'ouïe, ou la vue.

— Peut-être que plus je m'éloigne du Pays des Merveilles, moins mon imagination fonctionne...

— Hmm, fit Quigly, dubitatif.

— Je suis désolée, Quigly.

— Moi aussi, princesse, je suis désolé.

C'était la première fois qu'elle le voyait fâché. Elle l'avait déçu. Elle décevrait aussi Francine, Margaret, Andrew, Esther, Otis et Charlie. Jamais encore elle n'avait failli à quelqu'un qui comptait sur elle, et elle n'aimait pas ce sentiment.

Ils regagnèrent en silence l'impasse, où les attendaient les autres orphelins. Chemin faisant, ils s'arrêtèrent devant deux pubs : le Mic-Mac et le Marin Grisonnant, pour y demander la charité. Ils n'obtinrent qu'un sac de croûtons.

— On a envie de canard, ce soir ! s'écria Andrew en accourant à leur rencontre. Du canard farci avec une sauce à l'orange. Moi et Francine, et Margaret, et Otis, on n'a encore jamais mangé de canard !

Parvenu au fond de la ruelle, Quigly lorgna vers Alyss et déclara d'un ton désinvolte que le canard était un mets répugnant :

— Vous ne manquez pas grand-chose, c'est moi qui vous le dis ! Ce n'est pas pour rien que canard rime avec cafard. Et puis-qu'on parle de manger, ça me donne l'occasion de vous mettre au courant : on va revenir à nos anciennes méthodes, au moins pour un temps. Chacun devra recommencer à récolter le maxi-mum pendant la journée et l'apporter ici pour qu'on partage.

— Qu'est-ce que tu racontes ? lança Charlie.

En guise de réponse, Quigly retourna ses poches vides. On aurait dit des bouches affamées qui tiraient leurs langues pâles.

— Et vous, qu'est-ce que vous avez ?

— Rien ! s'écria Charlie. Ce que j'ai volé, je l'ai mangé au petit déjeuner, et je n'ai rien d'autre parce que j'ai pensé qu'on ferait comme d'habitude !

Les autres étaient tout aussi démunis.

— Bon, soupira Alyss. On a toujours ces croûtons de pain.

— C'est la plus saine des nourritures, renchérit Quigly, s'efforçant de ne pas paraître trop abattu.

Il divisa les quignons en huit parts et prétendit qu'il était repu avant même d'avoir fini. Alyss n'était pas dupe : la bonne humeur de son camarade était forcée, voire un peu sarcastique.

Elle resta éveillée après que les autres furent couchés. « Il faut que je trouve une idée. Si je ne peux plus faire chanter la fleur, c'est parce que mon imagination n'était pas exception-nelle, voilà tout. Je dois réfléchir à autre chose. Absolument. »

— Je sais comment obtenir toute la nourriture qu'il nous faut, dit-elle à Quigly le lendemain matin. Mais on aura besoin de Charlie, d'Otis et d'Esther.

— Si tu le dis, princesse...

Quigly n'était pas très enthousiaste, et semblait peu enclin à lui parler. « Il se déridera tout à l'heure, quand il aura l'estomac plein », pensa-t-elle.

Elle enfila le manteau le plus élégant qu'elle trouva dans le tas de fripes et se nettoya les mains et le visage à grand renfort de salive. Avec un bout de crayon, elle dressa une liste de commissions sur un petit carré de papier, puis elle conduisit les autres jusqu'à une boucherie, devant laquelle elle était souvent passée avec Quigly.

— Restez cachés derrière cette voiture à cheval et attendez mon signal, leur recommanda-t-elle avant d'entrer dans la boutique.

— Qu'est-ce que ce sera pour vous, jeune demoiselle ? lui demanda le boucher, un grand costaud au visage rubicond qui portait un tablier taché de sang.

Alyss lui tendit la liste de viandes :

— Maman m'envoie vous acheter ceci.

— Hmm, ça va vous faire beaucoup à porter toute seule.

— Notre calèche est garée dehors, mais le cocher est parti faire une autre course.

Elle lui décocha son plus grand sourire et il la crut, forcément : même déguisée, une princesse reste une princesse.

— Voyons voir. Huit livres de culotte de bœuf...

Le commerçant se retira dans l'arrière-boutique. Alyss fit signe à Quigly et ses acolytes de se dépêcher. Ils déferlèrent dans l'échoppe pour s'emparer des poulets, des saucisses et des jambons pendus dans la vitrine. La fillette les aida quand ils eurent les bras trop chargés pour en décrocher davantage.

— Hé !

Le boucher lâcha la culotte de bœuf et sortit précipitamment de derrière son comptoir. Les orphelins filèrent comme des flèches et s'éparpillèrent dans la rue.

– Hé, toi !

Un policier qui passait saisit Alyss par le col. Elle s'extirpa de son manteau, dévoilant ses haillons à la vue de tous, mais ne put faire que quelques pas avant qu'il la rattrape.

– Laissez-moi partir ! brailla-t-elle.

Elle imagina qu'un oiseau-luce fondait sur l'homme pour l'aveugler, ou piquait la main qui la retenait. Rien.

Quigly s'était arrêté au bout de la rue et la regardait, un poulet sous chaque bras, les poches débordant de saucisses. Peut-être allait-il voler à son secours ? Peut-être, au mépris de sa propre sécurité, inventerait-il une ruse pour la libérer, après quoi ils prendraient la fuite tous les deux ?

Hélas, non ! Le jeune garçon fit demi-tour et piqua un sprint avant de disparaître au coin d'un immeuble.

Alyss ne sut jamais si elle était la seule de la bande à s'être fait prendre ce jour-là – or c'était le cas. Pourtant, avant même d'avoir été escortée sans ménagement à l'orphelinat de Charing Cross, où elle allait vivre jusqu'à ce que les Liddell l'adoptent, avant même d'avoir réalisé qu'elle ne verrait plus jamais Quigly Gaffer, elle avait commencé à se dire que cela ne valait pas la peine de s'attacher aux gens, car ceux-ci finissent toujours par vous trahir. Ils vous trahissent en vous quittant.

Elle s'efforça de ne pas entendre quand un surveillant de l'orphelinat ouvrit la porte d'un vaste dortoir plein d'enfants, qui hurlaient et se bagarraient entre deux rangées de petits lits, et lui lança : « Bienvenue dans ta nouvelle maison. »

CHAPITRE 17

Escortés par une foule en colère, les Français conduisirent leur prisonnier au tribunal de première instance du Palais de justice. Les badauds se bousculèrent pour assister à la séance. Tant de gens s'entassèrent dans la petite salle d'audience que l'air y devint vite fétide, irrespirable. Les hommes déposèrent le tapis au beau milieu de la pièce, face au magistrat. Un gloussement se propagea parmi les plaignants, les avocats et les greffiers.

– De quoi s'agit-il ? demanda le juge, pas du tout amusé.

Le procureur de la République, un monsieur moustachu vêtu d'une toge, se leva et fit une déclaration en français, dont le Chapelier ne parvint à saisir que des bribes.

– Où est le prisonnier ? s'enquit le juge.

Le procureur montra le tapis et, de nouveau, les employés du tribunal s'esclaffèrent. Le juge soupira bruyamment et le somma de ne pas tourner la Cour en ridicule. Le procureur s'excusa, expliquant que telle n'était pas son intention, mais que le prisonnier était très dangereux, et que le tapis était le seul moyen qu'on avait trouvé pour le maîtriser.

Un témoin s'avança et déclara que l'homme avait des pouvoirs inquiétants, venus d'un autre monde. Les badauds, dont aucun n'avait assisté à la bagarre de la rue de Rivoli, s'échauffèrent et s'exclamèrent : « C'est vrai ! C'est vrai ! »

Le juge avait vu défiler depuis son perchoir assez de bizarreries pour être blasé ; il se demanda si, en plus de son habituelle tranche de brie arrosée d'un ballon de bordeaux, il ne s'offrirait pas un gigot de mouton au Chien Enragé, son café favori.

— Je voudrais voir le prévenu, dit-il.

Le procureur s'éclaircit la gorge plusieurs fois avant de lui répondre qu'il estimait dangereux de libérer le prisonnier — malgré tout le respect qu'il devait à son supérieur.

Le juge s'offusqua et lui ordonna de déballer le Chapelier s'il ne voulait pas être jeté en prison pour outrage à la Cour. On déroula donc le tapis. Les badauds, pressentant un spectacle imminent, jouèrent des coudes pour accéder aux premiers rangs.

Le public ne se trompait pas. À peine libéré, le Chapelier bondit comme un ressort et déploya en un éclair ses lames de poignet, qui vrombirent. Puis il prit un poignard dans son sac à dos et le lança dans le tableau accroché au-dessus du magistrat. Ce dernier, prudent, se réfugia sous son banc.

Sans laisser aux policiers le temps de rassembler leur courage pour tenter de le capturer, le Chapelier sauta par une fenêtre. Il atterrit sur le trottoir et se sauva à toutes jambes. Les badauds s'agglutinèrent devant l'ouverture, dans l'espoir d'apercevoir une dernière fois cet homme mystérieux. Le juge pointa le nez hors de sa cachette pour s'assurer que sa vie n'était plus en danger. Puis il décida qu'ayant survécu à une journée pareille il avait bien mérité son gigot rôti au Chien Enragé.

Le bruit courut aussitôt à Paris qu'un homme aux poignets équipés de lames en hélice surgissait des flaques. Les mois passant, après que de nombreuses apparitions du Chapelier eurent été rapportées mais jamais prouvées officiellement, cette rumeur se transforma en légende. Des civils le prétendaient capable de vaincre un régiment entier à lui seul. Des militaires se demandaient ce que Napoléon aurait accompli s'il avait eu un tel soldat dans les rangs de son armée. Des jeunes garçons s'imaginaient dans sa peau, en super héros. Dans les salons, des dames et des messieurs riches, cultivés, abandonnaient leur réserve habituelle pour imiter ses pirouettes et ses sauts périlleux. Des petites bonnes, partout en France, se racontaient dans la pénombre des cuisines des histoires romanesques au sujet de cette figure légendaire, dont elles s'étaient éprises. Elles s'imaginaient qu'une femme lui avait brisé le cœur, convaincues qu'un homme ne se serait jamais comporté ainsi s'il n'avait été éconduit. Lorsqu'elles se mettaient au lit, ces servantes amoureuses laissaient des chandelles allumées à leur fenêtre. Si le Chapelier avait pu survoler le pays au milieu de la nuit, il aurait vu ces innombrables flammes de désir vaciller dans les cités endormies, telles de minuscules pépites de chaleur dans l'obscurité froide, qui traçaient le chemin menant au cœur des femmes. Toutefois, il aurait été embarrassé par un tel hommage, car il était envahi par un sentiment nouveau : celui de sa propre incompétence. Il ne se pardonnait pas d'avoir manqué à la promesse faite à la reine Geneviève.

CHAPÍTRE 18

Alyss ne s'entendait pas avec les autres pensionnaires de l'orphelinat de Charing Cross. Ils avaient tous, comme elle, connu leur lot de peine et de douleur, mais ils n'en étaient pas moins friands de jeux tels que les osselets, la marelle ou cache-cache. Elle les trouvait stupides, immatures. Elle songeait à Redd, se demandait ce qui était arrivé à Dodge, et ces pensées la rendaient si taciturne qu'elle ne montrait aucun enthousiasme pour les divertissements.

Les responsables de l'institution lui portaient un intérêt particulier, qui contribuait à l'isoler davantage de ses camarades. Devinant quelle splendide jeune femme elle deviendrait en grandissant, ils pensaient que sa beauté lui ouvrirait les portes de la haute société, et lui permettrait d'accéder à un rang auquel peu d'orphelins pouvaient prétendre. C'était une aubaine pour l'orphelinat, car cela attirait les dons de familles aisées, toujours à l'affût de beautés mystérieuses. Chaque fois qu'Alyss évoquait le Pays des Merveilles, on la faisait taire sévèrement. On n'aurait pas pris cette peine si on ne s'était pas intéressé à elle.

« Attention, jeune demoiselle ! s'entendait-elle dire. Personne n'adoptera une enfant qui raconte des salades à longueur de journée. Si vous ne voulez pas passer votre vie ici, vous devriez chasser de votre tête ces histoires ridicules. »

Même le docteur Williford, le médecin de Charing Cross, la mit en garde après l'avoir écoutée patiemment : « Je suis sûr que vous avez vécu des choses affreuses, Alice, mais vous ne devez pas vous réfugier dans vos rêves. Acceptez ce qui vous arrive et dites-vous que vous n'êtes pas seule dans le malheur. Essayez de vous concentrer sur ce que vous voyez et ce que vous entendez, car c'est cela, la réalité. Vous avez encore une chance de vivre une vie normale et aisée, ne la gâchez pas. »

La fillette renonça à se confier au docteur. Elle passait désormais ses journées devant une fenêtre, à fixer une cour sale, jonchée de feuilles. C'est là qu'un des surveillants la trouva, une après-midi où son existence allait être une fois de plus bouleversée.

— Alice, j'aimerais que tu viennes saluer le révérend Liddell et son épouse.

Elle se détourna des vitres graisseuses et regarda le couple : une femme au regard dur et au sourire anxieux ; un homme au teint terreux, vêtu d'un pardessus et portant des gants. Pour elle, tous les inconnus se ressemblaient. Étrangers et inaccessibles, ils la laissaient indifférente.

— C'est vrai qu'elle est jolie, convint Mrs Liddell, mais une coupe de cheveux et un bon récurage ne seront pas du luxe.

— En effet, dit le révérend.

*

Les Liddell vivaient à Oxford, où le révérend était doyen de l'université de Christ Church. Alyss, qui n'avait décidément pas de chance, connut chez eux une situation à peine plus plaisante qu'à Charing Cross.

« Plus un mot ! » la gronda Mrs Liddell quand la fillette décrivit à ses nouvelles sœurs la parade des inventeurs.

« Les animaux ne peuvent pas parler ; ce ne sont que des bêtes », répliqua-t-elle alors qu'Alyss venait de prétendre le contraire.

« Les végétaux ne peuvent pas chanter parce qu'ils n'ont pas de larynx, insista-t-elle, le jour où la fillette évoqua les voix mélodieuses des fleurs. Si vous continuez à raconter n'importe quoi, je vais vous nettoyer la bouche avec du savon !

— Je suis une princesse et j'attends que le Chapelier vienne me secourir, rétorqua alors Alyss. Vous verrez !

— Alice, la prévint Mrs Liddell, si vous voulez vous faire une place dans cette société, ou au moins nous être reconnaissante de vous avoir accueillie chez nous, vous devez arrêter de nous embarrasser et garder les pieds sur terre, ainsi que le font les autres. »

Pour la punir, Mrs Liddell l'enfermait des journées entières dans sa chambre ; parfois toute une semaine. On lui apportait ses repas, et c'était tant mieux, car ainsi elle n'avait pas à voir les Liddell. Du moins, c'est ce qu'elle s'était imaginé au début. Elle fut bientôt détrompée : si elle ne pouvait sortir, ses sœurs, en revanche, étaient autorisées à lui rendre visite. Dès le deuxième jour, Edith et Lorina entrèrent à grands pas dans sa chambre, s'assirent sur son lit et la dévisagèrent. Alyss fit son possible pour les ignorer. Elle se concentrait pour se rappeler la moindre pierre précieuse, la moindre courbe du moindre couloir du palais de Cœur. Elle avait fixé aux murs d'innombrables dessins qui le représentaient. « Il faut monter quatorze marches pour aller de la cour à la salle de bal, il y a dix-sept salles de bains au total, et... »

— Pourquoi tu ne peins pas autre chose, pour changer ? lui demanda Lorina.

– Parce que je ne veux pas oublier d'où je viens.

– Alors, dessine plutôt l'orphelinat ! s'écria Edith avant de s'enfuir en courant, Lorina sur ses talons.

Alyss immobilisa son pinceau en l'air. « Qu'elles pensent ce qu'elles veulent ! Ça m'est bien égal... »

Pourtant, leurs rires lui avaient fait mal. Était-ce de l'embarras ? De la honte ? Pas plus que les gens ordinaires, les princesses n'aiment qu'on se moque d'elles.

Elle repoussa son dessin, qui resterait à jamais inachevé.

– Mesdemoiselles..., commença miss Prickett, la gouvernante des Liddell. Alice reçoit sa première leçon aujourd'hui. Souhaitons-lui bonne chance et encourageons-la à travailler dur.

Alyss était assise à la table de la salle à manger en compagnie d'Edith, de Lorina et de Rhoda. Du papier et des crayons étaient soigneusement disposés devant elle. Sur le tableau noir appuyé contre le buffet, on lisait : « Bienvenue, Alice Liddell ».

– Mon prénom ne s'écrit pas comme ça, lâcha-t-elle étourdiment.

Miss Prickett regarda le tableau, puis la fillette.

– Ah non ? Dans ce cas, voudriez-vous avoir la gentillesse de venir me montrer comment il s'écrit ? Je fermerai les yeux pour cette fois, Alice, mais à l'avenir vous ne devrez pas parler sans avoir demandé la permission. Vous lèverez la main et vous attendrez que je vous y autorise.

Alyss marcha vers le buffet la tête haute, regardant droit devant elle. Elle effaça « ice » et écrivit « yss » à la place. Edith, Lorina et Rhoda pouffèrent.

– En voilà assez ! la gronda miss Prickett. Puisque c'est ainsi, vous écrirez votre prénom cent fois au tableau : « A-L-I-C-E ». Allez !

La fillette s'exécuta pendant que miss Prickett commençait la leçon. Edith, Lorina et Rhoda lui jetaient des coups d'œil furtifs par-dessus leurs livres et échangeaient des regards amusés. Alyss imagina leurs cheveux grouillant d'asticoglues, leurs yeux fermés, les paupières collées, et leurs langues moqueuses nouées.

Rien.

« Inutile ! songea-t-elle. Que ce soit l'Imagination Blanche ou l'Imagination Noire, c'est pareil : je ne peux plus rien faire apparaître. »

Elle avait copié « A-L-I-C-E » quatre-vingt-dix-neuf fois. Profitant que miss Prickett avait le dos tourné, elle écrivit « A-L-Y-S-S » et repartit vers son siège.

La gouvernante consulta le tableau :

– Pas si vite, miss Liddell ! Je suis sûre que vous vous trouvez maligne, mais voyons où vous mène ce genre d'intelligence. Essuyez le tableau et recommencez. Encore cent fois : « A-L-I-C-E ». Allez !

Elle obéit, pressée d'échapper aux regards.

– Peut-être que maintenant vous vous rappellerez comment écrire correctement votre prénom, la sermonna miss Prickett lorsqu'elle eut terminé.

Alors qu'Alyss regagnait sa chaise, Lorina chuchota : « Alice la Toquée », et le surnom lui resta. Cela ne s'arrangea pas, car chaque fois que les enfants d'amis de la famille s'intéressaient à elle, la fillette sautait sur l'occasion pour leur rebattre les oreilles avec le Pays des Merveilles.

Les enfants se vexaient : « Pour qui se prend-elle, cette prétendue princesse ? Elle se croit supérieure à nous, peut-être ? »

Alyss se bagarrait et échangeait des insultes avec ses persécuteurs. Elle rentrait souvent à la maison la tête basse, couverte de bleus et d'égratignures. Elle tâchait de ne pas y prêter attention, mais le doute s'insinuait en elle. « Est-il possible que tout le monde se trompe et que j'aie raison ? Ce serait tellement plus facile si je pouvais tout oublier ! » N'avait-elle fait qu'imaginer qu'elle était une princesse dans un autre monde ? « Et si je l'avais rêvé, un jour que j'étais malade ? »

C'est alors qu'advint une chose toute simple, et pourtant miraculeuse. Elle rencontra une oreille amicale, ou plutôt deux : celles du révérend Charles Lutwidge Dodgson, le professeur de mathématiques de Christ Church. C'était un homme doux, sensible et timide, qui logeait à l'université et venait parfois boire le thé chez les Liddell. Photographe amateur, il prenait volontiers des clichés de leurs filles. Alyss posa pour lui dans un coin du jardin, vêtue d'une robe claire aux manches évasées, de socquettes blanches et de chaussures vernies. Face à l'appareil, timide mais fière, elle adressa un sourire narquois au photographe, comme s'ils partageaient un secret.

Toutefois, ce n'est qu'à l'occasion d'un voyage en bateau pour Godstow qu'elle lui parla du Pays des Merveilles. Ils s'étaient arrêtés pour se reposer et s'étaient assis dans l'herbe, pendant qu'Edith et Lorina barbotaient dans les eaux peu profondes de la rivière Isis, un bras de la Tamise.

— Vous n'allez pas jouer avec vos sœurs ? lui dit le révérend Dodgson.

Alyss ne se donnait plus la peine d'expliquer aux gens qu'elle n'avait pas de sœurs.

— Non, répondit-elle simplement.

Dodgson trouva cette repartie charmante :

— Et pourquoi cela ?

— Si vous aviez été une princesse, comme moi, et qu'on vous ait confisqué votre royaume, vous auriez du mal à vous passionner pour des poissons et des herbes.

Le révérend Dodgson rit :

— Alice, de quoi parlez-vous ?

« Me croira-t-il ? se demanda-t-elle. Il a l'air différent des autres. Dois-je me confier à lui et faire une dernière tentative ? »

Elle oublia alors ses réticences et déversa ses souvenirs en un flot ininterrompu, comme si elle devait les évoquer à voix haute et à toute vitesse pour se convaincre de leur vérité, ou les oublier à jamais. Quand elle fit allusion à Dodge, Charles Lutwidge Dodgson commença à prendre des notes. « Dodge. Dodgson. » Le révérend s'identifia au garçon et fut flatté de faire partie du monde onirique d'Alyss.

— Vous avez une imagination stupéfiante, commenta-t-il.

Alyss n'était pas de cet avis. Elle n'avait plus rien fait apparaître depuis longtemps.

— Si j'ai bien compris, reprit Dodgson, les gens peuvent voyager grâce aux miroirs, entrer dans l'un et sortir par un autre ?

— Oui. J'ai essayé ici, mais aucun ne fonctionne.

Elle le regarda noter quelque chose dans son calepin.

— Est-ce que vous allez vraiment écrire un livre sur le Pays des Merveilles, Mr Dodgson ?

— Pourquoi pas ? Ce serait notre livre, Alice. Le vôtre et le mien.

Le livre prouverait qu'elle disait la vérité. Tout espoir n'était donc pas perdu. Pas encore.

DEUXIÈME
partie

Chapitre 19

Dans une région particulièrement désolée, située quelque part entre la Forêt Immortelle et la Bêtasauvagie Extérieure, des Maravilliens respectueux des lois, des parents aimants, étaient réduits en esclavage dans le plus sinistre des camps de travail de Redd, nommé Blaxik. S'étant attirés les foudres de la nouvelle reine, ils étaient condamnés à trimer dix-sept heures par jour dans des usines sans aération, avec pour toute nourriture de l'eau et de l'infla-riz, une céréale prisée des pauvres, car chaque grain gonflait dans l'estomac, donnant une impression de satiété.

Un décret établissait que tous les Maravilliens devaient posséder chez eux une statue de Redd, en porcelaine et en cristal, haute d'un mètre, disposée sur un autel à la gloire de la souveraine. Les soldats de la reine multipliaient les visites-surprises, afin de vérifier si chacun s'y soumettait. Quiconque violait le décret ou ne présentait pas la statue à son avantage était déporté à Blaxik, où – par une ironie du sort que Redd trouvait plaisante – il était contraint de fabriquer des statues jusqu'à sa mort.

Ce soir-là, cependant, la pagaille régnait autour du camp. Une attaque des rebelles avait interrompu la production des statues. À intervalles réguliers, des explosions ébranlaient les dortoirs. Des fusées traversaient le ciel nocturne, illuminant des silhouettes luttant au corps à corps. Les soldats-cartes de la Coupure, l'armée ultra-moderne de Redd, pourvus d'un équipement de pointe, essayaient de contrer l'attaque. Cela n'aurait pas dû leur poser de problème, car les rebelles n'étaient qu'une poignée d'anciens soldats de Cœur et de civils maravilliens. Toutefois, ceux-ci étaient animés par une colère légitime qui décuplait leurs forces. Ils comptaient aussi parmi eux un individu étrange, capable de se dédoubler soudain en deux combattants, les généraux Doppel et Gänger, qui se battaient au côté d'un Cavalier blanc, d'une Tour blanche et de plusieurs pions. Les rebelles avaient pris le nom d'Alyssiens, en hommage à la jeune princesse Alyss de Cœur, disparue bien avant d'avoir pu accéder au trône. Si la princesse n'existait plus en chair et en os, elle demeurait en revanche très vivante dans les esprits, comme le symbole d'une époque insouciante — bien qu'imparfaite —, une icône incarnant l'espoir d'un retour de la paix.

Dans les rangs des Alyssiens, un soldat se distinguait par ses prouesses militaires et sa bravoure quasi suicidaire. Quand il n'était pas engagé dans une bataille, il ne se mêlait pas volontiers à ses camarades et restait dans son coin, mais pour autant il était de leur côté. Tous ceux qui l'avaient vu combattre étaient d'avis qu'il valait mieux l'avoir comme ami que comme ennemi...

Ce jeune homme se détacha soudain du peloton des rebelles. Intrépide, l'épée en avant, il se fraya un chemin entre les soldats-cartes de Redd. Les guerriers, qui ressemblaient au repos à des cartes à jouer ordinaires (en beaucoup plus grand), étaient pour l'heure disposés en éventail, comme si la main d'un joueur de poker géant les avait étalés sur le tapis vert d'une table de jeu. Debout, chaque carte était un soldat qui mesurait bien le double d'un Maravillien moyen, doté de membres d'acier et d'un cerveau tout juste capable d'exécuter des ordres militaires. Le jeune rebelle embrocha ces soldats un par un, en enfonçant la pointe de son épée au seul endroit vulnérable de leur corps : une zone de la taille d'un médaillon située au-dessus des pectoraux, à la base du cou aux tendons d'acier. Un coup précis transperçait leurs centres vitaux et provoquait la mort dans une giclée d'étincelles.

Le jeune homme tira ensuite une bombaraignée sur les portes de l'usine. En vol, le boulet se changea en une énorme araignée noire, qui perça un trou dans les battants, permettant aux esclaves de s'évader et de fuir à travers la plaine pour gagner la Forêt Immortelle.

Un dortoir en flammes illumina alors le beau visage du rebelle, ses traits farouches, sa joue droite zébrée de quatre cicatrices parallèles. C'était Dodge Anders. Âgé de quatorze ans seulement, il combattait déjà comme un adulte.

Plusieurs années s'étaient écoulées depuis le coup d'État de Redd, et le chaos qui en avait résulté avait débouché sur un nouvel ordre. De nombreux citoyens, ayant eu vent de l'affreuse réputation de la nouvelle souveraine, avaient fait leurs bagages aussitôt après sa prise de pouvoir et tenté d'émigrer en Limitrophie, le royaume voisin. Ce pays indépendant était séparé du Pays des Merveilles par l'inhospitalière Bêtasauvagie Extérieure, et gouverné par le roi Arch. Hélas – soit que ces candidats à l'émigration n'eussent pas graissé assez généreusement la patte aux douaniers de Limitrophie, soit que Redd eût anticipé un tel exode et passé un accord avec Arch –, nul ne put partir. Ils restèrent tous prisonniers du Pays des Merveilles et subirent les représailles féroces de la nouvelle reine. Des familles entières furent envoyées dans des camps de travail ou, pire, exterminées. D'autres personnes, qui n'avaient pas tenté de fuir le pays, mais qui étaient terrorisées à l'idée de tomber sous la coupe de Redd, apprirent l'existence des Alyssiens et rejoignirent la résistance.

Redd installa ses quartiers dans sa forteresse du Mont Isolé. Ce lieu lui rappelait sans cesse les années qu'elle avait passées en exil et le bannissement injuste ordonné par sa chère sœur défunte, dont le souvenir ne faisait qu'accroître sa cruauté.

Peu après son couronnement, et dans la plus grande discrétion, Redd avait fait déplacer le Cœur Cristal dans la forteresse. Elle le sentait à présent, qui palpitait dans sa chambre secrète, tandis qu'elle écoutait Bibwit Harte lui réciter des pages de *In Regina Speramus*. Marchant de long en large, elle dictait une nouvelle version de l'ouvrage à l'ancien précepteur, dont elle avait fait son secrétaire particulier.

— ... Le Pays des Merveilles fut de tout temps le paradis des naïfs et des optimistes, lisait Bibwit, comme s'il avait été dirigé par des fillettes et des garçonnets...

— Par des enfants, corrigea Redd.

— « Par des enfants incapables de renoncer à leurs jouets pour affronter les dures réalités de l'Univers. »

— Bien, dit Redd. Continuez : « Un Univers dans lequel seuls les plus cruels survivent. Un univers de Jabberwocky, pour ainsi dire. »

La plume de Bibwit filait à toute allure sur le parchemin royal quand Le Chat entra dans la pièce.

— Oui ? demanda Redd.

— Les Alyssiens ont pris Blaxik, et les esclaves se sont échappés, cracha le félin.

Redd serra les poings. Dans toute la pièce, des objets se mirent à trembler. Les Alyssiens ! Ce furoncle à la face de son règne ! Cette épine dans le poing de son pouvoir ! Pourquoi la

Coupure ne les avait-elle pas encore exterminés ? Les armes, le mobilier, tout ce qui n'était pas fixé trembla au rythme de sa rage montante. Connaissant son aversion pour la défaite, Bibwit Harte et Le Chat quittèrent précipitamment les lieux.

— Aaaaaaaaargh ! hurla Redd, debout au milieu d'un tourbillon de chaises, de lampes, d'épées, de lances, de plats et de livres, une tornade jaillie du puits sans fond de son imagination haineuse.

Blaxik attaqué ? Les esclaves libérés ? Des têtes allaient tomber !

Après la bataille de Blaxik, encore gorgés d'adrénaline, Dodge et La Tour blanche s'aventurèrent dans le bidonville grouillant qu'était devenue Merveillopolis, afin de se rappeler pourquoi ils combattaient. La Tour camoufla ses créneaux sous un capuchon, mais Dodge refusa de l'imiter. Il ne voulait pas cacher son identité à ses ennemis.

— Je me souviens de l'époque où les Maravilliens prenaient soin de cette ville, dit La Tour tandis qu'ils se frayaient un chemin sur un trottoir jonché de détritus. Les rues étaient propres, les routes entretenues, bordées d'arbustes et de fleurs qui chantaient des airs joyeux.

Il jeta un coup d'œil alentour. Seules les mauvaises herbes y poussaient encore. Les autres végétaux étaient morts depuis longtemps, tués par le Naturcide, un produit chimique que Redd avait concocté dans le but de les réduire au silence.

— Et on pouvait acheter une tartatarte chaude à chaque coin de rue, reprit La Tour. Les tartatartes me manquent.

Dodge hocha la tête, absorbé par ses propres souvenirs : les immeubles de quartz scintillants de l'époque de Geneviève, les tours et les flèches aux couleurs éclatantes, régulièrement polies. Autrefois, Merveillopolis était une ville brillante, étincelante, incandescente, où vivaient des citoyens pour la plupart travailleurs et respectueux des lois. À présent, tout était couvert de crasse et de suie. La pauvreté et la criminalité, suintant des impasses obscures, avaient pris possession des rues principales. Tout ce qui brillait encore avait dû se tapir dans les recoins, et s'enfouir dans les fissures.

— Traversons la rue, suggéra La Tour.

Dodge comprit pourquoi : une bagarre avait éclaté devant eux. Deux Maravilliens décharnés en attaquaient un troisième ; probablement un trafic d'imaginostimulants qui tournait mal. Où qu'ils aillent, Dodge et La Tour étaient témoins d'une bagarre ; mieux valait rester en retrait pour ne pas attirer l'attention.

Leurs pas les menèrent à un carrefour où les guérites des marchands de kebab d'asticoglues disputaient la place aux vendeurs à la sauvette, qui vantaient les mérites de leur cristal de contrebande. Dodge tenta de se remémorer le parfum des tartatartes sortant du four. Son père ne lui en avait-il pas acheté une, ici même ? Hélas, la mémoire lui fit défaut.

Derrière le vacarme des cris et des klaxons qui emplissait les rues, il entendit une voix monocorde débiter des Reddismes. Ces maximes à la gloire de la reine se déversaient de haut-parleurs accrochés en hauteur : « La voie Redd est la voie qu'il nous faut » ; « Au commencement, Redd était là. À la fin, elle sera. » Sur les panneaux d'affichage holographiques, des visages en trois dimensions énuméraient les dernières taxations et mesures de répression. Enfin, venu d'on ne sait où, s'élevait l'hymne à la décadence de Merveillopolis : un air omniprésent, qui semblait s'échapper des trous du trottoir, des nids de poule de la chaussée, des lézardes des murs pour chanter les louanges de la souveraine.

— Moi, c'est le silence qui me manque, dit Dodge. Si seulement on pouvait avoir toute une journée de silence ! Tu te souviens comment c'était ?

— Oui, soupira La Tour. Mais tu sais ce qu'elle en pense...

Il imita Redd : « Le silence est par le présent acte déclaré hors la loi. Il alimente les pensées indépendantes, qui nourrissent à leur tour la dissidence. »

Hélas, ils étaient bien placés pour savoir que les dissidents n'étaient pas nombreux. Quiconque se montrait déloyal envers la reine était rapidement arrêté, et on n'entendait plus jamais parler de lui.

À mesure que s'estompait le souvenir de la bataille de Blaxik, les deux hommes retrouvaient peu à peu leur sang-froid. Ils pouvaient choisir les endroits à visiter, pourvu qu'ils restent prudents.

— Qu'est-ce que tu dirais d'un combat de Jabberwocky ? suggéra La Tour.

Dans l'amphithéâtre, ils verraient les colosses fondre les uns sur les autres, grinçant des dents, pleins d'une haine égale, sinon supérieure, à celle que se vouaient les spectateurs.

Dodge secoua la tête :

— Il y a toujours des bagarres, et je déteste m'éclipser sans avoir au moins blessé quelques soldats de la Coupure.

— La statue, alors ?

De nouveau, Dodge déclina. Ce monument à la gloire de Redd était érigé à la lisière ouest de la ville. Depuis la plate-forme, située dans la tête de l'énorme effigie en agate de la souveraine, on voyait la ville s'étaler en contrebas. Parfois, s'imaginer dans le crâne de la reine aiguisait le désir de vengeance du jeune homme. Mais pas ce jour-là.

— Marchons au hasard, proposa-t-il.

Ils passèrent devant les boutiques murées de la plaza Redd, les bureaux des usuriers de Redd Square, et aussi devant le complexe immobilier colossal des « Redd Tower Appartments », que le slogan publicitaire : « Si vous viviez là, vous seriez déjà rentrés chez vous à l'heure qu'il est », ne suffisait pas à remplir. Ils s'arrêtèrent devant l'hôtel-casino Redd, où, non contents de parier du cristal, les Maravilliens pouvaient jouer leur vie sur un simple lancer de dés. Dodge pressa le pas quand ils longèrent le palais de Cœur — en ruine, et occupé par des squatters drogués aux imaginostimulants — pour atteindre le chantier des Cinq-Flèches. Son Impériale Malveillance avait promis que ce bâtiment serait le plus grand jamais construit dans l'Univers : une colonne d'acier gainée de cristal de roche marbré jaillissant vers le ciel, coiffé de cinq flèches pointues évoquant les doigts de la reine.

— Tu penses qu'elle le terminera ? demanda La Tour.

Dodge se raidit :

— Nous ne devrions pas lui en laisser l'occasion.

Partout, des pancartes invitaient les Maravilliens à assister aux réunions des sociétés d'Imagination Noire. Ces dernières pullulaient, tandis que les sociétés d'Imagination Blanche étaient forcées de se réunir en secret, car leurs membres étaient traqués, puis expédiés aux Mines de Cristal, condamnés aux travaux forcés jusqu'à ce que mort s'ensuive. C'était certes le sort réservé aux adeptes de l'Imagination Noire du temps de Geneviève... Cependant, alors que l'accent était mis autrefois sur le labeur et la repentance, avec la promesse de recouvrer la liberté, les prisonniers étaient à présent soumis à des cadences de travail au-delà du supportable.

— Quel est donc ce monde ? se fâcha soudain La Tour. Un monde où les voisins et les amis se dénoncent mutuellement ? Où les enfants, furieux contre leurs parents parce qu'ils ne leur ont pas offert de kit d'initiation à l'Imagination Noire pour leur anniversaire, peuvent se plaindre au premier membre de la Coupure venu ? Ou prétendre qu'ils les ont entendus dénigrer la reine, les faire arrêter et soumettre à des tortures innommables ? Je suis sûr que Redd se moque bien de savoir si ces gamins disent la vérité.

— Elle préfère sûrement qu'ils mentent, dit Dodge.

La Tour hocha la tête, imitant de nouveau Redd : « Parce que c'est plus conforme à l'Imagination Noire. Mon règne est basé sur le mensonge et la violence. »

— Et l'incertitude.

La Tour grogna de dégoût :

— De toute façon, il y a deux poids deux mesures. Un membre des Figures soupçonné de trahison échappe aux Mines en effectuant un virement conséquent sur le compte cristal personnel de la reine. Pour le Maravillien moyen, par contre, il n'y a aucun espoir : il va aux Mines, un point c'est tout !

Ils rebroussèrent chemin vers la Forêt Immortelle. Ils en avaient assez vu.

— Je vais te dire quel est ce monde, continua La Tour en répondant à sa propre question. C'est un monde qui ne peut pas durer !

— Exact ! approuva Dodge.

Mais il ne pensait plus à l'avènement ni à la chute des reines, pas plus qu'à la corruption. Il pensait à quelque chose de plus personnel, à ce qui le motivait pour se lever le matin : l'assassinat du Chat.

CHAPITRE 20

Le Chapelier Madigan quitta Paris vingt-quatre heures après s'être enfui du palais de justice et sillonna le pays à la recherche d'Alyss. Au bout de plusieurs semaines de quête infructueuse, il arriva dans la ville de Cannes, sur la Côte-d'Azur. C'était la mi-août, l'apogée de l'été. Il n'avait encore visité aucun magasin de chapeaux, quand, dans une ruelle qui descendait vers la plage, il entendit un passant lancer à son compagnon : « Oh, regarde ! Le pauvre petit chapeau haut de forme ! »

Le Chapelier avait appris assez de français pour comprendre le mot « *chapeau* ». Comme les hommes poursuivaient leur chemin, il jeta un coup d'œil sur le couvre-chef en question, et découvrit un haut-de-forme flottant sur une flaque d'eau. Il lui fallut une milliseconde pour s'apercevoir que c'était le sien. Comment était-il arrivé là ? Il examina la flaque. L'eau aurait dû s'évaporer par cette chaleur. Si elle avait été en train de sécher, elle aurait été cernée d'une zone humide. Or, en observant ses bords, il constata qu'il n'en était rien.

Le Chapelier avait étudié d'innombrables flaques depuis qu'il était dans ce monde, car il se demandait laquelle — s'il en existait une — lui permettrait de rentrer au Pays des Merveilles, une fois la princesse Alyss retrouvée. Aucune ne lui avait paru ressembler, de près ou de loin, à un portail de retour. Celle-ci, en revanche... Attentif à ne pas y poser le pied, il se pencha et ramassa le chapeau. Il était trempé, mais apparemment intact. D'un geste vif du poignet, il déploya les lames en forme de S. Son arme fonctionnait encore ! Puis, d'un nouveau clac, il le retransforma en haut-de-forme dégoulinant et s'en coiffa, le tapotant tel un dandy qui ajouterait une touche finale à sa tenue avant d'aller faire la nouba. Enfin, histoire d'en avoir le cœur net, il ramassa une pierre et la jeta dans la flaque.

« Toc-kwosh ! »

L'eau aspira le caillou, qui disparut.

Ce devait être un portail de retour. Le Chapelier présuma que si l'Étang des Larmes était la seule issue permettant de quitter le Pays des Merveilles, il devait y avoir par contre plusieurs portails de retour comme celui-ci. Ce qui supposait que d'autres itinéraires, tels des tentacules reliés à la tête d'une pieuvre, aboutissaient à l'Étang. Il décida de rester vigilant, et d'examiner à l'avenir toute flaque ou trou d'eau situé dans un endroit insolite.

Trois jours plus tard, à Monaco, il en découvrit une autre, sur une promenade blanchie par le soleil. Il songea qu'Alyss avait peut-être trouvé un portail de retour et qu'elle était déjà rentrée au Pays des Merveilles. C'était peu probable, car personne n'était jamais ressorti de l'Étang des Larmes. Toutefois, la princesse était tout sauf ordinaire...

Si elle était retournée chez elle, elle ne survivrait pas longtemps. Elle n'avait pas d'entraînement ; elle n'avait pas exercé son muscle imaginatif. Redd ne lui laisserait aucune chance.

Pour tester le portail à ses pieds, le Chapelier prit un poignard dans son sac et le laissa tomber dans l'eau.

« Tink-kwosh ! »

Le poignard disparut.

Le Chapelier aplatit son haut-de-forme et aligna les lames pour rendre l'arme la plus compacte possible avant de la ranger soigneusement dans une poche de son manteau ; il n'avait pas envie de la perdre une seconde fois.

Avant de poser le pied dans la flaque, il se demanda si sa théorie était fondée. Que se passerait-il si ce n'était pas un portail donnant sur le Pays des Merveilles, mais sur une autre destination, inconnue ? Il décida que, pour le bien d'Alyss et celui du royaume, c'était un risque qu'il devait prendre.

CHAPITRE 21

Lorsque la fureur s'estompe et que l'on dispose d'un moment pour réfléchir calmement, il n'est pas rare que des paroles prononcées sous le coup de la colère nous paraissent injustifiées. S'il se trouve de surcroît qu'elles ont blessé un parent, un ami, un amant ou un époux, on les regrette. Ce n'était pourtant pas le cas de la jeune Alyss de Cœur, alors âgée de onze ans. Elle avait attendu avec impatience que le révérend Charles Dodgson termine d'écrire le récit de sa vie au Pays des Merveilles, en songeant à la revanche que cet ouvrage lui permettrait de prendre sur tous ceux qui avaient douté d'elle. C'est pourquoi elle était entrée dans une telle colère lorsque Dodgson lui avait enfin présenté son manuscrit. Cet ouvrage n'avait rien à voir avec elle ! Le révérend avait délibérément transformé en inepties ce qu'elle lui avait raconté. Comment avait-il pu faire une chose pareille ? Était-ce une mauvaise blague ? Elle en avait assez qu'on prenne ses récits pour des inventions, assez de souffrir et d'être punie quand elle disait la vérité. « C'était mon dernier espoir, avait-elle songé. Et il m'a trahie ! »

Alyss pensait exactement tout ce qu'elle dit au révérend, ce jour-là, et pas une fois, au cours des années qui suivirent, elle ne le regretta : « Vous êtes l'homme le plus méchant que j'aie jamais rencontré, Mr Dodgson ! Si vous aviez cru un seul mot de ce que je vous ai raconté, vous comprendriez à quel point vous êtes cruel ! Je ne veux plus jamais vous voir ! Jamais ! »

Elle abandonna Dodgson, embarrassé, au bord de l'eau et courut sur tout le chemin du retour. Elle entra en trombe chez elle et claqua la porte, à la grande surprise de Mrs Liddell :

— Vous revenez déjà ?

Mais Alyss, les traits déformés par la rage et le chagrin, la dépassa sans la voir. « Quel homme cruel ! Qu'est-ce que je vais faire, maintenant ? Je ne veux pas qu'on me surnomme toute ma vie "Alice la Toquée" ! »

Elle monta les marches quatre à quatre et s'enferma à double tour dans sa chambre.

— Alice ! l'appela Mrs Liddell. Où sont Edith et Lorina ? Où est Mr Dodgson ? Que s'est-il passé ?

La jeune fille ne répondit pas et resta cloîtrée dans sa chambre. Elle n'entendit pas Mrs Liddell frapper, tourner en vain la poignée, ni lui ordonner : « Alice, ouvrez cette porte ! Ouvrez-la immédiatement ! » Son sang bouillait ; prise d'une rage soudaine, elle arracha des murs ses dessins du palais de Cœur et en fit des confettis. « C'est terminé ! fulminait-elle. Je ne veux plus rien me rappeler ! J'efface tout ! Je ne serai plus "Alice la Toquée". "Alice la Toquée" doit mourir. »

Oui, c'était une solution : abandonner ses prétendus délires et accepter de vivre dans ce monde. Jouer le jeu. Devenir comme les autres.

Mrs Liddell avait fini par renoncer à assiéger sa chambre. Alyss entendit des voix au rez-de-chaussée. Ses sœurs et Dodgson devaient être rentrés. « Cet homme infect ! »

— Alice, descendez, s'il vous plaît ! cria Mrs Liddell. Mr Dodgson est là !

— Je ne veux pas le voir !

Elle repensa à ce qu'il lui avait fait, à son livre idiot et, de nouveau, la rage la submergea. « Il m'a trompée ! Cet homme a un cœur de pierre ! »

Elle se mit à donner des coups de pied dans les tas de confettis, puis se figea brusquement. Quelque chose venait de bouger dans le miroir, et ce n'était pas son reflet !

— Mère ?

C'était bien Geneviève, vêtue comme le jour où sa fille l'avait vue pour la dernière fois, mais sans sa couronne.

— N'oublie jamais qui tu es, Alyss, murmura la reine.

— Taisez-vous ! lui cria-t-elle en lançant un oreiller sur le miroir.

Sa mère — ou qui que ce fût — n'avait pas vécu ce qu'Alyss avait enduré depuis quatre ans. Elle était mal placée pour lui donner des conseils !

Le miroir se vida, ne réfléchissant plus que la chambre. Mais avait-il vraiment reflété autre chose ? Alyss se sentit soudain ridicule, certaine que son imagination venait de lui jouer un tour.

Épuisée, elle se laissa tomber par terre en sanglotant et finit par s'endormir au milieu des fragments de ses palais de papier. Quand elle quitta sa chambre le lendemain matin — une chambre toute propre, sans confettis, sans aucune trace des violences de la veille —, les Liddell prenaient leur petit déjeuner. Ils remarquèrent aussitôt qu'Alyss avait changé, mais n'auraient su dire en quoi exactement. Edith et Lorina cessèrent de mâcher leurs œufs brouillés et la regardèrent bouche bée. Le doyen Liddell arrêta de beurrer son toast, et son épouse continua de se verser du thé, sans s'apercevoir qu'il débordait de sa tasse. Elle ne s'en rendit compte qu'au moment où la servante se précipita pour réparer les dégâts.

— Vous avez mis la robe..., souffla Mrs Liddell.

Une robe qu'elle lui avait achetée des mois plus tôt, mais qu'Alyss avait toujours refusé de porter car elle la trouvait vulgaire.

— Oui, Mère.

— Vous êtes… ravissante, dit le doyen.

— Merci, Père.

Le changement d'Alyss ne se limitait pas à ce détail, bien sûr. Il touchait à des choses plus subtiles — l'inclinaison de sa tête, ses amples gestes du bras, sa démarche prudente. Les Liddell, impressionnés par son apparence, ne réalisèrent pas que, pour la première fois, elle leur avait donné les plus affectueux des noms : mère et père.

CHAPITRE 22

Le Chapelier mit un pied dans la flaque, et ne rencontra que du vide. Il bascula en avant et fut aspiré vers les profondeurs à une vitesse stupéfiante. Puis il s'immobilisa et resta un instant suspendu entre deux eaux, avant de remonter comme une torpille. Lorsqu'il creva la surface, il était dans l'Étang des Larmes.

Au-dessus de lui, les nuages tourbillonnaient. L'eau était noire, agitée de remous. Il nagea vers la rive cristalline, tous les sens en alerte, attentif à capter le moindre indice de la présence de Redd ou de ses soldats. Une fois hors de l'eau, il s'approcha furtivement d'un vieil arbre décati au tronc balafré et aux branches dénudées.

— La princesse Alyss est-elle rentrée au Pays des Merveilles ? lui demanda-t-il. L'as-tu vue sortir de l'Étang ?

— La princesse Alyss est morte ! dit l'arbre d'une voix forte, comme s'il était surveillé par une puissance invisible, prête à lui infliger de grandes souffrances.

— Je n'ai aucune preuve de sa mort.

— La princesse Alyss de Cœur est morte ! répéta l'arbre, encore plus fort.

Puis, dans un murmure, il ajouta :

— Les Yeux de Verre nous espionnent. Ils entendent tout. La princesse n'est pas revenue.

Le Chapelier ne savait pas ce qu'étaient les Yeux de Verre, car Redd venait de les lâcher dans le royaume. Cela dit, il n'avait aucune intention de s'attarder dans les parages pour faire leur connaissance. Son devoir lui commandait de retourner dans l'autre monde et de chercher la princesse tant que ses forces le lui permettraient. Il la retrouverait, ferait d'elle une guerrière, comme sa mère, puis ils rentreraient ensemble au Pays des Merveilles et s'attaqueraient à tous ces problèmes, dont les « Yeux de Verre » n'étaient qu'une infime partie.

Le Chapelier replongea dans l'Étang des Larmes. Il commençait à se familiariser avec la force qui l'entraînait vers le fond. Il subit de nouveau l'arrêt brutal, puis éprouva la sensation de flottaison, précédant la remontée vertigineuse. Il jaillit d'une flaque derrière un hangar aux environs de Budapest, en Hongrie. Seules trois chèvres blasées le virent sortir de la boue en voltigeant, puis retomber gracieusement sur ses pieds.

Il se demanda s'il pourrait apprendre à naviguer dans l'Étang des Larmes comme dans le Continuum Cristal, afin de choisir sa destination. Ce serait plus difficile que dans le Continuum, forcément, car l'eau est un élément lourd. Pour s'y diriger, il faudrait un certain talent, de l'endurance, de la force physique et de la volonté. Toutefois, l'heure n'était pas à de telles considérations : et il était grand temps qu'il se lance sérieusement à la recherche d'Alyss.

Il décida de s'intéresser en priorité aux individus dotés d'une aura lumineuse. Si c'était l'effet de leur imagination, alors la princesse Alyss brillerait, elle aussi. Et, qui sait, peut-être que l'une de ces personnes le mettrait sur une piste...

Le Chapelier visita ainsi des boutiques de chapeaux dans les petites et grandes villes d'Espagne, du Portugal, de Belgique, de Suisse, d'Autriche, de Bavière, d'Italie, de Prusse, de Grèce et de Pologne, pour ne citer que ces pays-là. En 1864, cinq ans après le début de son périple, il avait fait deux fois le tour du continent européen. Il prit à Calais le ferry pour Douvres, en Angleterre. Si *Alice au Pays des Merveilles* avait été publié à l'époque, les chapeliers et les tailleurs du Royaume-Uni auraient réagi en l'entendant évoquer la princesse Alyss du Pays des Merveilles. Ils l'auraient pris pour un fou : un homme à la recherche d'un personnage de fiction ! Mais l'ouvrage n'était pas encore sorti, et ils tentèrent seulement de lui vendre des chapeaux dont il n'avait pas besoin, après l'avoir complimenté sur le sien. Quand le livre du révérend Charles Dodgson fut publié, un an plus tard, le Chapelier avait quitté l'Angleterre depuis longtemps.

Alors qu'il parcourait le monde, les poches pleines de cartes usées jusqu'à la trame et couvertes d'annotations, sa légende s'étoffa. On la racontait dans des langues aussi différentes que l'afrikaans, l'hindi, le japonais ou le gallois et, même si les détails de l'histoire changeaient souvent, la base était commune. On évoquait un homme solitaire, doué d'une force et d'une souplesse étonnantes, armé d'un curieux attirail, qui traversait les continents au gré d'une quête mystérieuse et visitait l'un après l'autre les marchands de chapeaux de la terre entière. Tous l'avaient vu, depuis le colporteur qui vendait des bonnets tricotés dans un campement de Bédouins en Afrique du Nord, jusqu'au chapelier très chic qui tenait boutique au cœur de Prague.

On signala sa présence en Amérique, peu avant la fin d'une guerre civile. On l'aperçut dans les rues de New York et sur les routes du Massachusetts, puis cheminant à pied sur les collines enneigées du Vermont. On le croisa sur les pistes verglacées du Delaware, à Rhode Island, dans le New Hampshire et dans le Maine. Il sillonna le Mexique et l'Amérique du Sud, contourna l'Antarctique et remonta vers la Californie et l'Oregon. Il ratissa enfin le Canada, avant de prendre la direction des contrées asiatiques et de l'Extrême-Orient.

À la fin du mois d'avril 1872, treize ans après avoir perdu Alyss, le Chapelier pénétra dans un bazar bondé, blotti à l'ombre de la grande pyramide de Guizeh, en Égypte.

— Je suis un membre de la Chapellerie du Pays des Merveilles et je cherche la princesse Alyss de Cœur, dit-il au commerçant. Toute information sera appréciée, et récompensée le moment venu.

Il avait prononcé cette phrase tant de fois en vain qu'il ne s'attendait pas à recevoir une réponse sensée. Aussi fut-il très surpris quand le marchand lui montra un livre, rangé sur une étagère entre un sphinx de grès miniature et un panier de langues de chameau séchées. L'homme épousseta le livre avec sa manche et le lui tendit. C'était une édition anglaise d'*Alice au Pays des Merveilles*.

Le prénom était mal orthographié, mais... Le Pays des Merveilles ? C'était forcément *son* Alyss ! La fillette sur les illustrations ne ressemblait pas à la princesse, et pourtant ce ne pouvait être une coïncidence ! Sa mission lui apparut soudain très clairement : pour trouver Alyss, il lui fallait mettre la main sur l'auteur du livre, Lewis Carroll.

CHAPITRE 23

Dodge fonçait en criant, tel un projectile, dans le kaléido-scope du Continuum Cristal.

Les voyageurs qui se rangèrent pour l'éviter furent aspirés dans des chemins transversaux, et reflétés chez des inconnus ou dans des restaurants minables, sans aucun lien avec leur destination.

– Ouais ! Ouais ! Ouais ! criait le jeune homme. Allez !

Quatre Yeux de Verre étaient à ses trousses. Ces êtres artificiels, conçus pour le combat rapproché, ressemblaient à des Maravilliens ordinaires, mais ils avaient des implants de cristal incolore qui rendaient leur vue plus pénétrante. Ils étaient aussi plus forts et plus rapides que leurs concitoyens. Redd les avait chargés de traquer les Alyssiens dans le Continuum, et leurs patrouilles avaient considérablement restreint la mobilité des rebelles. Les communicateurs-miroirs portatifs ne permettaient de transmettre que de brefs messages cryptés, que n'importe qui, à tout moment, pouvait intercepter. Pour échanger des informations importantes, les Alyssiens employaient donc des coursiers qui naviguaient dans le Continuum Cristal. Toutefois, depuis l'apparition des Yeux de Verre, ces coursiers risquaient leur vie à chaque traversée, et leurs missions étaient quasi suicidaires. Dodge Anders en avait effectué plus que n'importe quel autre Alyssien, et il se portait toujours volontaire pour distribuer les dépêches, les mises en garde et les rapports d'espionnage. Ce jour-là, il devait prévenir un avant-poste alyssien, situé sur les contreforts de la Montagne du Snark, d'une probable attaque des troupes de Redd.

Dodge volait littéralement dans le Continuum, mais ses poursuivants gagnaient du terrain. Ces concours de vitesse, où il mettait à l'épreuve ses talents de navigateur et sa force, étaient les seuls moments où il éprouvait quelque chose qui ressemblait à du bonheur. Peu lui importait d'être tué. Il se rendait utile, et se sentait ainsi plus proche d'assouvir sa vengeance.

Devant lui, le Continuum se scindait en plusieurs voies. Il déplaça le poids de son corps sur la gauche et, à la dernière seconde, prit un virage serré. Il regarda en arrière et constata qu'un des Yeux de Verre n'avait pas tourné. Il en restait trois, qu'il lui faudrait semer rapidement.

Louvoyant entre les tirs ennemis, Dodge dégaina son épée et la saisit à deux mains. Puis il fit appel à toute sa volonté pour s'arrêter net et affronter ses poursuivants. Les Yeux de Verre, surpris, n'eurent pas le temps de ralentir, et le premier vint s'empaler sur l'épée. Avant que les deux autres aient retrouvé leur équilibre, le jeune homme s'adossa à la paroi la plus proche ; il fut alors aspiré hors du Continuum et reflété dans le miroir d'un hall d'immeuble. Il s'aplatit aussitôt contre le mur, près du miroir, attendit que les Yeux de Verre en jaillissent pour briser la glace avec le pommeau de son épée, puis se faufila de nouveau tout entier dans le Continuum par un éclat de verre grand comme un orteil de Jabberwock. Les Yeux de Verre n'étaient pas encore capables d'une telle prouesse : ils ne pouvaient introduire dans le Continuum que les parties de leur corps reflétées dans un fragment.

Dodge fila comme une fusée dans le chemin cristallin avant que celui-ci ne disparaisse. Il regarda une nouvelle fois derrière lui et vit qu'un de ses poursuivants n'avait plus que la moitié du visage et une épaule, tandis que l'autre avait la tête, le torse mais pas de bras. À bout de forces, ils furent tous deux avalés par le vide. Dodge aurait connu le même sort s'il n'avait rejoint l'artère principale à ce moment-là.

Il poursuivit son chemin jusqu'à un miroir situé à proximité de la Montagne du Snark. Il quitta alors le Continuum et termina le voyage à pied. L'euphorie qu'il avait ressentie pendant la poursuite disparut avant même qu'il eût atteint son but. Lorsqu'il se présenta devant le chef de l'avant-poste alyssien, il avait retrouvé son air grave.

Sa mission accomplie, il ne put se résoudre à regagner le camp retranché de la Forêt Immortelle, où le général Doppelgänger et les autres passaient leurs journées à discuter de stratégie. Ces réunions statiques lui faisaient horreur.

Il emprunta de nouveau le Continuum et en sortit près du Bois Murmurant, qu'il traversa jusqu'à l'Étang des Larmes. Il venait parfois se poster sur la falaise, pour réfléchir à sa vie. Comme son père, il avait cru autrefois aux principes de l'Imagination Blanche : l'amour, la justice et la solidarité. Hélas, de telles valeurs ne menaient à rien dans ce monde. Sir Justice s'était trompé quand il avait affirmé qu'elles étaient porteuses d'espoir. Quel espoir y avait-il à voir son ennemi détruire tout ce que l'on aime ?

Dodge s'en voulut soudain d'être venu près de l'Étang. C'était courir un risque inutile. Il devait absolument rester en vie. Rester en vie pour se venger.

CHAPITRE 24

Alice fit de gros efforts pour s'adapter à son nouvel environnement, et refusa de voir Dodgson quand il se présentait chez les Liddell. Peiné, le révérend espaça ses visites, et finit par ne plus venir du tout. Le livre qu'il avait écrit pour elle, publié sous le titre d'*Alice au Pays des Merveilles,* enchanta ses lecteurs. Chacun savait que les histoires extravagantes d'Alice l'avaient inspiré, mais la jeune fille s'était tellement appliquée à adopter les coutumes et les croyances de son époque, copiait si bien les manières de ses camarades qu'elle s'était liée d'amitié avec ceux qui, avant, la persécutaient. Et, bien que Mrs Liddell n'eût jamais découvert la cause de sa colère, ce fameux après-midi, le changement d'attitude de sa fille adoptive la comblait de joie. Au lieu de flatter Alice, les gribouillages idiots de Dodgson semblaient l'avoir ramenée à la raison, comme s'ils lui avaient enfin permis d'oublier ses rêves insensés. Elle avait pris ses distances vis-à-vis du livre et de son auteur. Mrs Liddell y voyait un signe de maturité, et elle n'avait pas tort.

Au début de sa seizième année, pendant ses promenades du dimanche dans la grand-rue en compagnie de sa mère et de ses sœurs, Alice rencontra le succès que lui avaient prédit les surveillants de l'orphelinat. De jeunes hommes de bonne famille s'arrêtaient sur son passage, éblouis. Ils se démenaient pour savoir qui elle était et l'invitaient à des fêtes. Ils rivalisaient d'esprit et faisaient étalage de leur expérience pour l'impressionner. De l'avis de tous, miss Liddell ne manquait pas d'intelligence. Certains la trouvaient même un peu trop brillante à leur goût. C'était une jeune femme réfléchie et cultivée, qui avait des opinions sur des sujets variés. Elle parlait volontiers de la politique gouvernementale, des responsabilités liées à la puissance militaire britannique, des caractéristiques du commerce et de l'industrie sous une monarchie. Elle militait pour que l'on aide les pauvres, dénonçait le penchant des journaux de Fleet Street pour le sensationnel et les méandres du système judiciaire, décrits par l'éminent écrivain Charles Dickens.

Les jeunes gens fortunés qui la courtisaient — y compris ceux qui étaient mal à l'aise en présence d'une femme plus intelligente qu'eux — trouvaient regrettable qu'Alice ait été adoptée, car cela signifiait que jamais ils ne pourraient l'épouser. Bien sûr, chacun d'eux tenait pour acquis que miss Liddell aurait été heureuse de convoler avec lui. Cependant, elle ne se laissait pas facilement impressionner, et était peu encline à tomber amoureuse. Les épreuves qu'elle avait traversées lui avaient appris à refouler ses sentiments. Elle était convaincue qu'il était dangereux de s'attacher aux gens ; que l'on risquait d'être blessé. Elle parlait avec ses soupirants et acceptait leurs invitations parce que cela faisait plaisir à sa mère, sans vouer à aucune une affection particulière.

Le révérend Dodgson écrivit la suite d'*Alice au Pays des Merveilles*, intitulée *De l'autre côté du miroir*. De nouveau, ses griffonnages rencontrèrent un succès populaire. Alice ne lut pas le livre, mais quelque temps avant qu'il soit publié elle se retrouva contre son gré dans la même pièce que son auteur. Oxford était une petite ville, aussi avait-elle souvent croisé Dodgson dans la rue ou dans les jardins de l'université. Elle s'était appliquée, en revanche, à ne jamais discuter avec lui. Elle consentait juste à le saluer, ainsi que l'exigeaient les bonnes manières.

Peu après son dix-huitième anniversaire, Mrs Liddell jugea le moment venu de fixer pour la postérité le visage de sa fille. Elle voulait qu'Alice pose pour un portrait photographique, et chargea Dodgson de prendre le cliché.

— Mère, je vous en prie ! protesta la jeune femme. Vous savez que je ne souhaite pas le voir.

— On peut ne pas aimer quelqu'un, répliqua Mrs Liddell, mais une jeune femme bien élevée ne doit pas le montrer aussi explicitement que vous le faites.

De guerre lasse, Alice accepta de poser. Le jour dit, entendant Dodgson entrer dans la maison et installer son équipement dans le petit salon, elle serra les poings : « Homme détestable, comment pouvez-vous ignorer le mal que vous m'avez fait ? Devrais-je vous pardonner ? J'en suis incapable ! Je me montrerai polie, mais faites vite. Entrez et sortez. »

Elle ne put cependant cacher tout à fait ses sentiments, et quand Mrs Liddell l'appela en bas, elle descendit avec la vivacité de quelqu'un qui croule sous les rendez-vous.

— Bonjour, Mr Dodgson, lança-t-elle au visiteur avant de se laisser tomber dans un fauteuil.

Elle posa les mains sur ses genoux, inclina la tête vers la droite, et considéra Dodgson par-dessous ses sourcils froncés. Le révérend se dépêcha de prendre le cliché, car ce comportement le mettait mal à l'aise.

— Merci, monsieur, lui dit-elle en évitant délibérément de croiser son regard.

Puis elle se releva et quitta la pièce.

Quand Alice eut vingt ans, Mrs Liddell la pressa de choisir un mari parmi ses nombreux prétendants.

— Mais je n'éprouve rien pour aucun d'eux ! se défendit la jeune femme.

Elle secoua la tête pour chasser le souvenir d'un garçon qu'elle avait connu, il y avait très longtemps de cela : « Non ! Ne pense pas à lui. Surtout pas ! »

Un samedi, la famille Liddell au grand complet assista à un concert en plein air sur la pelouse de Christ Church. Ils allaient s'asseoir quand un jeune homme vint les trouver et se présenta au doyen. C'était le prince Leopold, le plus jeune fils de la reine Victoria. Sa mère l'avait envoyé à Christ Church pour parfaire son éducation, et c'était la première fois qu'il rencontrait les Liddell.

Lorsqu'elle apprit son identité, Mrs Liddell eut toutes les peines du monde à dissimuler son excitation.

— Et ces demoiselles, dit le doyen en présentant ses filles, sont Edith, Lorina, et Alice. Mes enfants, voici le prince Leopold.

Alice tendit la main au jeune homme. Il la baisa et sembla ne plus vouloir la lâcher.

— Je crains que vous ne puissiez la garder, Votre Altesse, plaisanta-t-elle.

Puis, comme il ne comprenait pas :

— Je parlais de ma main. Je risque d'en avoir encore l'usage.

— Ah... bien ! Alors, si je dois vous la rendre, je m'exécute... Mais si elle a un jour besoin de se retrouver au chaud...

— Je penserai à vous, Votre Altesse.

Le prince Leopold insista pour que les Liddell s'assoient près de lui. Il se plaça entre Alice et sa mère. Le concert commença par un *medley* de Mozart ; le jeune homme se pencha vers Alice et lui chuchota à l'oreille :

— Je n'aime pas les *medleys*. Ils survolent tout sans rien approfondir.

— Beaucoup de gens sont ainsi, répondit-elle.

Mrs Liddell, qui n'avait pas entendu l'échange, lança à sa fille un regard que celle-ci ne sut interpréter.

Le prince parla à Alice pendant tout le concert, abordant de nombreux sujets, depuis l'art jusqu'à la politique. Il trouva miss Liddell différente des autres jeunes femmes, qui ne s'intéressaient qu'aux étoffes de velours, aux motifs de papier peint et aux dernières modes. Qui battaient des paupières et attendaient qu'il se pâme. Alice, elle, n'essayait pas de l'impressionner. On eut même dit qu'elle se souciait comme d'une guigne de ce qu'il pensait d'elle, et il n'en était que plus admiratif. Et sa beauté... Oui, sa beauté était indéniable. En résumé, il la trouvait à la fois délicieuse et mystérieuse.

Quand le concert fut terminé, et Leopold parti, Mrs Liddell confia à Alice ce qu'elle avait essayé de lui dire avec les yeux :

— C'est un prince ! Un prince ! Et il s'est épris de vous, j'en suis sûre !

— Nous avons simplement discuté, Mère. Je lui ai parlé comme j'aurais parlé à n'importe qui d'autre.

Cependant, l'enthousiasme de Mrs Liddell était difficile à ignorer. De plus, Alice commença à croiser Leopold un peu partout. Si elle flânait dans la galerie de peintures de Christ Church, elle le trouvait en train de fixer intensément le tableau d'un maître ancien. Si elle se rendait à la Bodleian Library[1] elle le voyait plongé dans *L'histoire du déclin et de la chute de l'Empire romain*, de Gibbon, qu'elle avait déjà lu.

« Il est séduisant, songeait-elle. Et bien élevé... » La plupart des hommes qui la courtisaient l'étaient aussi, mais lui,

---

1. La bibliothèque de l'université d'Oxford.

au moins, ne caressait pas sa moustache avec impatience lorsqu'elle parlait de la nécessité d'aider les pauvres.

« La grandeur d'une nation se mesure aux soins qu'elle apporte aux plus démunis de ses enfants, disait-elle. Si la Grande-Bretagne veut mériter son statut de grande puissance, elle ne peut se contenter d'afficher sa prédominance militaire et industrielle. Elle doit aussi montrer l'exemple et être plus charitable envers les siens. »

Le prince l'écoutait toujours attentivement ; il pesait ses arguments avec sérieux, sans jamais exprimer son opinion.

« Mère a raison, pensait Alice. Que demander de mieux que d'épouser un prince ? » Pourtant, elle avait beau tenter de s'en convaincre, son cœur restait insensible.

Trois mois après le concert de Christ Church, alors qu'ils se rendaient ensemble à Boar's Hill[1], le prince dit à Alice :

— Votre père m'a appris votre intention de visiter l'orphelinat de Banbury, demain après-midi. J'aimerais vous y accompagner, si vous me le permettez. On ne sait jamais quelle mésaventure guette une jeune femme dans ces endroits-là.

— Si vous le jugez utile, Votre Altesse...

Leopold lui proposa de l'y conduire en carrosse, mais elle refusa :

— On visite tellement mieux une ville à pied ! On peut tomber sur une minuscule boutique de curiosités, ou sur un jardin préservé dont on n'aurait jamais soupçonné l'existence, tant la végétation est étouffée dans les cités. En voiture, on passe trop vite devant des trésors sans les remarquer.

---

1. Une petite ville des environs d'Oxford.

Alice s'émerveillait de toutes les petites bizarreries qu'elle rencontrait sur son chemin. C'est aussi pour cette raison que le prince s'était épris d'elle.

À Banbury, les orphelins s'agglutinèrent autour de la jeune femme, s'accrochèrent à ses jupes et se mirent à crier tous en même temps. Elle riait, menait quatre conversations à la fois. Tandis qu'elle évoluait entre les murs crasseux de l'établissement, parmi les orphelins dépenaillés et les surveillants aux visages blafards, Leopold la trouva plus rayonnante que jamais. Lorsqu'ils firent le tour des lieux, une ribambelle d'enfants sur leurs talons, un petit garçon s'empara du pouce d'Alice et refusa de le lâcher.

Elle demanda qu'on lui énumère les problèmes auxquels était confronté l'orphelinat. Les surveillants lui montrèrent alors les parquets pourris par les débordements des égouts, le toit défoncé de l'infirmerie, les matelas fatigués, guère plus épais que des hosties. Ils ouvrirent le garde-manger, qui ne contenait que des sacs de haricots secs et de riz.

— Les enfants ne mangent rien d'autre depuis deux semaines, lui apprit une des femmes. On nous a promis du bœuf, mais nous ne voyons rien venir. Hélas, cela arrive fréquemment.

Le prince Leopold, qui se taisait depuis quelque temps, s'éclaircit la gorge :

— Qui est responsable de l'approvisionnement de l'orphelinat en nourriture et en vêtements ?

— Le directeur distribue les vivres avec parcimonie, Votre Altesse, expliqua la surveillante. Il dit que nous recueillons trop d'enfants, et que certains ne méritent pas tant de sollicitude. Celui-ci, par exemple...

Elle désigna le garçonnet accroché au pouce d'Alyss :

— Il est très doué pour le chapardage… Remarquez, il vole surtout de la nourriture, parce qu'il est affamé.

La femme fit un geste du bras pour montrer l'ensemble des orphelins, et ajouta :

— Ils le sont tous.

Alice regarda le petit garçon et pensa à Quigly Gaffer. Qu'était-il devenu ? Et les autres : Andrew, Margaret et Francine, qui étaient à peine assez vieux pour s'habiller seuls et vivaient dans la rue, sans amour, sans parents pour prendre soin d'eux ?

Son expression lointaine et mélancolique troubla le prince.

— J'en parlerai à la reine, annonça-t-il à la surveillante. Nous allons ordonner une enquête. D'ici là, nous ferons en sorte que les rations de nourriture soient augmentées. Qu'en pensez-vous ?

— Cela me paraît d'une rare générosité, dit la femme.

Les orphelins écarquillèrent les yeux sans mot dire. Ils n'en croyaient pas leurs oreilles. La reine Victoria et le prince Leopold allaient s'occuper d'eux ! Les surveillants se confondirent en remerciements. Alice sourit au prince, qui s'en trouva comblé.

Sur le chemin du retour, ils s'arrêtèrent au jardin botanique pour se reposer. La jeune femme s'assit sur un banc. Elle s'aperçut soudain que Leopold s'était agenouillé devant elle.

— Quelle que soit votre décision, Alice, lui dit-il, sachez qu'à l'avenir je serai heureux de vous assister dans vos efforts charitables. Toutefois, j'espère de tout mon cœur que vous m'autoriserez à le faire en tant qu'époux.

Alice cligna des yeux. Elle ne comprenait pas.

— Je vous demande en mariage, lui expliqua-t-il.

— Mais…Votre Altesse, en êtes-vous certain ?

– Ce n'est pas vraiment la réponse que j'espérais. Alice, vous êtes une personne peu commune, c'est le moins que l'on puisse dire, et je serais fier de devenir votre époux. Je dois cependant vous préciser qu'étant roturière vous n'aurez pas le titre de princesse, et n'hériterez pas des biens de la Couronne.

– Bien sûr.

À l'idée du mariage, Alice sentit se réveiller en elle un sentiment qu'elle refoulait depuis longtemps. « Non, non, non ! se défendit-elle. Ne pense pas à lui ! Sois réaliste ! »

Certaine que cette union ferait plaisir à sa mère, elle décida d'accepter. Pour Mrs Liddell, et pour sa famille.

– C'est entendu, Leopold !

Elle se laissa embrasser dans la fraîcheur du crépuscule.

– J'en ai déjà parlé à la reine, et j'ai reçu la bénédiction de votre père, dit le prince. Nous n'avons plus qu'à donner une fête pour annoncer nos fiançailles.

– Organisons plutôt un bal masqué ! s'écria Alice.

Si elle avait pris le temps de réfléchir avant de parler, la jeune femme se serait peut-être ravisée, jugeant son idée trop farfelue. Mais les mots lui avaient échappé, et à peine les avait-elle prononcés qu'elle s'en réjouit. On donnerait donc une mascarade pour célébrer l'union prochaine entre la jeune orpheline et le prince Leopold de Grande-Bretagne.

CHAPÎTRE 25

Le Chapelier remonta une longue file d'éditeurs et de traducteurs jusqu'à Tom Quad, un bâtiment de l'université d'Oxford. La colonne le mena devant l'appartement d'un professeur. Il était midi et demi. Jamais, en treize ans, il n'avait été aussi près de retrouver Alyss. De l'autre côté de la porte se trouvait Charles Dodgson, dit Lewis Carroll. Il frappa.

– Qui est là ? fit une voix.

– Je m'appelle Madigan. Je suis un membre de la Chapellerie du Pays des Merveilles, et je suis à la recherche de la princesse Alyss de Cœur.

Il y eut un long silence derrière la porte, puis :

– J-je ne sais pas qui vous a envoyé, mais ce n'est p-pas drôle. N-nous sommes dimanche, monsieur, et ce n'est pas le jour des plaisanteries.

Le Chapelier attendit quelque temps, assez pour comprendre que Dodgson ne lui ouvrirait pas.

Les lames de son bracelet gauche vrombirent. Il les appliqua contre le battant, qui vola en éclats, et pénétra dans une petite pièce chaude où brûlait un feu. Assis à son bureau, Dodgson écrivait. Il sauta sur ses pieds, effrayé par l'entrée fracassante du Chapelier. Son thé se renversa sur le tapis. Il lâcha sa plume, qui macula d'encre les pages de son journal.

— Q-qu'est-ce que..., bégaya-t-il en se réfugiant dans un coin.

Le Chapelier referma ses bracelets d'un coup sec. L'homme qui se tenait devant lui avait l'aura la plus éclatante qu'il eût jamais vue.

— Où est la princesse Alyss ?

— Q-qui ?

— La princesse Alyss du Pays des Merveilles. Je sais que vous avez été en relation avec elle. Je me suis procuré votre livre.

Le Chapelier fouilla dans la poche de son manteau, et Dodgson se mit à pleurnicher :

— J-je vous en p-prie, n-n-non !

Mais le Chapelier cherchait seulement son exemplaire d'*Alice au Pays des Merveilles*. Il renonça à le sortir de sa poche, fonça vers le bureau et feuilleta le journal :

— Savez-vous qui je suis ?

— Je... je crois s-savoir qui vous pourriez être. M-mais je ne trouve pas cela drôle du tout. Est-ce Alice qui vous a envoyé p-pour vous moquer de moi ?

— Je recherche la princesse depuis des années, et maintenant que je vous tiens...

— V-vous n'êtes p-pas sérieux ?

— Oh, si ! Très sérieux. Et je la trouverai, que vous me disiez ou non où elle se cache. Cependant, il vaudrait mieux pour vous que vous m'aidiez.

— Je l'ai à peine croisée d-depuis neuf ans, protesta Dodgson. Elle refuse de me voir !

Le Chapelier sentit de la tristesse, un reste de mélancolie dans la voix du révérend. L'homme disait la vérité.

— Où est-elle ?

– Elle v-vit à la résidence du doyen, ici, à Christ Church.

Le Chapelier allait lui demander où était cette résidence quand son regard fut attiré par le gros titre d'un quotidien posé sur la table basse :

Alice au Pays des Merveilles se marie

Alice Liddell, la muse de Lewis Carroll, va épouser le prince Leopold.

Alice *Liddell* ?

– Elle a changé de nom ? demanda-t-il, plus pour lui-même que pour Dodgson, qui d'ailleurs ne répondit pas.

Puis, d'une voix pressante, il s'enquit :

– Où est la résidence du doyen ?

– Dans le b-bâtiment voisin. Avec la p-porte bleue, mais...

– Mais quoi ?

– Elle loge en ce moment au palais de Kensington, où elle se p-prépare à...

Le Chapelier attrapa le quotidien au vol et sortit de l'appartement en trombe. En chemin pour Londres, il parcourut l'article à toute vitesse. Pourquoi la princesse avait-elle changé de nom ? Comment pouvait-elle faire semblant d'être une jeune femme ordinaire ? Se marier ? Il s'était préparé à être surpris le jour où il la retrouverait : Alyss ne serait peut-être pas tout à fait prête à assumer son destin, elle aurait sans doute besoin d'être rassurée sur ses pouvoirs. Son instinct guerrier ne serait probablement pas affirmé... Mais il ne s'était pas attendu à *cela*.

Quand il aperçut enfin le palais de Kensington, le Chapelier s'élança vers les grilles, déterminé à les franchir coûte que coûte.

– Halte ! lui ordonna un garde.

Ignorant l'avertissement, il bondit par-dessus le portail et se reçut souplement, aux pieds d'un soldat au visage poupin qui patrouillait dans le parc. Effrayé, le jeune homme trébucha sur son fusil et le coup partit. La puissance de l'impact fit tournoyer le Chapelier sur lui-même. C'était la première fois qu'une balle l'atteignait. Incrédule, il toucha la blessure ensanglantée. Le garde le fixait, paralysé, hésitant sur la conduite à tenir.

Puis des coups de sifflet retentirent, suivis par un bruit de course et des aboiements furieux. On avait lâché les chiens. Le Chapelier dut se résoudre à fuir. La balle, qui l'avait touché à l'épaule, avait sectionné les tendons et brisé l'os. Son bras droit, inerte, pendait lamentablement contre son flanc. Il appliqua sa main valide contre la blessure pour stopper l'hémorragie, escalada tant bien que mal le mur d'enceinte et fonça dans une rue obscure. Il la parcourut aux deux tiers avant de s'apercevoir que c'était une impasse.

La meute se rapprochait. Trois gardes apparurent au bout de la rue et s'avancèrent, fusil au poing, baïonnette en avant. Ils scrutèrent la pénombre où le fuyard s'était réfugié. Si le Chapelier, pris au piège, n'avait pas eu de choix, il est probable qu'il les aurait accueillis d'un jet mortel de poignards. Or les gardes atteignirent le fond de l'allée et n'y trouvèrent qu'une flaque qui n'avait rien à faire là. Les chiens la flairèrent en grognant, avant de se décider à en laper l'eau sale.

CHAPITRE 26

Au bout de treize ans de résistance, les Alyssiens avaient le moral au plus bas. Ils survivaient dans des conditions tout juste acceptables pour des asticoglues, et se demandaient si le jeu en valait la chandelle. Chaque jour apportait son lot de défections, et les entorses aux règles de sécurité étaient de plus en plus fréquentes. Si personne ne le disait, chacun était d'avis qu'une victoire significative, comme celle qu'ils avaient remportée à Blaxik, ne se reproduirait plus jamais. Le projet de renverser Redd était devenu irréaliste. Les combattants, en nombre réduit, s'attaquaient à des cibles insignifiantes dans des régions reculées : un poste de surveillance des Jabberwocky dans les Plaines Volcaniques, ou une station de pesage de cadavres, aux abords du Désert de l'Échiquier...

Redd avait promis une récompense à quiconque trahirait les résistants. Des Alyssiens en profitaient pour se rendre et divulguer l'emplacement des camps rebelles. Ces derniers étaient alors mitraillés de bombaraignées et de sphérogénérateurs, avant d'être rasés par les tanks-à-roses, des chars d'assaut équipés de rameaux de roses noires carnassières à la place des roues. Quant aux déserteurs, on n'entendait plus jamais parler d'eux. Les Alyssiens qui caressaient l'idée de les imiter prétendaient que leurs anciens camarades étaient trop pris par leur nouvelle vie de débauche pour se manifester. En vérité, ces renégats étaient jetés pieds et poings liés dans des ronciers, où des roses noires les dévoraient vivants.

Dans le plus ancien des camps alyssiens, au cœur de la Forêt Immortelle, le général Doppelgänger avait réuni ses conseillers. La base était protégée par un agencement très sophistiqué de miroirs, reflétant à la fois le ciel et la végétation. Ce dispositif de camouflage était destiné à tromper l'œil imaginatif de Redd, qui n'était pas infaillible, ainsi que d'éventuels soldats de la Coupure qui passeraient par là. Les glaces, récupérées dans des camps de travail pris d'assaut pendant les premiers mois de la résistance, n'étaient pas reliées au Continuum Cristal. Des vigiles patrouillaient dans le périmètre, et un gardien était chargé de maintenir l'illusion en modifiant l'inclinaison des miroirs au gré des changements de lumière, de la course des nuages, de la floraison ou de la décomposition des végétaux. Pour un œil non averti, à moins de tomber face à son reflet — ce qui était assez improbable —, le camp était invisible.

— Redd propose de céder aux Alyssiens une petite partie du Pays des Merveilles s'ils acceptent de cesser leur rébellion, déclara un homme grassouillet, vêtu du long manteau à la mode chez les Figures et enfoncé dans un fauteuil. Ce serait sans doute en Bêtasauvagie Extérieure ; cela reste à déterminer. Nous serions libres de nous gouverner, mais obligés de renoncer à notre nom d'Alyssiens. Nous n'aurions pas à lui prêter serment, ni à pratiquer l'Imagination Noire ; en revanche, il nous serait interdit de nous adonner à l'Imagination Blanche. La reine souhaite organiser un sommet pour préciser les détails de l'accord.

— Je serais curieux de savoir pourquoi elle t'a choisi, toi, pour nous porter ce message ! s'écria La Tour, furieux.

S'il avait été face à Redd à cet instant, il aurait su lui signifier ce qu'il pensait de son offre !

Le gentleman adipeux ajusta sa perruque poudrée. C'était Jack de Carreau. En grandissant, le garçon avait encore gagné en embonpoint. Son énorme derrière débordait comme un ballon de baudruche sous les accoudoirs, ainsi qu'entre le dossier et l'assise de son siège.

— Je ne sais pas, dit-il. Je poudrais ma perruque quand son image est apparue dans mon miroir. Elle a dû penser que je saurais entendre raison, à cause de ma position sociale.

— Ça me paraît suspect, dit le Cavalier. Es-tu certain qu'aucun espion ne t'a suivi jusqu'ici ?

— S'il vous plaît ! Je ne suis pas tombé de la dernière pluie. Le secret et la ruse, ça me connaît !

— En tout cas, c'est un piège ! grogna La Tour.

Depuis que Redd était au pouvoir, Jack de Carreau avait multiplié par deux la fortune de sa famille. Il avait su mettre à profit ses facultés d'observation, dans cette société où seuls les plus roublards, les plus opportunistes, les plus égoïstes et les plus fourbes prospéraient. Petit garçon, il avait souvent accompagné la Dame de Carreau dans la forteresse du Mont Isolé. Il y avait reçu la meilleure des formations : il avait vu sa mère flatter la reine et solliciter des faveurs en échange de cristaux précieux. Il avait assisté aux négociations de Redd avec les marchands d'armes et les producteurs de spectacles, qui réclamaient des dérogations pour chasser des Jabberwocky dans les plaines volcaniques, et les faire combattre dans l'amphithéâtre de Merveillopolis...

Jack n'était pas véritablement un Alyssien. À vrai dire, c'était plutôt un « Jackien », car il ne s'intéressait qu'à son bien-être et à son profit personnels. Avec la permission de Redd, il procurait des vivres aux Alyssiens ; en contrepartie, il la renseignait sur leurs manœuvres militaires, mais omettait volontairement de préciser d'importants détails, car, si les Alyssiens étaient décimés, adieu la fortune ! Ses méthodes retorses étaient deux fois plus lucratives que de simples échanges commerciaux. Apprenant qu'une cargaison de bombaraignées quittait une usine, il vendait l'information à des voleurs (par l'intermédiaire d'un Œil de Verre reprogrammé, afin de ne pas dévoiler son identité). Une fois l'opération exécutée, il dénonçait ses auteurs à Redd, toujours grâce à l'Œil de Verre. Le temps que la reine fasse avouer aux crapules où étaient cachées les armes, Jack les avait déjà déplacées et vendues aux Alyssiens.

— Tu penses qu'on devrait accepter ce sommet ? lui demanda le général Doppelgänger.

— Je crois qu'on n'a pas le choix.

— Cavalier, qu'en dis-tu ?

— Je suis d'avis qu'on ne peut pas faire confiance à Redd, mais je suivrai vos ordres, quels qu'ils soient.

Le général soupira et se dédoubla, telle une goutte d'eau qui se divise pour former deux gouttes identiques, plus petites. Les généraux Doppel et Gänger se mirent à faire les cent pas.

Deux autres Alyssiens, qui auraient dû être présents à cette réunion, manquaient à l'appel. C'étaient Dodge Anders et le secrétaire royal Bibwit Harte. Ce dernier n'était pas venu, car il prenait de gros risques chaque fois qu'il s'éloignait de Redd ; quant à Dodge, nul ne savait où il était passé. Il partait souvent seul, sans prévenir, et il avait un caractère si ombrageux que jamais personne n'avait osé lui demander des comptes.

— Général Doppel ?

— Oui, général Gänger ?

Les deux hommes se regardèrent un instant et hochèrent la tête. Ils étaient parvenus à une conclusion. Doppel prit la parole :

— Nous ne faisons pas confiance à Redd non plus, mais nous sommes d'accord avec Jack de Carreau. Nous nous affaiblissons de jour en jour. Bientôt, Redd n'aura même plus à faire semblant de nous proposer un accord.

— Bon, je m'en occupe, dit Jack de Carreau.

Il tenta en vain de s'extraire de son siège, et ajouta :

— J'attends avec impatience le jour où je pourrai m'asseoir en votre compagnie sur du mobilier digne de ce nom. D'ici là, si quelqu'un veut bien m'aider...

Les généraux ne mentionnèrent pas leur plan de secours, qui prévoyait d'envoyer des Alyssiens clés en Limitrophie afin de passer un accord secret avec le roi Arch. Ils demanderaient au souverain de leur procurer des armes et des soldats pour renverser Redd, et promettraient en échange d'installer un homme sur le trône du Pays des Merveilles. Ils avaient décidé de ne confier ce projet à personne, pas même à leurs conseillers, espérant qu'il ne serait pas nécessaire de le réaliser.

Chapitre 27

Dodge Anders était debout sur la falaise, au-dessus de l'Étang des Larmes. En bas, l'eau clapotait dans la brise. Une larme coula sur sa joue et tomba dans l'onde. Était-ce le vent ou le chagrin qui faisait pleurer le jeune homme ? Son père lui manquait terriblement. Il regrettait aussi le royaume de Geneviève qu'il avait connu autrefois, il y avait une éternité. Mais ces années d'innocence, où Alyss et lui avaient le palais pour terrain de jeux, il lui semblait que quelqu'un d'autre les avait vécues. Un autre Dodge.

Alors qu'il s'apprêtait à partir, il aperçut quelque chose à la surface de l'Étang. C'était un homme, qui tentait péniblement de rejoindre la berge de cristal. Les arbres, les arbustes et les fleurs se lancèrent dans une discussion animée. Au risque de se rompre le cou, Dodge dévala à toutes jambes le sentier escarpé menant au bord de l'Étang. L'homme nageait d'un seul bras, ce qui expliquait ses difficultés. Même au bout de toutes ces années, Dodge le reconnut sans peine :

– Vous êtes le Chapelier Madigan !

– Oui.

Le jeune homme l'aida à sortir de l'eau et vit qu'il était blessé. Sa chemise était déchirée, son épaule gauche en sang.

185

À travers l'étoffe, on voyait la chair déchiquetée et des fragments d'os. Il ôta son manteau et en fit un garrot pour stopper l'hémorragie.

— Je suis Dodge Anders, le fils de sir Justice, qui commandait autrefois les gardes du palais.

— Je me souviens de vous.

— On nous avait dit que vous étiez mort. Que Le Chat...

— Peu importe que je sois vivant ou mort. Mon seul souci est la princesse, et la promesse que j'ai faite à sa mère, la reine Geneviève. Alyss de Cœur est en vie. Et elle est désormais en âge de revenir pour réclamer le trône qui lui appartient.

Dodge avait depuis bien longtemps cessé d'être surpris par les revers du destin. Mais le Chapelier Madigan qui revenait au Pays des Merveilles en passant par l'Étang des Larmes ! La princesse Alyss vivante !

— C'est la meilleure nouvelle que j'aie entendue depuis des lustres, dit-il en fixant le Chapelier.

Puis il songea qu'il ferait bien d'emmener le blessé en lieu sûr, quelque part où l'on pourrait examiner tranquillement son épaule.

Dodge ne voulut pas risquer la vie de son compagnon dans le Continuum ; aussi lui proposa-t-il le plus rudimentaire des moyens de transport : la marche à pied. Soutenant le Chapelier, il lui fit traverser le Bois Murmurant et les bidonvilles de Merveillopolis.

— Vous n'allez pas reconnaître la ville, le prévint-il.

Le Chapelier identifia certains immeubles, malgré leur délabrement. Mais il était trop épuisé pour s'attrister des changements que la capitale avait subis depuis le coup d'État de Redd. Il voulait dormir. Il dut s'arrêter plusieurs fois pour se reposer. Il ne sentait plus son bras droit.

— On n'est plus très loin, lui dit Dodge quand ils pénétrèrent dans la Forêt Immortelle.

Ils se présentèrent à une patrouille d'Alyssiens, qui gardaient un arpent de forêt d'apparence anodine, du moins pour le Chapelier. Les gardes se figèrent, incrédules, en découvrant le nouveau venu. Ils fixèrent tour à tour son visage et ses bracelets, puis lui firent une révérence et s'écartèrent pour le laisser passer.

— Vous êtes une légende vivante, lui expliqua Dodge. Vous et la princesse Alyss.

Ils accédèrent au campement alyssien par un espace entre deux miroirs. Les soldats se turent à la vue du Chapelier avant d'aller répandre la nouvelle de son retour. Les deux hommes furent conduits dans une tente, où Le Cavalier, La Tour et le général Gänger regardaient le général Doppel aider Jack de Carreau à s'extirper d'un fauteuil.

Un mélange de stupeur, d'émerveillement et de confusion se peignit sur les visages des pièces d'échecs et du général Gänger.

Quant au général Doppel, il ne découvrit l'homme mythique que lorsque Jack de Carreau eut jailli de son siège, massé ses fesses contusionnées et maudit le mobilier qui l'avait retenu prisonnier : « Il faut avoir la taille d'un Gouinouk pour s'asseoir dans ce truc-là ! »

— Chapelier Madigan ! s'écrièrent alors les généraux en chœur.

— Allez chercher un médecin, ordonna Dodge.

Le Cavalier sortit à la hâte et revint quelques secondes plus tard avec la chirurgienne. Celle-ci, qui vénérait comme les autres le Chapelier, eut la délicatesse de ne pas le montrer et se mit au travail sur-le-champ. Elle effleura sa blessure avec un bâtonnet luminescent afin de la nettoyer et de stopper l'hémorragie ; elle lui enfila ensuite sur l'épaule un manchon de nœuds de NRG interconnectés et de noyaux en fusion, qui répara les os brisés, les ligaments, les tendons, les muscles et les veines déchiquetés. Enfin, elle retira le manchon et appliqua sur la plaie une bande de peau artificielle.

Le Chapelier décrivit des cercles du bras droit pour tester son articulation. Puis, comme la force lui revenait progressivement, il raconta ce qu'il avait vécu depuis qu'Alyss et lui avaient plongé dans l'Étang des Larmes.

— Alors, Alyss de Cœur est vivante ! soufflèrent les généraux Doppel et Gänger.

— C'est r-ridicule ! bafouilla Jack de Carreau, qui avait écouté le récit avec une inquiétude croissante.

Puis, s'adressant au Chapelier, il dit :

— Mr Madigan, je suis Jack de Carreau. Vous vous souvenez certainement de moi, même si je n'étais qu'un petit garçon au moment de votre départ inopiné. Ne prenez pas mal ce que je vais vous dire : je me languis autant que n'importe qui de la princesse Alyss. Mais nous sommes en pleine crise. Nous n'avons pas le temps de nous lancer à la poursuite de fantômes.

— On me prétendait mort, et pourtant je suis là, répliqua le Chapelier. Je vous certifie que la princesse Alyss est vivante et qu'elle est en âge de revenir pour revendiquer le pouvoir qui lui a été ravi.

Il se leva :

— Je retourne la chercher.

— Non ! dit Dodge. Laissez-moi y aller.

— Mon devoir est de protéger la princesse.

— Afin d'offrir au Pays des Merveilles des perspectives d'avenir plus réjouissantes, si je ne me trompe, compléta Dodge. Mais regardez-vous ! Vous n'êtes pas au mieux de votre forme.

Le Chapelier ne répondit pas ; il se contenta de faire pivoter son bras.

— Avec vos talents et votre expérience, vous serez plus utile que moi aux Alyssiens, continua le jeune homme. Vous devriez rester ici pour aider les généraux. Il faut organiser les préparatifs. Alyss aura besoin d'une armée derrière elle.

— Vous oubliez tous, geignit Jack de Carreau, que nous avons accepté de cesser nos activités de résistance.

— Si Alyss est de retour, il y a peut-être d'autres options, déclarèrent les généraux Doppel et Gänger.

Le Chapelier réfléchit : malgré les prouesses de la chirurgienne, il lui faudrait un jour ou deux pour récupérer complètement l'usage de son bras. Un peu de réflexion et quelques discussions de stratégie ne lui feraient pas de mal. Il tendit à Dodge le journal détrempé qui mentionnait les fiançailles d'Alyss.

— Pour trouver le portail de retour, lui conseilla-t-il, cherche de l'eau là où il ne devrait pas y en avoir.

Dodge hocha la tête et marqua un temps d'arrêt avant de quitter la tente :

— Beaucoup de changements se sont produits depuis votre départ. Aucun n'est plaisant. Demandez aux généraux de vous en parler : il y a des choses que vous devez savoir.

Le jeune homme pensait à la dissolution de la Chapellerie, dont l'activité avait été déclarée illégale. Cet ordre avait toujours ardemment défendu l'Imagination Blanche, et Redd n'avait pas pris le risque de le laisser subsister. Ses étudiants et diplômés — des Casquettes, des Bérets, des Feutres et des Tricornes — étaient tombés dans une embuscade organisée par les Yeux de Verre et avaient été assassinés sans autre forme de procès. Parmi eux se trouvait une femme du peuple qui s'occupait de l'administration. Elle n'était pas membre de la Chapellerie, mais le Chapelier l'avait aimée plus qu'aucune autre.

Chapitre 28

Alice Liddell, âgée de vingt ans, papillonnait gracieusement d'un groupe d'admirateurs à un autre, sa robe de soie traînant sur le parquet de la salle de bal. Ses cheveux noirs ondulaient sur ses épaules et sa peau diaphane rayonnait dans la lumière des chandeliers de cristal.

Toute la haute société britannique était présente à ses fiançailles : des ducs, des duchesses, des chevaliers, des comtes, des vicomtes et des châtelains de province... Comme Alice, tous cachaient leur visage derrière un masque. Le lendemain matin, les journaux publieraient un récit détaillé du bal masqué, pour le plus grand plaisir des blanchisseuses, des valets, des aubergistes, des cuisiniers et des bonnes. Ces représentants des classes populaires, qui luttaient jour après jour pour joindre les deux bouts, adoraient faire des commérages sur ce monde inaccessible. Un monde de luxe et de privilèges, dont Alice Liddell faisait désormais partie.

La jeune femme était perdue dans ses pensées : « Même après toutes ces années, songeait-elle, j'ai encore l'impression de n'être pas moi-même. À un bal masqué, au moins, les autres aussi jouent un rôle. »

La duchesse du Devonshire l'arrêta tandis qu'elle traversait la salle :

— Miss Liddell, votre robe est splendide ! Nous n'en attendions pas moins de vous, ma chère enfant... Et votre masque aussi est sublime. Seulement, qu'est-il censé représenter ?

Le masque d'Alice était on ne peut plus sobre. C'était un simple papier ciré, tendu sur une armature de fil de fer, troué à l'endroit des yeux, du nez et de la bouche.

— Je suis toutes les femmes, répondit Alice. Ni laide ni belle. Ni riche ni pauvre. Je pourrais être n'importe qui.

Leopold s'approcha pour l'inviter à danser. Il portait un masque aussi sobre que le sien, mais qui intriguait moins les convives : c'était une réplique de son propre visage, peinte à l'huile par un artiste local.

— Ma chérie, murmura-t-il en lui offrant sa main.

L'orchestre entama une valse, et le couple se mit à danser. Les invités s'adossèrent aux murs pour les contempler. Posté à l'extérieur, près de la fenêtre, un étranger les observait, lui aussi. Le prince Léopold était un piètre danseur, et Alice lui en était presque reconnaissante. D'une certaine manière, ce petit défaut la déculpabilisait de ne pas l'aimer davantage.

Lorsque la valse se termina, le prince remarqua que la reine fronçait les sourcils.

— Je vais saluer Mère, dit-il en baisant la main de sa fiancée.

Il retira son masque et le posa sur une table. Aussitôt, l'étranger entra dans la salle et le récupéra discrètement.

Alice buvait une gorgée de vin quand elle sentit qu'on lui touchait l'épaule. Elle se retourna et vit son futur époux, qui avait remis son masque, lui tendre la main pour l'inviter de nouveau à danser.

— Déjà ? s'étonna-t-elle. Mais... et la reine ?

Sans un mot, l'homme masqué l'entraîna sur la piste, cependant que l'orchestre enchaînait une autre valse. Il lui passa un bras autour de la taille, posa la main au creux de ses reins et la fit virevolter avec grâce. Ils étaient parfaitement accordés, comme s'ils avaient dansé ensemble toute leur vie. Les invités aussi s'en aperçurent : ils formèrent un cercle autour du couple et applaudirent.

Alice ne fut pas longue à comprendre que son cavalier n'était pas son fiancé. Mais alors, qui était-ce ?

— Vous n'êtes pas Leopold, dit-elle en riant.

Elle nomma le meilleur ami du prince :

— Halleck, est-ce vous ?

L'étranger ne répondit pas.

— Qui se cache derrière ce masque ?

Comme l'inconnu persistait à se taire, Alice tendit le bras et lui ôta son masque. Elle découvrit un très beau jeune homme aux yeux en amande, au nez cassé et à la tignasse ébouriffée.

— Je vous connais ? lui demanda-t-elle.

— Vous m'avez connu, autrefois, murmura-t-il.

Il lui présenta sa joue droite, dont la peau pâle était zébrée de quatre cicatrices parallèles.

La jeune femme sursauta et s'arrêta de danser :

— Mais...

Un brouhaha s'éleva derrière elle. Mrs Liddell et Leopold apparurent à son côté. Alice se tourna. L'étranger avait disparu.

— Qui était cet homme ? lança Leopold.

— Quel grossier personnage ! Je suis sûre que ce n'était personne, gémit Mrs Liddell, inquiète de voir le prince aussi fâché. Dis-lui, Alice. Dis-lui que cet homme n'était personne.

— Je... je ne sais pas, bredouilla la jeune femme. J'ignore qui c'était. Je vous prie de m'excuser. J'ai besoin de prendre l'air.

Elle sortit à la hâte sur le balcon. Était-il possible que ce fut lui ? L'homme aux cicatrices... « Non, bien sûr, se raisonna-t-elle, puisqu'il n'existe pas ! »

Chapitre 29

Le Chat donna un coup de patte dans une corde accrochée au plafond du Hall des Inventions. Autour de lui, les prototypes des créations diaboliques de Redd étaient disposés dans des alcôves illuminées : un Chercheur au corps d'oiseau-luce et à la tête d'asticoglue ; un arbrisseau flétri, première victime du Naturcide ; un Deux de la Coupure, moitié chair et moitié acier, plus vulnérable et moins mobile que les soldats-cartes qui avaient été finalement produits ; le modèle initial du tank-à-roses ; un Œil de Verre équipé d'un bandeau de cristal horizontal à la place des yeux. Il y avait même une ancienne version du Chat, avec des griffes plus petites et — d'après l'intéressé — beaucoup moins beau que l'assassin accompli qu'il était devenu.

Le Chat pouvait jouer des heures avec la corde sans se lasser. Il la saisissait d'une griffe, la relâchait, l'accrochait de nouveau... Il ronronnait de plaisir quand la voix de Redd résonna dans la salle : « Chat ! Monte immédiatement au Dôme Observatoire ! »

En général, une telle injonction précédait un déferlement d'insultes et de reproches. Mais, cette fois, Redd avait une intonation différente, presque satisfaite. Peut-être avait-elle prévu de lui faire une surprise agréable, un cadeau ? Il était temps ! Le Chat trouvait qu'il méritait une récompense pour avoir si bien mis au pas la population du Pays des Merveilles.

Le Dôme Observatoire occupait le dernier niveau de la forteresse du Mont Isolé. La salle circulaire, au sol de pierre polie, était munie de panneaux télescopiques qui offraient un angle de vision de 360 degrés. Le Chat y entra en bondissant avec un « miaou ! » joyeux. Son humeur s'assombrit en un clin d'œil : le Morse-majordome, et surtout Jack de Carreau étaient déjà dans la pièce. Il n'arrivait pas à comprendre comment sa maîtresse pouvait continuer à le supporter, celui-là.

— Je faisais une petite promenade dans l'allée de la mémoire, dit Redd. Chat, j'aimerais que tu me racontes de nouveau l'épisode où tu as réduit Alyss de Cœur en charpie, avant de la jeter dans l'Étang des Larmes...

Le Chat devina qu'il y avait un problème. Le sourire de Jack de Carreau était plus satisfait que jamais, et le Morse ne l'avait pas regardé une seule fois depuis son arrivée, trop occupé à salir des baguettes de cristal posées sur une table. Sa tâche consistait à pulvériser de la poussière sur les surfaces et les objets trop propres. Mais, là, il saupoudrait la même baguette depuis l'entrée du félin, si bien qu'un petit tas de poussière s'élevait sur la table.

— J'ai suivi la princesse et Madigan dans le Continuum Cristal, commença Le Chat. Je les ai traqués jusqu'à une falaise, et...

Un volume de *In Regina Speramus* vola et l'assomma presque.

— Aïe ! Donc... Je les ai poursuivis dans les bois jusqu'à une falaise, au-dessus de l'Étang des...

La poche de poussière du Morse fondit sur lui. Il s'écarta à la dernière seconde, et elle explosa contre le panneau de verre, dans son dos.

— Au-dessus de l'Étang des Larmes. Et le Chapelier...

Une chaise fonça sur lui. Il l'esquiva.

— ... Il a essayé de sauter de la falaise dans... l'eau...

Des gros morceaux de roche volcanique jaillirent de toute part et convergèrent sur lui. Il évita les deux premiers, mais le troisième le frappa de plein fouet.

— Ouille ! J'ai mis le Chapelier... aïe ! K.-O., puis — aïe ! — je les ai réduits, lui et Alyss, en bouillie et — ouille ! — j'ai balancé ce qu'il en restait dans l'Étang des Larmes.

Il se laissa tomber à terre, épuisé. Redd vint se camper au-dessus de lui :

— Tu mens, Chat ! Et tu m'as laissé croire à ton mensonge pendant treize ans ! On vient de m'informer que le Chapelier Madigan se trouvait au Pays des Merveilles, et qu'Alyss de Cœur était vivante.

Derrière elle, Le Chat aperçut Jack de Carreau, qui sirotait avec délices une coupe de liqueur, le petit doigt levé avec affectation.

— Je n'ai rien contre tes mensonges, bien sûr, continua Redd, du moment que tu ne me mens pas à moi. Il semblerait qu'il soit possible, pour quelqu'un d'assez malin, de revenir au Pays des Merveilles à travers l'Étang des Larmes.

Elle changea sa main gauche en patte griffue et lui transperça l'estomac. Le Chat gargouilla et se convulsa. Du sang coula de sa gueule, et il mourut.

Le Morse fit comme s'il n'avait rien vu et continua fébrilement de répandre de la poussière sur la table. Jack de Carreau gloussa ; mais il s'interrompit soudain quand son verre de liqueur quitta ses mains pour aller se renverser sur la tête du félin.

Celui-ci crachota, toussa et cligna des paupières.

— Arrête ton cinéma ! gronda Redd. Il te reste six vies. Mens-moi encore, et je te les prendrai toutes. Maintenant, lève-toi et essuie ton menton !

Le Chat se leva. Il lécha sa patte et s'en frotta le menton et les moustaches pour en ôter le sang.

— Je t'explique le programme, dit Redd. À la tête d'un escadron de soldats-cartes que j'aurai désignés, tu vas traverser l'Étang des Larmes, trouver ma nièce et lui déchiqueter, lui trancher ou lui arracher la tête, comme tu voudras. Peu m'importe la méthode, seul le résultat m'intéresse. Tu m'apporteras cette tête. Si tu reviens sans, j'en déduirai qu'Alyss est vivante et que tu as échoué. C'en sera fini de toi. Si tu ne rentres pas au Pays des Merveilles parce que tu crains ma colère, sois assuré que je t'enverrai chercher et que tu mourras six autres fois.

Le Chat s'inclina :

— Je vous remercie pour votre clémence, Votre Impériale Malveillance. Je ne vous décevrai pas, cette fois.

— Je n'en doute pas.

Jack de Carreau, plus suffisant que jamais, indiqua au Chat où trouver Alyss.

L'assassin conduisit les soldats-cartes à la falaise surplombant l'Étang des Larmes. Sans autre fanfare que le sifflement du vent dans les arbres muets et le battement de leur cœur artificiel, ils sautèrent. Ils furent violemment aspirés vers le fond, remontèrent à toute vitesse et jaillirent d'une flaque à l'intérieur du palais de Westminster. Ils brisèrent plusieurs fenêtres de l'édifice pour sortir sur le trottoir dans une pluie de verre brisé.

Chapitre 30

Vêtue de sa robe de mariée, Alice se tenait devant un miroir, dans la sacristie de l'abbaye de Westminster. Dans moins d'une demi-heure, elle serait l'épouse d'un prince, un homme qu'elle appréciait sans l'aimer vraiment, et accéderait au plus haut rang de la société. Pourtant, son avenir lui paraissait bien incertain. Elle doutait de sa réalité, comme, autrefois, elle avait douté de son passé.

Les premiers accords de l'orgue firent vibrer l'air, mais c'est à peine si elle le remarqua. Elle tendit la main vers le miroir. Ses doigts touchèrent la surface froide et elle fixa longuement son reflet, presque déçue. À quoi s'était-elle attendue ? À le traverser ? C'était ridicule !

Mrs Liddell frappa à la porte et entra d'un air affairé, soulevant ses jupes pour éviter qu'elles traînent par terre. Alice lui fut reconnaissante de la délivrer de sa solitude.

— C'est l'heure, ma chérie. Mon Dieu ! J'ai du mal à le croire !

— Moi aussi, dit Alice en s'efforçant de paraître émue.

Elle embrassa sa mère sur la joue et la suivit jusqu'à l'atrium, où patientaient les demoiselles et les garçons d'honneur. Le doyen, qui devait mener sa fille à l'autel, s'y trouvait également.

— Dire que la prochaine fois que nous nous parlerons, vous serez l'épouse d'un prince ! soupira Mrs Liddell.

— Et vous, la belle-mère d'un prince !

— J'en ai des frissons ! Si vous saviez quel plaisir vous me faites, Alice !

Mrs Liddell la serra une dernière fois dans ses bras avant d'aller s'asseoir à sa place.

La marche nuptiale retentit. Deux par deux, les demoiselles et garçons d'honneur avancèrent vers l'autel. L'abbaye était bondée. La reine Victoria et ses proches occupaient les premiers rangs, du côté droit. Un cordon de soldats les séparait du reste du public. Dans le fond, des journalistes prenaient des notes. Ils étaient tous assis, tordus sur leurs sièges, attendant avec impatience qu'Alice fasse son entrée. Celle-ci profita des derniers instants précédant la cérémonie pour regarder les invités à la dérobée. Elle cherchait quelqu'un dans la foule. Un visage. Elle se demandait s'il apparaîtrait aujourd'hui, aussi mystérieusement qu'à sa fête de fiançailles. N'était-ce pas lui, là, debout dans l'ombre, sous le balcon gauche ? Elle ne distinguait pas nettement son visage, mais...

Le doyen Liddell lui présenta son bras, et soudain elle se sentit idiote. Pourquoi était-elle ainsi obsédée par un étranger au visage balafré ? Bien des hommes devaient avoir des cicatrices semblables. Cela ne voulait rien dire ! L'inconnu du bal masqué n'était probablement qu'un rival de Leopold qui avait voulu lui montrer qu'il dansait mieux que lui. Elle passa son bras sous celui de son père.

— Alice, ma chérie, dit le doyen, si n'importe qui d'autre épousait un membre de cette famille, je m'inquiéterais de savoir s'il est à la hauteur. Avec vous, je n'ai pas ce souci. Je suis sûr que vous allez faire la fierté du prince Leopold et vous montrer digne de son amour. Et je suis certain aussi qu'il apprendra à votre contact à faire le bien autour de lui, beaucoup plus efficacement qu'auprès de moi, simple doyen d'université. Il a de la chance.

– Merci.

Sur ces mots, le père et la fille descendirent lentement vers l'autel. Le visage d'Alice était serein et ne trahissait rien des angoisses qui la tourmentaient depuis le bal masqué. Elle semblait tout entière absorbée par la cérémonie. Le prince Leopold, vêtu d'un uniforme militaire, l'épée de ses ancêtres à la hanche, l'attendait en compagnie de l'archevêque. Le doyen déposa un léger baiser sur la joue d'Alice, puis alla s'asseoir à côté de son épouse.

Leopold sourit à sa fiancée. C'était un sourire timide, si plein de respect, d'admiration et de ravissement qu'il la bouleversa. Il l'idéalisait, bien sûr. Alice songea que le plus difficile, dans les années à venir, ne serait pas de l'aimer. Ce serait de ne pas le décevoir.

Elle se tourna vers l'archevêque. Derrière elle, les bancs grincèrent, les gorges s'éclaircirent. L'homme d'Église commença à parler, mais elle entendit à peine ce qu'il disait.

– Si quelqu'un ici s'oppose à cette union, qu'il parle maintenant ou se taise à jamais, psalmodiait-il.

Alice mourait d'envie de regarder vers le balcon de gauche, là où elle avait cru voir l'homme aux cicatrices. Un homme qu'elle s'était efforcée de gommer de sa mémoire. Un homme dont elle n'osait prononcer le nom, de peur de faire surgir une silhouette qui l'empêcherait de connaître le bonheur dans ce monde.

Elle s'entendit répéter les paroles de l'archevêque sans en comprendre la signification. « Le serment, songea-t-elle. J'ai fait le serment ! Au tour de Leopold... »

Elle écouta distraitement les deux hommes, ne percevant que l'alternance de leurs timbres de voix.

Puis il se passa une chose étrange, comme si un orage sur le point d'éclater avait aspiré soudainement tout l'oxygène de l'immense nef, pour le réinsuffler encore plus violemment. Alice jurerait plus tard qu'elle avait eu un pressentiment avant même que les vitraux des deux côtés de l'abbaye ne soient fracassés par des créatures irréelles. Celles-ci atterrirent au milieu des éclats de bois et des fragments de verre coloré. Les invités hurlèrent et se précipitèrent vers la sortie en se piétinant. D'autres tombèrent à genoux pour prier le Seigneur de les épargner.

Des soldats entourèrent la reine Victoria et la firent sortir par une porte réservée à l'archevêque. Ce dernier s'empressa de la rejoindre en murmurant des prières d'une voix essoufflée. Leopold posa un bras protecteur sur les épaules de sa fiancée ; elle se libéra sans réfléchir et se mit à fixer le chat monstrueux qui se battait pour arriver jusqu'à elle. Le colosse écrasait les soldats et les policiers sur son passage, leur transperçait la chair de ses griffes. Elle le reconnut, comme on se souvient parfois d'un rêve plusieurs heures après s'être réveillé. Et, chose troublante, elle en fut soulagée, car si cette *chose* était réelle...

Immobile et vulnérable, elle resta debout au milieu de la débâcle. Ces soldats-cartes étaient différents de ceux de son souvenir. « Mais comment puis-je me rappeler ce qui n'existe pas... » pensa-t-elle.

Leopold et Halleck combattaient quatre créatures hybrides aux membres d'acier, mi-hommes, mi-cartes à jouer, dont les armures arboraient des trèfles, des piques et des carreaux. Le prince et son ami avaient beau manier convenablement l'épée, ils étaient débordés.

« Non ! Pas Leopold ! Épargnez-le, je vous en prie... »

Le Chat prit son élan et bondit. Alice se contenta de tendre le bras, afin de s'assurer une bonne fois pour toutes que ce monstre était réel. Mais soudain...

« Je le savais ! »

L'homme aux cicatrices – car c'était bien lui – se rua vers elle et l'enleva au moment précis où Le Chat atterrissait et fracassait l'autel d'un simple revers de ses bras puissants. Le jeune homme, qu'elle se refusait encore à nommer, lui prit la main et l'entraîna. Ils sortirent de l'abbaye en sautant à travers une fenêtre brisée. Le Chat et ses sbires s'élancèrent à leurs trousses. Dehors, la rue était encombrée d'une foule paniquée, qui criait et hurlait. Un soldat-carte tomba sur la traîne d'Alice, la stoppant net. L'homme aux cicatrices trancha la robe d'un coup d'épée, puis fit volte-face et sectionna le harnais de cuir qui attachait un cheval à son carrosse.

– Hé ! protesta le cocher.

Mais l'homme était déjà à califourchon sur le cheval. Il hissa Alice en croupe derrière lui et lança l'animal au galop. Le Chat les poursuivit à pied ; il était aussi rapide que n'importe quel quadrupède terrestre.

Le jeune homme fit zigzaguer son cheval, n'hésitant pas à le faire monter sur les trottoirs pour échapper aux tirs des soldats-cartes, armés de sphérogénérateurs. Dans leur sillage, des explosions éventraient les immeubles. Alice, bien que prise de vertige, comprit que son compagnon avait une destination en tête, car il forçait de temps à autre le cheval à tourner dans une rue en particulier, plutôt que de le laisser galoper droit devant lui.

Le jeune homme savait effectivement où il allait. Il avait mémorisé la route qui l'avait mené de son portail de sortie jusqu'à l'abbaye de Westminster, et l'empruntait en sens inverse.

Ils touchaient au but. Il ne leur restait plus qu'une centaine de mètres à franchir quand un projectile percuta une fourgonnette de police vide, qui se changea en boule de feu. Le cheval se cabra et les désarçonna. Ils atterrirent au milieu des choux, dans la carriole d'un marchand de quatre saisons. Aussitôt, ils sautèrent à terre et se mirent à courir en se tenant par la main.

– Où va-t-on ? souffla-t-elle.

– Vous verrez !

Il lui montra une flaque. La première remarque qui vint à l'esprit de la jeune femme au moment où ils prenaient leur élan pour sauter dans l'eau était d'une futilité embarrassante :

– Mais..., je vais abîmer ma robe !

Alors qu'ils s'enfonçaient à toute vitesse dans les profondeurs, Alice lâcha sans le vouloir la main du jeune homme. Ce n'était pas possible ! Cela n'était pas vrai...

Juste avant de crever la surface, après avoir désespérément tenté de se convaincre que l'endroit où il l'entraînait n'existait pas, Alice se résigna enfin à prononcer le nom de son sauveur : Dodge Anders. Puis ses poumons s'emplirent d'eau.

TROISIÈME PARTIE

CHAPÎTRE 31

Bibwit Harte attendait sur la berge de l'Étang des Larmes, deux esprits-chiens à ses côtés. L'anxiété faisait palpiter ses veines bleues sous sa peau translucide. Il avait eu toutes les peines du monde à venir. Depuis qu'elle avait appris le retour du Chapelier Madigan, Redd était plus tyrannique que jamais. Elle l'obligeait à passer des heures et des heures, chaque jour, à réécrire *In Regina Speramus* sous sa dictée, en regardant sévèrement par-dessus son épaule pour s'assurer qu'il notait bien ses mots venimeux. Il avait dû raturer des pages entières de l'ancien texte et les remplacer par des reddismes. Redd espérait-elle anéantir Alyss à distance, en gommant les phrases dans lesquelles sa mère, la reine Geneviève, puisait force et réconfort ?

« Vous n'êtes pas en forme ? avait-elle hurlé en entendant le prétexte que Bibwit venait de lui servir pour être dispensé de son travail de secrétaire. Qu'est-ce que ça peut me faire que vous ne soyez pas en forme ? Je vais vous montrer, moi, ce que c'est que de ne pas être en forme !

— J'ai de terribles crampes à la main, et un petit répit me serait bénéfique, avait expliqué Bibwit. Avec tout le respect que je vous dois, permettez-moi de vous suggérer... Ne pourriez-vous pas imaginer les nouvelles pages, plutôt que de me les dicter ? »

Redd avait éclaté de rire, découvrant ses dents noires et pointues :

« Bibwit Harte, vous n'êtes pas aussi poltron que je le pensais. Je suis ravie que votre tête chauve et blafarde soit truffée d'un savoir dont j'espère bénéficier. Si ce n'était pas le cas, je serais presque désolée de devoir vous supprimer. Je vous donne congé jusqu'au lever de la lune Redd. »

Bibwit avait donc couru à l'Étang des Larmes, conscient des risques qu'il prenait. Si Redd le surveillait avec son œil imaginatif, c'en était fait de lui ! Mais l'événement était trop important ; pour rien au monde il n'aurait voulu le manquer.

Des rides concentriques apparurent à la surface de l'étang, signe qu'il se passait quelque chose au fond.

— Au nom de l'Imagination Blanche, espérons que Dodge a réussi, murmura le précepteur.

Un esprit-chien grogna en guise de commentaire.

Les rides s'accentuèrent ; l'eau se mit à bouillonner. Soudain, Dodge creva la surface et aspira un grand bol d'air. Il était seul. Il regarda autour de lui, effaré.

— Est-elle là ?

— Non. Je croyais que...

Au même instant, le corps inanimé d'Alyss apparut dans l'eau. Le précepteur se précipita pour aider Dodge à la traîner sur la terre ferme. Ils l'allongèrent sur la berge.

— Qu'est-ce qu'elle a ? demanda Dodge.

Bibwit plaqua son oreille ultra sensible contre la bouche entrouverte d'Alyss.

— Elle a un peu d'eau dans les poumons. Je l'entends qui clapote.

En bon précepteur royal, Bibwit cachait toutes sortes d'instruments dans les plis de sa toge. Il en sortit un tube flexible, l'enfonça lentement dans la gorge d'Alyss et à quatre reprises, il aspira de l'eau dans la paille et cracha par terre. Alyss s'agita, suffoqua, vomit et toussa avant de reprendre tout à fait conscience. En la voyant ouvrir les yeux, un tapis de lis entonna à mi-voix un air de bienvenue. La jeune femme s'assit, hébétée, et se massa les côtes. Ses muscles la faisaient souffrir, tant elle avait toussé.

— Bibwit Harte, chuchota-t-elle.

Le précepteur remua les oreilles de plaisir :

— À votre service, Princesse.

Elle se tourna ensuite vers son ami d'enfance. Un sourire hésitant se dessina sur ses lèvres et lui plissa les yeux :

— Dodge Anders.

Dodge se raidit. Entendre Alyss prononcer son nom... c'était comme rouvrir une vieille blessure.

— D'où vient cette musique ? demanda la jeune femme.

Les lis chantèrent plus fort et se balancèrent joyeusement sur leurs tiges, ouvrant et fermant leurs pétales en rythme.

— Les plantes n'ont pas de larynx, protesta la princesse.

— Qu'est-ce qu'un larynx ? demandèrent les fleurs en riant.

Alyss eut l'impression d'être entrée dans un rêve apaisant, et s'y prélassa un instant. Mais bientôt, ses traits se durcirent. Elle secoua la tête, comme pour nier les couleurs chaudes, presque palpables, qu'elle voyait autour d'elle.

— Tout cela n'est pas réel, dit-elle. Comment puis-je me souvenir si nettement de quelque chose qui n'existe pas ? Et vous ! Et tout ça ! Ça ne peut pas exister !

L'inquiétude rida le front de Bibwit.

— Pourquoi pas ? demanda-t-il.

— Parce que...

Elle savait que ce n'était pas une réponse acceptable.

— Personne ne peut compren...

— Dépêchons-nous ! intervint Dodge.

De nouvelles rides étaient apparues à la surface de l'étang. Ils ne seraient plus longtemps seuls !

Dodge et Bibwit aidèrent Alyss à se lever et l'installèrent sur un esprit-chien. Un peu trop précipitamment, peut-être, car elle culbuta par-dessus la croupe de l'animal. Elle retrouva son équilibre *in extremis* et s'installa à califourchon... dans le sens inverse de la marche !

Dodge et Bibwit échangèrent des regards perplexes. Était-ce là leur reine guerrière ?

— Vous êtes à l'envers, lui signala Dodge.

La surface de l'étang bouillonnait. Dodge et Bibwit remirent Alyss à l'endroit, puis Dodge s'installa devant elle et prit les rênes de son esprit-chien, tandis que le précepteur enfourchait l'autre créature. Ils gravissaient la pente escarpée quand ils entendirent un bruit d'éclaboussures monter de l'étang. Alyss jeta un coup d'œil en arrière et vit Le Chat, et ce qui restait de son commando d'assassins, les prendre en chasse. Alors qu'ils s'enfonçaient au galop dans les bois, elle regretta de ne pouvoir rentrer à Londres et épouser Leopold. Redevenir la fille chérie du doyen et de Mrs Liddell ; s'oublier dans la vie paisible et rangée qu'elle avait eu tant de mal à se fabriquer. Qui sait ce qui l'attendait ici ? Ce retour au Pays des Merveilles auquel elle avait tant aspiré au cours de son enfance la plongeait dans un profond désarroi. Mais c'était un espoir insensé, bien sûr ! Jamais plus elle ne pourrait couler des jours paisibles en Angleterre. Redd et Le Chat la traqueraient désormais où qu'elle aille.

Les arbres et arbustes alentour se turent, et leurs murmures furent remplacés par des craquements de branches, le froissement des feuillages piétinés. Le vacarme devint tel qu'il couvrit même les pas lourds des esprits-chiens. Ils n'étaient pas assez rapides pour semer Le Chat !

Alyss serra plus fort la taille de Dodge :

— Ils vont plus vite que nous...

— Parfait ! Alors nous allons devoir nous battre !

Dodge fit pivoter sa monture. Il eut tout juste le temps de dégainer son épée avant de se retrouver aux prises avec deux soldats-cartes.

Alyss perdit l'équilibre et tomba de l'esprit-chien.

— Princesse ! cria Bibwit.

Mais déjà Le Chat était sur elle, souriant de toutes ses dents.

— Comme tu as grandi ! siffla-t-il. La dernière fois que je t'ai vue, tu étais haute comme ça.

Il indiqua la hauteur de sa taille et éclata de rire.

Alyss se sauva en courant. Il la rattrapa d'un coup de patte, gonfla sa queue et feula. De nouveau, elle tenta de s'enfuir, et de nouveau, il la récupéra. Il jouait avec elle comme un chaton s'amuse avec un insecte avant de le tuer. Elle devait à tout prix imaginer quelque chose, faire apparaître un moyen de défense. Mais son muscle imaginatif n'avait pas fonctionné depuis longtemps...

« Il faut que j'essaie quand même... » Elle fronça les sourcils, se mit à trembler sous l'effort ; en vain. Rien n'apparut.

Le Chat leva la patte pour la frapper. Alyss suivit son geste des yeux, convaincue que ce serait la dernière chose qu'elle verrait.

Dodge transperça de son épée un soldat-carte, qui se plia en deux et mourut. Les autres l'attaquèrent avec une violence décuplée. Bibwit courut vers la princesse en protestant :

— Je suis un homme de science, moi, pas un guerrier ! Dans une bataille d'esprits, je pourrais peut-être...

Puis il s'interposa entre elle et son agresseur.

— Redd n'aimerait pas voir son secrétaire se comporter ainsi ! gronda Le Chat, toutes griffes dehors.

Bibwit ferma les paupières et, comme si son esprit supérieur pouvait rivaliser avec la force physique du félin, commença à réciter :

— Une nanosphère au repos tend à rester au repos et une nanosphère en mouvement tend à rester en mouvement, aussi longtemps qu'aucune force externe ne s'y oppose.

Il continua de débiter une foule de détails savants, s'étonnant d'avoir le temps de prononcer tous ces mots, vu l'empressement que mettait en général Le Chat à saigner ses proies.

Alyss était aussi surprise que Bibwit, mais pour d'autres raisons. Les yeux grands ouverts, elle vit cinq pions blancs tomber des arbres au moment précis où le félin abattait sa patte sur le précepteur. Deux d'entre eux reçurent le coup destiné à Bibwit. Puis une batterie de pièces d'échecs jaillit des fourrés, tandis qu'un jeu de la Coupure se distribuait dans un bruit métallique, évoquant le cliquetis d'une paire de ciseaux. L'embuscade du Bois Murmurant s'annonçait sanglante.

Alyss tira Bibwit par la manche.

— Oh ! s'écria le précepteur en découvrant la scène.

— Sauvez-vous ! leur cria La Tour. On vous couvre, partez vite !

Bien qu'il fût engagé dans un combat à mort avec un Trois, il parvint à faire une révérence à la princesse.

Dodge arriva à vive allure sur un esprit-chien et la hissa en selle derrière lui. Bibwit y grimpa aussi, tant bien que mal, et ils filèrent à bride abattue. Derrière eux, le fracas des lames, les grognements et les cris rauques s'évanouirent dans le lointain. Alyss se retourna pour regarder une dernière fois Le Chat déchaîné, et les valeureuses pièces d'échecs qui risquaient leur vie pour la sauver.

— La plupart ne s'en sortiront pas, dit Dodge en talonnant l'esprit-chien.

Ils se dirigeaient vers Merveillopolis, qu'ils devraient traverser en évitant les voies principales pour gagner la Forêt Immortelle.

— Mais vous êtes saine et sauve, ajouta le jeune homme. Du moins, pour l'instant...

CHAPITRE 32

— Ils devraient déjà être de retour...

— Je vous avais prévenus, dit Jack de Carreau, qui se goinfrait nonchalamment de pattes de loir séchées. Espérons le meilleur, mais attendons-nous au pire.

— Ils devraient déjà être de retour, répéta le général Doppelgänger en faisant les cent pas dans la tente.

Comme cette activité ne suffisait pas à apaiser son anxiété, il se dédoubla, et les généraux Doppel et Gänger arpentèrent la tente à leur tour. Pas plus tranquillisés pour autant, ils fusionnèrent de nouveau.

— Je ne serais pas surpris que Dodge ait échoué, reprit Jack de Carreau. Nous devrions réfléchir à un avenir que nous pouvons encore modeler à notre guise.

Il jeta un coup d'œil gêné sur le Chapelier Madigan. Ce dernier était assis dans un coin de la tente, silencieux et immobile, un cristal holographique à la main. Il n'avait pas bougé d'un millimètre, ni prononcé un seul mot depuis que le général lui avait appris la fin tragique de la Chapellerie. De temps à autre, il appuyait son pouce au dos du cristal et l'image s'animait. On entendait une femme rire et parler sur le ton de la plaisanterie.

215

Le Chapelier mettait Jack mal à l'aise. Que se passait-il sous son chapeau ? Ses treize années d'exil l'avaient-elles rendu fou ? Qui sait ce qu'il avait dû affronter pour relever son défi insensé ? Ce n'était pas rassurant de penser qu'un homme aux pouvoirs aussi terrifiants n'avait plus toute sa tête.

Pour atténuer ses craintes, Jack tenta d'engager la conversation avec lui :

— Dites-moi, Madigan, au cours de vos voyages, avez-vous eu l'occasion de goûter les tartes aux fruits ?

Le Chapelier se tourna lentement vers Jack et cligna plusieurs fois des paupières, comme si ses yeux s'accommodaient mal à la vue du gentleman emperruqué.

Jack eut un petit rire embarrassé :

— J'essaie simplement de passer le temps, de tromper l'attente...

Il lui présenta une poignée de pattes de loir :

— Servez-vous, je vous en prie...

Le Chapelier détourna le regard sans répondre.

Lorsqu'une clameur s'éleva à l'extérieur, il se leva, empocha son cristal holographique et sortit de la tente. Le général Doppelgänger et Jack de Carreau le suivirent en trottinant. Si un spectacle avait eu le pouvoir de consoler le Chapelier endeuillé, c'eût été celui-là : la princesse Alyss, saine et sauve, entourée d'Alyssiens heureux, de Gouinouks et d'oiseaux-luces. Même les arbres de la forêt joignaient leurs voix au chœur pour célébrer son retour. Un spectacle réjouissant, assurément... Et pourtant le Chapelier ne montra guère d'émotion. Seul un léger tremblement agita les commissures de ses lèvres. Il croisa le regard de Dodge, et tous deux hochèrent la tête en signe de respect mutuel.

— Est-ce vous... Chapelier Madigan ? demanda Alyss, qui venait d'apercevoir son couvre-chef au milieu de l'attroupement.

Les Alyssiens s'écartèrent pour la laisser passer.

— Je suis heureux de vous voir en pleine forme, princesse, dit le Chapelier.

Alyss plissa les yeux :

— En *pleine forme*, dites-vous ? Ce n'est pas mon avis !

L'homme baissa les yeux :

— C'est vrai, je n'ai aucune excuse pour vous avoir perdue, et j'en accepte toute la responsabilité. Si vous décidez de me rétrograder pour sanctionner mon échec, je tâcherai de l'accepter de bonne grâce. Cependant, princesse, vous allez devoir travailler dur si vous voulez avoir une chance de l'emporter contre Redd.

Alyss soupira, et quand elle prit la parole, ce fut comme une reine, chose qu'elle n'aurait pas crue possible.

— Il n'est pas étonnant, Chapelier, que vous vous reprochiez cet « échec », comme vous l'appelez. Pour ma part, je ne vous reproche rien. C'est peut-être moi qui vous ai perdu, autrefois... Enfin, je voulais seulement dire que tout ceci...

Elle embrassa d'un geste le quartier général des Alyssiens :

— ... Tout ceci est un peu troublant pour moi, qui ai passé tant de temps loin d'ici.

Le Chapelier s'effaça devant le général Doppelgänger, qui s'avançait à grand renfort de courbettes et finit par se dédoubler.

— Princesse Alyss ! crièrent les deux généraux d'une seule voix. Si vous saviez comme nous sommes heureux que vous soyez saine et sauve. Bienvenue parmi nous !

La petite assemblée était trop occupée à faire la fête pour remarquer l'expression ombrageuse de Jack de Carreau. Mais Jack n'aurait pas été Jack s'il n'avait cherché à tirer parti d'une situation imprévue. Il s'appliqua donc à sourire et, profitant d'une accalmie dans les témoignages d'affection, se fraya un chemin jusqu'à la princesse en tortillant dangereusement du derrière.

— Laissez passer la Figure ! disait-il. Poussez-vous ! Laissez passer !

À chacun de ses pas, son gigantesque postérieur bousculait les gens, à gauche puis à droite. Il se campa devant Alyss :

— Princesse ! Vous vous rappelez certainement votre camarade préféré, Jack de Carreau...

Alyss lorgna vers Dodge, qui tripotait son épée comme s'il mourait d'envie de la dégainer.

Jack lui prit la main et la baisa :

— Je me languis de vous depuis une éternité, ma chère ! Vous n'avez pas oublié que nous étions promis l'un à l'autre, n'est-ce pas ? J'ai renoncé à prendre femme en souvenir de vous, et, si vous êtes enchantée comme je le suis moi-même par ma silhouette virile, je serai ravi d'honorer cet engagement.

Il prit, pour illustrer ses propos, une succession de poses de mannequin plus ou moins avantageuses.

Était-ce de devoir contempler la silhouette peu appétissante de Jack de Carreau ? D'être ainsi entourée de visages joyeux, impatients ? Ou la combinaison des deux ? Alyss n'aurait su le dire, mais elle se sentit soudain épuisée.

— Je... est-ce que je pourrais m'allonger, juste un instant ? demanda-t-elle.

— La princesse veut un lit ! cria un Gouinouk.

— La princesse veut un lit ! répéta un Deux.

Et, tandis que le Cavalier blanc et son pion se précipitaient pour lui préparer une couche, les Alyssiens répétèrent cette phrase l'un après l'autre, comme s'il s'agissait d'un nouveau prétexte pour se réjouir, d'un autre événement remarquable.

CHAPITRE 33

Pendant qu'Alyss se reposait dans sa tente, le général Doppelgänger proposa de discuter de stratégie. Bibwit Harte, le Cavalier blanc, Jack de Carreau, Dodge et le Chapelier Madigan se réunirent dans la salle de guerre des Alyssiens, qui était en réalité une clairière située à l'endroit le plus touffu du quartier général. Elle était meublée d'une Table Planante™ en cristal et de chaises assorties, ainsi que de quatre tableaux auto-effaçants® en pierre de gemme, faisant office de murs, et sur lesquels toutes les campagnes militaires alyssiennes des dernières années avaient été imaginées, analysées et organisées.

— La croyez-vous capable de nous commander ? demanda le général Doppelgänger.

— C'est impératif ! dit le Chapelier.

— C'est de la folie pure ! explosa Jack de Carreau.

Puis, troublé par le regard inexpressif du Chapelier, il se reprit :

— Euh... avec tout l'irrespect que je vous dois, c'est de la folie, monsieur !

— Une chose est sûre, intervint Bibwit Harte, elle aura besoin de suivre un entraînement intensif, et d'assimiler de grandes quantités de savoir en un temps record.

— Moi, ce que je vois, poursuivit Jack de Carreau, c'est une jeune femme si peu entraînée qu'elle serait incapable de faire apparaître une joligelée. Alors, pour ce qui est de battre Redd...

Le général hocha la tête, perplexe :

— Cavalier, qu'en pensez-vous ?

— C'est notre princesse. La dernière représentante légitime de la lignée des Cœurs. Si elle souhaite nous commander...

— Si elle en est capable, voulez-vous dire, grommela Jack.

— ... Alors, nous devrons lui obéir. Autrement, nous usurperions le nom d'Alyssiens, déclara Dodge.

Quand il lui arrivait d'assister à ces réunions, le jeune homme restait en général silencieux et écoutait les échanges concernant les stratégies, les querelles autour du protocole ou l'interprétation des rapports d'espionnage avec un mélange d'exaspération et de colère contenue. Ils se disaient résistants ; qu'attendaient-ils alors pour engager le combat contre Redd, plutôt que d'en parler indéfiniment ?

Le simple fait qu'il eut pris la parole provoqua un silence soudain.

— Je me demande, dit Dodge, le regard dans le vide, comment Redd a appris où était Alyss.

Sur ces mots, il fixa Jack de Carreau.

— Oserais-tu m'accuser de traîtrise ? lâcha celui-ci.

— Supposons que ce soit le cas.

— Messieurs ! commença le général.

— Eh bien moi, je n'ai pas besoin de *supposer* que tu es un imbécile, dit Jack de Carreau. J'en ai la certitude !

Dodge se leva, la main sur le pommeau de son épée. Bibwit Harte s'interposa :

— Allons, allons ! Redd nous donne déjà assez de fil à retordre. N'aggravons pas les choses en nous battant entre nous.

Jack de Carreau gloussa, suffisant et dédaigneux :

— Messieurs, je n'ai aucune envie de me battre. J'ai le plus grand respect pour les exploits de Mr Anders sur le champ de bataille, mais il n'y connaît rien en politique. Vous serez certainement d'accord avec moi pour dire qu'il a trop tendance à utiliser son épée, alors qu'il ferait mieux d'employer sa langue.

— Et toi, tu as trop tendance à poudrer ta perruque, au lieu de te battre à nos côtés !

Jack écarta ces propos d'un geste méprisant :

— Laissons Mr Anders croire ce qu'il lui plaît. Je ne me préoccupe que d'Alyss. Je ne doute pas une seconde qu'elle est notre princesse perdue, mais je ne la crois pas capable, ni physiquement, ni psychologiquement, d'affronter Redd.

— Il lui faudra du temps, admit Bibwit.

— Il lui faudra traverser le Dédale Miroir, compléta le Chapelier.

— En effet, convint Bibwit.

Jack de Carreau se frappa le front, consterné :

— Vous n'allez pas encore nous ressortir ce vieux machin ! Il y a longtemps que le Dédale Miroir a montré ses limites. Redd elle-même ne l'a jamais traversé.

— C'est pourquoi elle pourra être vaincue, dit Bibwit.

— Général, je vous en conjure, acceptons le sommet, et arrêtons ces idioties avant qu'elles n'aillent trop loin ! Une occasion comme celle que Redd nous propose ne se représentera pas.

— « Aucune reine ne peut atteindre l'apogée de sa force et de son pouvoir sans traverser le Dédale », récita Bibwit.

Jack de Carreau perdit patience :

— Mais oui, voyons, courons au Dédale ! Dépêchons-nous de rejoindre le tout-puissant Dédale Miroir, alors que notre survie est en jeu !

— Il ne suffit pas de « courir », comme vous le dites, expliqua Bibwit Harte. Seules les Chenilles connaissent l'emplacement du Dédale. Alyss doit rencontrer les Chenilles.

— Elles n'ont pas quitté la Vallée des Champignons depuis que Redd a pris le pouvoir, objecta le Cavalier blanc.

— Alors, la princesse devra aller les trouver là-bas.

— Elle aura besoin d'une escorte militaire, signala Dodge.

Jack de Carreau tira sa perruque devant son visage et parla au travers des boucles poudrées. Bien qu'assourdie, sa voix restait audible :

— Si vous voulez la forcer à combattre alors qu'elle n'en est pas capable, je n'ai qu'une chose à vous dire : puisse l'esprit d'Issa venir en aide à quiconque aura le malheur de se retrouver sous votre protection. Vous le mènerez droit à la mort.

— Je me demande pourquoi tu tiens tant à nous voir nous compromettre avec Redd, lança Dodge.

Jack ne daigna pas répondre. Il se contenta de grogner, toujours caché derrière sa perruque.

— Bibwit, intervint le général, ne devriez-vous pas rentrer au Mont Isolé ? Redd risque de soupçonner quelque chose.

— Je n'ai pas prévu d'y retourner. Le Chat m'a vu avec Alyss. Désormais, ma place est ici, auprès d'elle.

Bien qu'il eût préféré conserver un espion à la cour de Redd, le général acquiesça :

— Très bien. Nous sommes heureux de vous avoir à notre entière disposition.

En réponse, les oreilles de Bibwit remuèrent.

Un instant plus tard, tous entendirent des pas approcher. Le Chapelier se leva, la main sur son chapeau. Dodge sauta sur ses pieds, prêt à combattre. Mais ce n'était que La Tour, écorché et couvert de bleus, qui avait survécu à la bagarre avec Le Chat dans le Bois Murmurant.

— Bravo ! Tu as réussi ! dit-il à Dodge en souriant.

— C'est toi qu'il faut féliciter ! répondit le jeune homme. Je vais chercher la chirurgienne.

La Tour l'en dissuada d'un haussement d'épaules :

— Inutile. Ce ne sont que des égratignures. Par contre, on a perdu les quatre cinquièmes de nos hommes. Et on n'a même pas pris une vie au Chat. La princesse va bien ?

Dodge hocha la tête.

— C'est tout ce qui compte.

La Tour se laissa tomber sur une chaise :

— Alors, qu'est-ce que j'ai manqué ?

— Ma foi, dit le général Doppelgänger, certains d'entre nous — la plupart — pensent qu'Alyss doit traverser le Dédale Miroir si elle veut l'emporter contre Redd. Quant à moi, je ne me suis pas encore prononcé...

Jack de Carreau sortit de dessous sa perruque, plein d'espoir.

— Je suis d'avis que nous devons escorter Alyss jusqu'à la Vallée des Champignons, afin qu'elle rencontre les Chenilles, conclut le général. La laisser tenter le Dédale si elle en est capable.

— Nooon ! gémit Jack.

Il replongea sous sa perruque, mais le général la lui arracha :

— En attendant, dis à Redd que nous serons heureux d'assister à son sommet... Si elle le juge toujours d'actualité, à présent qu'Alyss est de retour.

Puis, se tournant vers les autres :

— Nous devons impérativement avoir un plan B, pour le cas où la princesse échouerait.

— Elle n'échouera pas, déclara Dodge. J'y veillerai personnellement.

CHAPITRE 34

La lune Redd s'était levée, et sa lumière rouge sang embrasait le Désert de l'Échiquier. Une usine, consacrée à la fabrication de machines de guerre, crachait sans discontinuer des vapeurs toxiques qui s'accumulaient en altitude, formant des nuages menaçants.

Le Chat rôdait, mal à l'aise, dans la forteresse du Mont Isolé. Alors qu'il s'engageait dans le couloir en spirale menant au Dôme Observatoire, il entrevit le ciel, si tourmenté qu'il lui fit presque oublier son propre trouble.

Redd attendait une preuve de la mort d'Alyss, et il n'était pas pressé de lui faire son rapport. Il pénétra dans le Dôme et la trouva debout devant un panneau télescopique, plongée dans la contemplation de Merveillopolis. Le Morse-majordome était là aussi ; il frottait un autre panneau avec un chiffon.

— Je te vois, mais je ne vois pas la tête de ma nièce, lança Redd au nouveau venu sans le regarder.

Avant que Le Chat ait pu prononcer un mot, le sceptre de sa maîtresse le transperça.

Le Morse sursauta et trottina vers la sortie :

— Je dois aller vérifier...

— Reste là ! beugla Redd.

— À vos ordres, Votre Impériale Malveillance ! Il est vrai que j'ai encore plein d'ouvrage ici...

Et il retourna astiquer les panneaux télescopiques.

Le Chat titubait, le sceptre de Redd fiché dans la poitrine. Il avait neuf vies, mais ses morts étaient si douloureuses qu'il songeait parfois qu'une seule lui aurait largement suffi...

Il s'écroula, terrassé.

La reine s'approcha avec raideur du cadavre et récupéra son sceptre. Les yeux du Chat s'ouvrirent en papillotant ; la blessure qu'il avait au poitrail se referma peu à peu. Il se releva lentement et se lécha pour la nettoyer.

— Raconte-moi comment tu t'es débrouillé pour manquer ton coup, cette fois ! lui ordonna Redd.

— Les Alyssiens l'ont trouvée avant nous. On les a pris en chasse jusqu'à l'Étang des Larmes, puis...

— Alyss est au Pays des Merveilles ? hurla-t-elle. C'est inadmissible !

De nouveau, Le Chat sentit la piqûre mortelle de son sceptre. Le Morse fondit en larmes. Il lâcha son chiffon, se pencha pour le ramasser et se cogna la tête contre un panneau télescopique.

Redd tenta de localiser Alyss avec son œil imaginatif, mais elle ne vit qu'un enchevêtrement de feuilles et de branchages. Sa nièce était quelque part dans une forêt. Manque de chance, les forêts étaient nombreuses dans le royaume.

— Où est Bibwit Harte ? Je veux que mon secrétaire vienne me trouver sur-le-champ !

— Je suis navré, Votre Impériale Malveillance, dit le Morse en se frottant la tête. Bibwit Harte n'est pas là. Personne ne l'a vu depuis...

Le Chat, qui, allongé par terre, regardait sa blessure cicatriser, grogna :

— Il est passé dans le camp des Alyssiens.

— Assez de nouvelles désagréables, mon ami félin ! tonna Redd. Je n'en tolérerai pas une de plus venant de toi !

Elle agita son sceptre, et Le Chat se retrouva debout sur ses pattes arrière.

— Suis-moi ! lui ordonna-t-elle en quittant la pièce à la hâte.

Le Chat lorgna une dernière fois vers le Morse et emboîta le pas à sa maîtresse, dont les talons claquaient sur le sol poli du couloir en spirale. Ils traversèrent des pièces obscures, conçues à des fins douteuses, jusqu'au puits aspirant, qui les précipita dans les entrailles de la forteresse. Ils débouchèrent dans une salle gigantesque, où une armée d'Yeux de Verre, disposée en colonnes, attendait les ordres. Avant de prendre la parole, Redd afficha son visage congestionné par la colère sur les panneaux holographiques de Merveillopolis. Les Maravilliens interrompirent aussitôt leurs activités pour l'écouter cracher des ordres à son armée d'assassins, au cœur du Mont Isolé : « Mes loyaux sujets, une prétendante au trône s'est infiltrée parmi nous. Elle se fait appeler Alyss de Cœur. Je vous ordonne de la capturer et de me l'amener, morte ou vive ! Elle se cache dans l'une de nos forêts. Trouvez-la avant le coucher de ma lune, ou je ferai brûler toutes les forêts du Pays des Merveilles, jusqu'à la dernière. Celui ou celle qui me la livrera gagnera mes faveurs pour l'éternité. »

Le visage de Redd disparut des panneaux holographiques et fut remplacé par les habituelles publicités pour l'hôtel-casino Redd, les Redd Tower Appartments, les combats de Jabberwocky et les promesses de récompenses à qui dénoncerait des adeptes de l'Imagination Blanche. Les Maravilliens retournèrent à leurs affaires. Nul doute que certains, désireux de s'attirer les faveurs éternelles de Redd, feraient leur possible pour trouver Alyss de Cœur.

Tandis que la forteresse du Mont Isolé vomissait dans le désert des escadrons d'Yeux de Verre, Redd se tourna vers Le Chat :

— Et toi, va dire à Jack de Carreau qu'il est temps qu'il me prouve sa loyauté, une bonne fois pour toutes.

CHAPITRE 35

Alyss n'avait pas l'intention de dormir. Elle voulait juste être seule pour réfléchir. Elle se demandait combien de temps s'était écoulé depuis qu'elle avait quitté Leopold dans l'abbaye de Westminster. Une éternité, lui semblait-il. « Qu'est-il devenu ? Et les Liddell ? Que doivent-ils penser ? Que font-ils, en cet instant précis ? »

En grandissant, Alyss avait appris à aimer ses parents adoptifs. Elle s'était peut-être attachée à eux comme une prisonnière s'éprend de ses geôliers, mais c'était bien de l'amour qu'elle éprouvait à leur égard. Elle en était certaine désormais.

Lasse de ruminer ces pensées inutiles, la jeune femme fut soulagée de voir Bibwit entrer dans la tente avec un petit paquet de vêtements soigneusement pliés.

– Enfilez ceci, lui dit-il. Je vous attends dehors.

C'était un uniforme alyssien. L'habit ne payait pas de mine, comme la plupart des accessoires dont disposaient les résistants sous la dictature de Redd. Les couleurs de la chemise et du pantalon n'étaient pas assorties, leur tissage de nanofibres était grossier au regard des critères maravilliens. Pourtant, lorsqu'elle toucha l'étoffe, Alyss la trouva plus douce et plus souple que la plus fine des soies d'Angleterre. C'étaient des vêtements rudimentaires, tels qu'en portaient les pauvres du temps de Geneviève... À cette différence près qu'à l'extrémité de la manche droite, la chemise arborait un cœur blanc presque effacé.

Alyss retira sa robe de mariée et, bien qu'elle fût déchirée, l'étendit soigneusement sur le lit de camp du général. Elle passa ensuite le costume alyssien ; elle aurait aimé voir à quoi elle ressemblait dans ce nouvel accoutrement, mais il n'y avait pas de miroir dans la tente.

« Bon, je n'ai plus le choix, songea-t-elle. Je dois affronter l'avenir, quoi qu'il me réserve. »

Elle rejeta les épaules en arrière, prit une grande inspiration et sortit de la tente. Bibwit accourut à sa rencontre avec une mine épanouie. Il prit ses mains dans les siennes et regarda la jeune femme de haut en bas, admiratif :

— Même vêtue d'une couverture de selle d'esprit-chien, Alyss, vous seriez majestueuse !

— Merci, Bibwit, mais...

— Allons, allons ! la coupa le précepteur. Il n'y a pas de « mais » qui tienne ! Vous venez juste de nous revenir, et il est trop tôt pour exprimer vos doutes. Vous en avez, c'est certain ! Cet affreux « mais » est le plus lâche des mots !

Alyss, qui n'avait pourtant pas le cœur à se réjouir, ne put s'empêcher de sourire.

— Je suis heureuse de voir que vous êtes toujours notre bon vieux Bibwit Harte, dit-elle. Depuis notre rencontre avec Le Chat, je pensais que vous étiez devenu un combattant héroïque, et que vous aviez cessé de vous intéresser aux subtilités du langage.

— Moi, un combattant héroïque ? Tss-tss ! Je laisse cela aux autres. Bien sûr que je suis toujours le bon vieux Bibwit Harte, Alyss ! Je n'ai pas changé *précisément* parce que je suis vieux. J'ai enseigné à la grand-mère de votre arrière-grand-mère, et...

– Oui, je m'en souviens.

– J'ai vécu d'innombrables bouleversements politiques, et aucun ne m'a encore transformé. J'admets volontiers qu'être gouverné par Redd est ce que j'ai expérimenté de pire, mais je suis beaucoup trop vieux pour changer. Allons, assez parlé de moi – bien que je sois un sujet fascinant ! Venez !

Bibwit escorta la princesse jusqu'à un salon constitué d'un agencement de caisses de munitions délabrées. Il s'assit sur un coffre qui avait contenu des sphérogénérateurs tout frais sortis des usines de Redd, et étala autour de lui son ample toge marron. De loin, on aurait dit un petit volcan brun surmonté d'une tête blanche. Une jeune fille coiffée d'un chapeau de feutre et vêtue d'un pardessus de cuir craquelé leur apporta des cafés. Elle était si impressionnée par la présence d'Alyss qu'elle n'osa lever les yeux sur elle.

– Elle est bien timide, fit remarquer la princesse, après que la fille se fut retirée à la hâte.

– D'habitude, non. C'est vous qui lui faites cet effet. Elle est née ici, dans le camp. Savez-vous comment tous ces gens se font appeler ?

Alyss secoua la tête : comment l'aurait-elle su ?

– Des Alyssiens, lui apprit Bibwit.

Le cœur de la jeune femme fit un bond. « Des Alyssiens ? Non ! C'est trop ! Ils m'en demandent trop. »

– Je crains de ne pas être prête pour tout ça…, murmura-t-elle.

Bibwit la dévisagea un moment, les oreilles frémissantes. Puis, toujours à l'affût des moindres bruits, il entreprit de lui décrire les changements qui avaient affecté le Pays des Merveilles durant les treize années de son absence. Tout sage qu'il était, il dut admettre qu'il ne comprenait pas certaines choses, dont la plupart avaient trait à Alyss. Elle prit donc la parole à son tour, pour tenter de lui expliquer l'inexplicable.

— J'ai été forcée de refouler tous mes souvenirs du Pays des Merveilles, dit-elle. C'était ma seule chance de survivre dans un monde étranger, entourée de gens qui ne me croyaient pas. J'ai longtemps résisté, mais au bout d'un moment c'est devenu...

— C'est donc pour cela que vous alliez vous marier ?

Alyss hocha la tête et conclut :

— Une partie de moi appartiendra toujours à cet autre monde, désormais.

— C'est dit avec sagesse. On ne peut passer tant de temps quelque part sans en garder un petit morceau à l'intérieur de soi. Mais votre place est ici, Alyss. Votre maison est ici.

Elle regarda autour d'elle.

— Vraiment ? fit-elle, dubitative.

« Comment peuvent-ils s'appeler Alyssiens, pensa-t-elle, alors que je me sens à peine alyssienne moi-même ? C'est trop. Ils m'en demandent trop ».

— J'ai l'impression de ne plus avoir ma place nulle part, reprit la jeune femme. Et la famille que j'ai laissée derrière moi ? Et Leopold, l'homme que j'allais épouser ?

— Nous ferons le nécessaire pour ces gens qui vous ont élevée comme une des leurs, enfin, si l'occasion venait à se présenter dans le futur. Quant à ce Leopold... nous avons des choses plus importantes à prendre en compte que l'amour d'un homme, qu'il soit de ce monde ou d'un autre.

Alyss sentit qu'on les observait. Elle leva la tête et aperçut Dodge, à demi dissimulé derrière une tente. Elle lui fit un signe de la main, mais il recula brusquement.

— Vous avez une imagination puissante, Alyss, poursuivit Bibwit. Elle sera d'un grand secours aux Alyssiens ; l'avenir du royaume en dépend. Je dois profiter du peu de temps dont nous disposons pour vous apprendre comment l'utiliser et définir ses limites, en accord avec les préceptes de l'Imagination Blanche.

— Je n'ai plus d'imagination ! protesta-t-elle. Elle est partie.

Les grandes oreilles de Bibwit se plissèrent, indiquant qu'il était perplexe.

— Votre imagination n'est pas partie, Alyss, parce qu'il n'existe aucun endroit où elle ait pu aller. Elle est à l'intérieur de vous, que vous le vouliez ou non. Vous verrez. Vous êtes née pour être une reine guerrière, comme votre mère.

Le précepteur se tut soudain. Il venait de se rappeler Alyss, assise à l'envers sur l'esprit-chien, juste après sa sortie de l'Étang des Larmes. Elle était déboussolée, bien sûr. Oui, mieux valait voir les choses de façon positive.

— Vous vous battrez à la tête de votre armée, continua-t-il. Et vous affronterez Redd parce que vous seule avez la force et le pouvoir de la vaincre.

— Une reine guerrière ! s'esclaffa Alyss. Je ne connais rien à la guerre ni aux armes ! Je n'ai tenu une épée qu'une seule fois, et c'était pour jouer avec Dodge, quand on était petits.

— En traversant le Dédale Miroir, vous deviendrez une reine guerrière. Le Dédale vous révélera ce talent qui est en vous.

Alyss secoua la tête, dubitative.

— J'ignore comment le Dédale Miroir accomplira cet exploit, enchaîna Bibwit. Autrefois, il était écrit dans *In Regina Speramus* que « seule celle à qui est destiné le Dédale Miroir peut y pénétrer ». J'attends avec impatience le jour où vous me direz ce qu'il contient.

— Je ne sais pas quoi en penser, Bibwit, honnêtement.

« N'est-il pas possible que je ne sois plus l'héritière légitime de la couronne ? se demanda-t-elle. J'étais une princesse autrefois, mais le fil de la succession a été rompu... »

Les années qu'elle avait passées dans l'autre monde et les expériences qu'elle y avait vécues avaient creusé un fossé entre la jeune femme qu'elle était et celle qu'elle était censée être.

Elle songea : « Redd s'est débarrassée de deux générations de reines de Cœur au cours de cet après-midi épouvantable. »

— Parlez-moi de Dodge, lança-t-elle.

Bibwit resta longtemps silencieux avant de murmurer :

— Beaucoup de gens ont changé depuis le retour de Redd... certains plus que d'autres. Je préfère vous laisser découvrir par vous-même quel homme est devenu Dodge Anders...

Le précepteur se leva d'un bond :

— Bien ! Nous vous conduirons bientôt à la Vallée des Champignons, où les Chenilles vous donneront leurs instructions. Quand vous aurez bu votre thé et rassemblé vos esprits, nous commencerons la leçon que nous aurions dû entamer voici treize ans.

Alyss regarda Bibwit s'éloigner d'un pas pressé. Sans toucher à son thé, ne sachant pas ce qu'elle allait faire, sans destination précise en tête, elle se leva et traversa le campement. Les Alyssiens qui s'affairaient devant leurs tentes ou cuisinaient sur des braseros en pierres de gemme s'inclinèrent sur son passage. « Vive la princesse Alyss ! » crièrent certains. « Que la lumière de l'Imagination Blanche inonde de nouveau le Pays des Merveilles ! » murmurèrent d'autres. Alyss s'efforçait de paraître aussi sereine que possible, dans ces circonstances.

« Alyssiens. Ils se disent alyssiens... Bon, voyons où je suis arrivée... »

Ses pas l'avaient conduite instinctivement devant une tente. Pas n'importe laquelle : sa tente à lui !

« Est-ce que je l'appelle, ou... ? »

Elle n'eut pas l'occasion de réfléchir plus longtemps : Dodge sortait justement.

— Bonjour, fit-elle.

Le jeune homme se raidit légèrement.

— Princesse...

Il était étonné, pris au dépourvu, et cela se voyait.

— Tu voulais quelque chose ? lui demanda-t-elle. Tout à l'heure, quand tu...

— Bibwit vous a-t-il informée que nous allions nous risquer à faire le voyage jusqu'à la Vallée des Champignons ?

— Oui.

Alyss avait espéré qu'il aurait autre chose à lui dire. Mais quoi, exactement ?

— Dodge, tu me crois vraiment capable de mener une bataille contre l'armée de Redd ?

— Oui.

— Moi, j'en doute. Je crains qu'il ne soit trop tard. Je ne suis plus à la hauteur de ce que le Pays des Merveilles attend de moi. Je te demanderais bien de me reconduire à la maison, seulement je ne sais même plus où c'est...

Elle se sentit soudain affreusement triste. Elle aurait apprécié que quelqu'un — n'importe qui — lui passe un bras réconfortant autour des épaules. Cependant, sa moue boudeuse eut pour seul effet de durcir encore les traits de Dodge, de le rendre plus défiant à son égard.

— Venez, j'ai quelque chose à vous montrer, lui dit-il en l'entraînant.

Si l'avenir du royaume n'avait été aussi incertain, si Dodge n'avait été aussi froid, aussi distant, la princesse aurait presque pu se convaincre, lorsqu'ils quittèrent ensemble le campement alyssien, qu'ils partaient pour une de ces escapades innocentes dont ils avaient le secret, autrefois, quand tout était si simple.

CHAPITRE 36

Jack de Carreau cheminait dans la Forêt Immortelle, chargé d'une petite caisse dont la forme et les dimensions évoquaient une boîte à pain.

— Prouver ma loyauté ? ronchonnait-il. Comme si je ne l'avais pas déjà prouvée des dizaines de fois... N'ai-je pas dénoncé les traîtres qui lui volaient ses armes ? Ne l'ai-je pas informée des activités des Alyssiens ? Mais, comme d'habitude, elle se laisse gouverner par son sale caractère... Un sommet — voilà comment j'aurais réglé la question, moi ! J'aurais fait semblant de proposer un État aux résistants, histoire de les tromper pour qu'ils baissent la garde. Puis j'aurais épousé la princesse, tout en restant loyal à Redd, qui aurait contrôlé les Alyssiens par mon intermédiaire. C'est comme ça qu'il fallait s'y prendre. Eh bien, non ! On dirait que la seule chose qui les intéresse, tous, c'est de se battre !

Un chaton à la fourrure dorée sortit la tête de la caisse.

— Non, tu ne sors pas ! lui ordonna Jack. Il ne faut pas qu'on te voie.

Il posa sa paume grassouillette sur la tête du chat pour le faire rentrer ; l'animal souffla et le griffa.

— Aïe !

Jack balança la caisse par terre et suça sa main blessée. Les arbres voisins frémirent. À présent, c'était la queue du chaton qui dépassait de la boîte, et fouettait l'air. Jack se demanda si le moment n'était pas propice pour éliminer son rival. Ce ne devait pas être très compliqué de se débarrasser d'un petit chat prisonnier d'une boîte. Hé, hé ! Et ensuite, Redd n'aurait plus qu'un seul conseiller : lui-même. Il pourrait la convaincre d'adopter la stratégie la plus avantageuse pour lui. Oui, mais la mission dont ils étaient chargés ? L'embuscade... Qui sait si Redd n'était pas en train de les regarder avec son œil imaginatif... Non, il était plus sage d'attendre. C'était trop risqué d'occire Le Chat pour l'instant. Toutefois, à la première occasion...

Jack de Carreau ramassa la boîte et poursuivit son chemin. La queue de l'animal, qui oscillait toujours à l'extérieur, lui chatouilla la main. Il s'arrêta et regarda autour de lui. Où diable était ce quartier général alyssien ? C'était toujours un casse-tête pour le trouver. Plus à gauche, peut-être ? Oui, à gauche !

Après avoir fait plusieurs centaines de pas vers la gauche, Jack se ravisa et décida que ce devait être plutôt à droite. Pourtant, quatre cents pas dans l'autre direction ne le menèrent pas non plus au camp. Il était perdu ! Le chaton se mit à grogner. Soudain, Jack cligna des yeux, ébloui par un éclair de lumière. C'était un rayon de soleil, reflété par la crosse d'un fusil à cristal. Deux gardes alyssiens patrouillaient aux abords du campement. Ah, tout de même ! Il savait bien qu'il était près du but. Toutefois, l'imminence de l'affrontement lui fit presque regretter d'avoir retrouvé son chemin.

Il s'approcha des gardes d'un pas prudent. Son sang s'était retiré de son visage, de sorte qu'il était presque aussi blanc que sa perruque adorée.

— Nous devons renforcer les mesures de sécurité, maintenant qu'Alyss est parmi nous, leur lança-t-il en guise d'entrée en matière. J'ai réquisitionné plus de gardes.

— Si vous le jugez nécessaire, Seigneur de Carreau...

— Tout à fait.

— À vos ordres !

— Le... le gardien du miroir est-il dans le coin ?

— Pas pour le moment, monsieur.

— Ah... bon.

Jack se dandina d'une jambe sur l'autre. Il transpirait abondamment, et son cuir chevelu le démangeait.

— Savez-vous quand il reviendra ?

— Non, monsieur.

Jack sentit Le Chat trépigner d'impatience dans sa boîte.

— Je... j'ai quelque chose pour lui.

Les gardes ne répondirent pas.

— L'un de vous pourrait-il y jeter un coup d'œil ?

Si le garde qui se porta volontaire en avait eu le temps, il aurait peut-être remarqué que Jack de Carreau tremblait. Hélas, à peine l'infortuné eut-il approché le visage de l'ouverture de la caisse que les deux bras puissants du Chat en jaillirent. Jack tomba à la renverse et lâcha la boîte. Avant même qu'elle ne touche le sol, l'assassin avait retrouvé sa forme et sa corpulence habituelles et exécuté les deux vigiles. Une onde de panique se propagea d'arbre en arbre, d'arbuste en arbuste, jusqu'aux confins de la forêt.

Le Chat se tourna vers Jack, les griffes ensanglantées :

— Appelle la Coupure !

Jack fouilla dans sa poche d'une main tremblante et en sortit une bulle de cristal marbrée. Il la porta à sa bouche et souffla dedans sans produire aucun son. Seuls les membres de la Coupure étaient capables d'entendre cet appel. Trois jeux de cartes — cent cinquante-six soldats en tout — se déployèrent aussitôt dans le sous-bois, avec un bruit de frottement métallique.

— J-je c-crois que je vais attendre ici, bafouilla Jack de Carreau. Je ne veux pas me compromettre, ce qui ne manquerait pas d'arriver si le général Doppelgänger, ou n'importe qui d'autre me voyait.

Le Chat n'était pas dupe, mais cela lui était égal. Ce poltron de Jack de Carreau n'aurait fait que le gêner, de toute manière.

— Comme tu voudras ! cracha-t-il.

À la tête des cartes les plus fortes de la Coupure, il fit irruption dans le QG des Alyssiens cependant que les cartes subalternes brisaient les miroirs qui lui tenaient lieu d'enclos.

Chapitre 37

Dodge n'avait pas dit à Alyss qu'ils quitteraient la forêt. Ils auraient dû prévenir quelqu'un : Bibwit, le général ou le Chapelier, leur indiquer où ils allaient. Cela ne ressemblait pas à Dodge, d'agir ainsi. Au petit Dodge Anders qu'elle avait connu, et qui se flattait de respecter à la lettre les procédures militaires et la hiérarchie. Seulement, l'homme qui marchait à son côté n'avait plus grand-chose en commun avec le garçon d'autrefois.

Il se déplaçait à grandes enjambées, quelques pas devant elle, et elle était obligée de trotter pour ne pas se laisser distancer davantage. Il se retournait seulement de temps à autre pour s'assurer qu'elle le suivait toujours. Alyss regrettait qu'il ne se montre pas plus attentionné. « Est-ce que ça lui coûterait tant que ça d'être aimable et de ralentir un peu ? » songea-t-elle.

Ils arrivèrent à la lisière de la cité délabrée, qu'elle avait déjà traversée, plus tôt, ce jour-là. « Est-ce vraiment ma ville brillante d'autrefois ? Je n'arrive pas à le croire ! »

Les bureaux de prêteurs sur gages et les postes de contrôle, omniprésents ; le vacarme des voix enregistrées, qui répétaient en boucle : « Aimer Redd ou mourir », ou « La voie Redd est la voie qu'il nous faut » ; les publicités tape-à-l'œil qui vantaient les mérites de produits ou d'endroits dont elle n'avait jamais entendu parler : tout cela était nouveau pour Alyss. Le seul bâtiment qu'elle eût reconnu était le théâtre Aplu, où elle avait vu se produire « Les Joyeux Prétendants », une compagnie que ses parents adoraient. Il était muré et tombait en décrépitude. Les quelques Maravilliens qu'elle aperçut traversaient les rues à la hâte, telles des ombres craintives et honteuses.

Elle vit que Dodge s'était arrêté pour l'attendre. « Ah, pensa-t-elle, il était temps qu'il fasse un peu attention à moi ! » Cependant, en arrivant à sa hauteur, elle comprit que ce n'étaient pas les bonnes manières qui avaient commandé son geste.

— La voilà, votre maison ! dit-il. Redd l'a laissée debout, comme preuve du déclin des Cœurs. Pour montrer à quel point votre famille et l'Imagination Blanche sont tombées bas.

Devant les ruines du palais de son enfance, la jeune femme fut prise de vertige. Et soudain, les souvenirs l'assaillirent. Elle se rappela ses parties de cache-cache avec son père. Elle revit les recoins où elle se dissimulait pour les espionner, lui et Geneviève. Elle se souvint du jour où elle l'avait vu masser la nuque de son épouse, assise sur le trône ; Geneviève avait tourné son visage vers lui et ils avaient échangé un baiser.

— Peut-on entrer ?

— Si on est prudents...

Les lieux semblaient déserts. Il n'y avait plus de pillards, car il n'y avait plus rien à voler. Dodge dégaina tout de même son épée et guida Alyss vers l'entrée du palais en lui parlant à voix basse :

— Des pauvres et des sans-abri se cachent parfois ici quelque temps, jusqu'à ce qu'ils succombent à une overdose d'imagino-stimulants, ou que Redd les expédie aux Mines de Cristal.

En passant le portail cassé, Dodge sentit son pouls accélérer, comme s'il venait de s'engager dans une bataille. Il n'avait pas remis les pieds au palais depuis le jour où La Tour et lui avaient enterré son père. Il n'avait pas voulu y revenir, de peur d'être submergé par ses sentiments. Aussi évita-t-il de regarder Alyss, bouleversé par des émotions qu'il n'avait plus l'habitude d'éprouver.

Les couloirs du palais, autrefois majestueux, étaient souillés d'inscriptions obscènes, et le peu de mobilier qui n'avait pas été volé avait manifestement servi de bois de chauffage aux squatters : des tas de charbon jonchaient le sol un peu partout.

— C'est vide parce que les gens ont tout pillé, dit Dodge. Aussitôt après, vous savez... ce jour-là.

Alyss tendit la main pour toucher les murs de pierre. Ils étaient glacés.

— Ce n'est pas vide, rectifia-t-elle, au contraire !

Le lieu était tout imprégné du passé. À un détour du couloir, Alyss se rappela le jour où elle avait imaginé, à cet endroit même, un tapis de baies gribouilles. Le Morse avait dérapé sur ce sol glissant et renversé le plateau de thé. Lorsqu'il s'était relevé, penaud, sa fourrure avait la couleur du fruit écrasé. À l'entrée de la salle du trône, elle se revit, exigeant des serviteurs qu'ils lui paient un tribut de joligelées ou de tartatartes en guise de péage.

Des squelettes de soldats-cartes et de pièces d'échecs jonchaient le sol poussiéreux. Ils étaient de plus en plus nombreux à mesure qu'on approchait de la salle à manger sud, qui en était pleine. En revanche, Alyss n'y vit pas de traces de feu, pas de tas de mobilier brisé, comme si les squatters n'avaient pas osé s'aventurer sur la scène du drame. On aurait dit qu'aucun être vivant n'avait respiré cet air depuis plus de dix ans. Les murs portaient les stigmates de l'attaque de Redd, pourtant il n'y avait d'armes nulle part. « Elles ont sans doute été emportées par les pillards », conclut Alyss. Elle sentit des larmes lui couler sur les joues. Elle se tourna vers Dodge pour voir s'il pleurait aussi ; c'était difficile à déterminer dans l'obscurité.

— Ton père ? murmura-t-elle.

— Il est... enterré dans le jardin.

Sa voix était étranglée, mais il respirait profondément, de façon régulière, s'efforçant de garder son calme. Puis son chagrin se mua en colère. Il avait envie de frapper. Il voulait que quelqu'un d'autre ressente la douleur qu'il éprouvait en cet instant. « Quelqu'un ? » Dodge savait exactement qui il voulait faire souffrir : Le Chat.

Alyss se pencha pour ramasser un morceau d'os ébréché, de forme triangulaire. Il était accroché à une chaîne.

— Ça te rappelle quelque chose ?

Dodge hésita. Ce ne pouvait être...

— C'est toi qui me l'avais donnée. Je t'avais dit que je la garderais toujours.

C'était la dent de Jabberwock qu'il lui avait offerte pour son anniversaire. Elle ouvrit le fermoir et passa la chaîne autour de son cou.

— Je ne t'ai pas remercié de m'avoir sauvé la vie, alors... merci.

Le jeune homme grimaça, comme si sa gratitude le blessait physiquement.

— Dodge, je sais que c'est bizarre de se revoir après tout ce temps. Il s'est passé tant de choses ! Nous n'aurions jamais imaginé devenir les adultes que nous sommes aujourd'hui. Cependant, je m'attendais à un accueil plus chaleureux de ta part. De votre part à tous.

— Je suis désolé de vous décevoir.

— Ce n'est pas ce que je voulais dire. C'est juste que... nous étions des amis, Dodge. Nous étions même plus que des amis.

N'est-ce pas pour cela que tu es venu me chercher dans cet autre monde ?

— Pour vaincre Redd, pour affronter Le Chat, je suis prêt à tout.

Contrariée, Alyss fit claquer sa langue :

— Est-ce pour cela que tu as dansé avec moi au bal masqué ? Était-ce pour vaincre Redd ? Est-ce que tu l'as fait pour te venger du Chat ?

Dodge ne répondit pas.

Alyss se détourna de lui et regarda son reflet dans un éclat de miroir, le seul fragment qui restait de la grande glace décorative autrefois accrochée au mur.

— Si je ne compte plus pour toi, pourquoi m'as-tu amenée ici ?

— Je n'ai jamais dit que vous ne comptiez plus pour moi..., commença Dodge.

Préférant ne pas s'avancer davantage sur ce terrain, il changea de sujet :

— Je vous ai amenée ici pour vous rappeler ce que Redd vous a fait. Pour éveiller votre désir de vengeance. J'ai besoin de vous pour assouvir la mienne. Voilà ce que vous représentez pour moi désormais. Et c'est là tout ce que vous *devez* représenter.

— Touchant..., murmura Alyss.

Ses doigts jouèrent avec la dent de Jabberwock qui pendait à son cou. « Je devrais la retirer ! songea-t-elle. La retirer pour lui montrer que si elle ne signifie rien pour lui, c'est pareil pour moi... »

Son reflet dans le morceau de miroir se troubla soudain, et fut remplacé par une image de Redd.

— Quel plaisir de te voir, ma chère nièce ! fit la reine, mielleuse.

Puis, prise d'une rage violente, elle hurla :

— J'aurai ta tête !

Dodge saisit la main d'Alyss et la tira en arrière au moment où le miroir explosait, projetant tout autour de minuscules éclats tranchants, comme autant de poignards miniatures destinés à la princesse. Le sol se mit à trembler, les murs frissonnèrent, les poutres qui soutenaient le plafond grincèrent et craquèrent. De la poussière de plâtre et des pierres grosses comme des poings dégringolèrent autour d'eux. Ils s'enfuirent en courant, un bras au-dessus de la tête pour se protéger de la pluie de gravats. Ils enjambèrent des pans de murs écroulés et esquivèrent des poutres qui tombaient avec fracas. Le vieux palais menaçait de s'effondrer sur eux.

Ce fut un miracle s'ils parvinrent à s'en échapper indemnes.

Alyss, pliée en deux, toussait et crachait à cause de la poussière. À l'endroit où, un instant plus tôt, se dressait encore le palais de Cœur, il n'y avait plus qu'un tas de décombres.

— Elle a tout détruit, lâcha Dodge.

Alyss se taisait, en proie à des sentiments confus. Tout en faisant son deuil du passé et en appréhendant le présent, elle tentait d'entrevoir un futur digne d'espérance.

— Non, pas tout ! lança-t-elle.

Il restait l'espoir.

CHAPITRE 38

Il régnait une atmosphère inquiétante dans la Forêt Immortelle. Les arbres et les oiseaux-luces faisaient un vacarme assourdissant, un mélange de caquetages et de cris perçants. Dodge et Alyss en comprirent la raison lorsqu'ils découvrirent que la plupart des arbres et arbustes avaient été entaillés, frappés, coupés, brisés ou arrachés. Les fleurs, piétinées, étaient silencieuses. La végétation encore en vie les mit en garde : « N'entrez pas ! N'entrez pas ! » Un grondement inhabituel emplissait le sous-bois : c'était le battement régulier, mécanique, des colonnes d'Yeux de Verre qui marchaient vers le quartier général alyssien. Les corps des gardes gisaient pêle-mêle sur le sol ; les miroirs qui avaient servi à camoufler le campement étaient en miettes.

— Bibwit et les autres ! souffla Alyss.

Elle avança d'un pas, mais Dodge l'arrêta :

— Ne nous approchons pas ! C'est dangereux.

Ils étaient déjà trop près. Un Œil de Verre sortit d'un fourré et se précipita sur Alyss, les mains hérissées de lames meurtrières. Dodge la saisit à bras le corps.

— Aïe ! protesta-t-elle. Mais qu'est-ce qui...

L'Œil de Verre manqua sa cible et fonça la tête la première dans un arbre mort.

« Il m'a encore sauvé la vie », songea la princesse. D'autres soldats fonçaient déjà sur eux. Dodge se battait, une épée dans chaque main. Alyss se concentra pour imaginer les Yeux de Verre... « Morts ? Hors service ? Peuvent-ils mourir, comme des Maravilliens ordinaires ? Concentre-toi. Concentre-toi ! »

Elle imagina Dodge encore plus fort, encore plus doué pour manier l'épée. Hélas, les Yeux de Verre avaient été spécialement créés pour ce type de combat, et le jeune homme ne faisait pas le poids. Il serait vaincu, tôt ou tard. Qui sait ce qu'elle deviendrait alors ?

« Une arme ! Il me faut une arme. » Alyss rampa jusqu'à l'Œil de Verre allongé, inanimé, au milieu des débris d'écorce. Il était forcément armé ! Elle tendit la main et décrocha un objet en forme d'avocat qui pendait à sa ceinture. C'était une grenade serpentine, une des dernières inventions de Redd.

Alyss, bien que peu habituée aux armes, identifia le projectile. Elle arracha l'anneau et lança la grenade sur les Yeux de Verre. Elle explosa, libérant une multitude de spires électriques, semblables à des serpents, qui fendirent l'air en grésillant.

Dodge se jeta à terre et roula sur lui-même.

Une spire atteignit un Œil de Verre à la joue et le tua sur le coup.

Les assassins succombaient les uns après les autres. Dodge et Alyss se relevèrent et s'enfuirent avant que les spires, déchargées, ne retombent sur le sol. Une nouvelle meute d'Yeux de Verre quitta la colonne et se lança à leurs trousses, entraînant dans son sillage des troncs d'arbre et des branches cassées.

L'ennemi se rapprochait dans un grondement de tonnerre. Dodge fit volte-face et leva son épée pour frapper. Il mettait dans ce geste toutes les forces qui lui restaient, quand du feuillage surgirent les généraux Doppel et Gänger, juchés sur des esprits-chiens au galop. Dodge tenta de suspendre son mouvement. Trop tard ! L'épée que le général Doppel avait levée instinctivement pour se défendre rencontra celle du jeune homme dans un fracas métallique.

— Dodge ! cria le général Doppel.

— Alyss ! s'exclama le général Gänger.

Le Cavalier blanc, La Tour et un peloton de pions arrivèrent derrière eux.

— On ratissait les environs dans l'espoir de trouver la princesse. On craignait le pire ! confia La Tour à Dodge.

Les Yeux de Verre les encerclaient à présent. Dodge et les pièces d'échecs contre-attaquèrent, cependant que les généraux prenaient position de chaque côté d'Alyss. Leurs esprits-chiens offrirent une protection momentanée à la princesse, qui s'efforçait désespérément de faire travailler son imagination.

Un Œil de Verre poussa soudain un cri de guerre strident et s'élança sur elle, renversant plusieurs pions au passage. Alerté, le général Doppel sauta de son esprit-chien sur celui du général Gänger et tira sur l'agresseur une bombaraignée. Peu après l'impact, une araignée gigantesque se matérialisa, planta ses crocs dans la chair synthétique de l'assassin et commença à mâcher bruyamment ses organes vitaux. Effrayé, l'esprit-chien sans cavalier se cabra et détala. Dodge, aux prises avec un Œil de Verre, frappa l'ennemi à l'aine. Celui-ci, qui n'était pas vulnérable à cet endroit, baissa les yeux, perplexe. Sa confusion ne dura qu'une fraction de seconde, qui permit à Dodge de saisir les rênes de l'esprit-chien terrorisé, qui passait devant lui au galop. L'animal continua de courir, entraînant le jeune homme dans son sillage jusqu'à ce qu'il parvînt à se hisser en croupe.

— Princesse ! Attrapez !

Alyss se retourna et prit l'arme que lui tendait le Cavalier blanc. C'était une Main de Tyman, composée de cinq courtes lames reliées à un manche, à la manière des cinq doigts d'une main. Elle la brandit au moment où un Œil de Verre fondait sur elle. Une des lames se logea dans l'orbite gauche de l'assaillant et y resta plantée. L'Œil de Verre tomba, et La Tour l'acheva. Dodge, monté sur l'esprit-chien, arrivait vers Alyss. Il la hissa en selle derrière lui.

— Allez-y ! cria La Tour. On les retient *encore* !

Malgré la bataille qui faisait rage, Dodge esquissa un sourire. « Encore ! » Il avait compris l'allusion.

Les généraux Doppel et Gänger fusionnèrent, puis éperonnèrent leur animal et quittèrent la mêlée. L'esprit-chien qui transportait Dodge et Alyss galopait à leur côté.

— Le Chapelier et Bibwit sont partis en avant pour dégager l'entrée du portail de secours, haleta le général Doppelgänger.

Mais ils avaient beau filer à bride abattue, d'autres Yeux de Verre étaient déjà à leurs trousses, et leur avance fondait comme neige au soleil.

CHAPITRE 39

En théorie, un voyageur du Continuum inexpérimenté aurait pu découvrir par inadvertance le portail de secours des rebelles s'il était sorti là par hasard. En pratique, c'était très improbable : le portail était connecté au Continuum par un réseau si compliqué de chemins de cristal que personne, hormis les Alyssiens, n'avait jamais trouvé son emplacement, ni appris son existence.

Le Chapelier Madigan et Bibwit Harte se dépêchaient de le dégager. C'était un miroir ancien aux coins biseautés, caché derrière un buisson desséché, dans une partie peu fréquentée de la forêt. Le Chapelier pressa son visage contre la glace pour jeter un coup d'œil dans le Continuum. Il recula au moment où le général Doppelgänger, Dodge et Alyss arrivaient au galop sur leurs esprits-chiens.

— La voie est libre, annonça-t-il.

— J'y vais le premier, dit Dodge.

Sans ajouter un mot, il sauta de sa monture et pénétra dans le miroir.

— Faites vite, les pressa Bibwit, les oreilles tremblantes. J'entends nos ennemis qui approchent.

Le précepteur aida Alyss à traverser à son tour la surface de cristal liquide. Le général Doppelgänger leur emboîta le pas, suivi par le Chapelier. Alyss entrait pour la deuxième fois de sa vie seulement dans le Continuum. Au début, les yeux écarquillés, enchantée par la beauté des lieux, elle navigua aussi bien que quiconque, progressant dans ce tunnel kaléidoscopique au même rythme que Dodge et les autres. Mais quand elle se rappela qu'elle était novice en la matière, elle perdit confiance et se mit soudain à flotter comme en apesanteur. Elle heurta de plein fouet le général Doppelgänger.

— Concentrez-vous et pensez à des choses lourdes, lui cria le général. Autrement, vous risquez d'être réfléchie n'importe où.

« Des choses lourdes ? Qu'est-ce qu'il... »

Le général la lâcha.

« Oh, oh ! »

De nouveau, Alyss perdit de la vitesse. Elle aurait été éjectée du Continuum si le Chapelier ne l'avait agrippée au dernier moment. Il l'entraîna vers Bibwit.

— Accrochez-vous à lui ! lui ordonna-t-il.

Alyss obéit et continua le trajet à califourchon sur le dos de son précepteur.

— Attention ! Ils nous rattrapent ! s'écria-t-elle soudain.

Sans ralentir, le Chapelier ôta son haut-de-forme, le changea d'un geste bref en un redoutable assemblage de lames et le projeta sur les Yeux de Verre lancés à leur poursuite. L'arme ricocha de l'un à l'autre, infligeant à certains des blessures fatales, avant de revenir vers son propriétaire tel un boomerang.

Bien que leurs rangs se fussent éclaircis, les assassins gagnaient encore du terrain. Ils commencèrent à tirer des sphérogénérateurs. Le Chapelier renvoya son haut-de-forme. Celui-ci tourbillonna si vite que l'air déplacé suffit à dévier les projectiles dans les contre-allées. S'il avait été seul, Madigan aurait fait marche arrière pour attaquer l'ennemi ; cependant, son devoir lui commandait de rester auprès d'Alyss. Il se résigna donc à combattre plus près d'elle qu'il ne l'aurait voulu, et freina légèrement. En un éclair, sa ceinture se hérissa de lames de sabre ; le Chapelier fit volte-face, laissant les Yeux de Verre se précipiter sur lui. Quelques coups de sabre bien sentis leur firent perdre l'équilibre, et ils furent aspirés hors du Continuum.

— En voilà d'autres ! hurla Dodge.

Cette fois, ils venaient de devant.

— Écartez-vous ! ordonna le général Doppelgänger.

Dodge se plaqua contre la paroi, et le général tira une bombaraignée sur les attaquants. Elle s'ouvrit avant d'atteindre sa cible, et l'araignée qui en sortit étreignit toute la troupe d'Yeux de Verre avec ses pattes collantes. Elle les mordit un par un, aspirant leurs entrailles et leur chair jusqu'à ce qu'ils fussent réduits à l'état de carcasses inertes, à leur tour reflétées hors du Continuum.

Dodge se jeta sur le monstre, qui menaçait à présent de s'attaquer à Alyss. L'araignée lui emprisonna les bras et les jambes, et bien qu'elle ne fût pas conçue pour vivre longtemps — elle se recroquevillerait bientôt sur elle-même et mourrait —, elle était encore assez vaillante pour le tuer. Elle avança ses mandibules menaçantes vers le ventre du jeune homme.

« Il faut à tout prix que je me concentre ! s'affolait Alyss. Que j'imagine quelque chose ! »

Une muselière couleur rouille, surgie de nulle part, obstrua soudain la gueule du monstre.

— Ha ! s'écria la jeune femme, triomphante.

L'araignée, enragée, essaya en vain de se débarrasser de l'entrave. Dodge en profita pour libérer son bras et lui sectionner les pattes avant de lui plonger son épée dans l'abdomen.

— Vous avez vu ? cria Alyss, toujours agrippée à son précepteur. C'est moi qui l'ai imaginée !

— J'ai vu, confirma Bibwit Harte. C'était très impressionnant !

« C'eût été encore plus impressionnant, songea-t-il, si Alyss avait imaginé une conclusion heureuse à ce cauchemar. »

De nouveaux Yeux de Verre arrivaient déjà sur eux. Il en venait simultanément de devant et de derrière. Et le général Doppelgänger n'avait plus de bombaraignées...

CHAPITRE 40

— Comment ça, elle n'était pas là ? Où était-elle, alors ?

Redd ponctua ces mots en martelant le sol de son sceptre. Puis elle envoya des roses carnivores ramper autour de Jack de Carreau et du Chat. Tous deux furent contraints de danser sur place, pour empêcher les fleurs de grimper sur leurs jambes.

— Jack de Carreau n'est peut-être pas aussi loyal que vous le supposez ? insinua Le Chat.

Redd se tourna vers l'intéressé :

— Peut-être, en effet...

— Ma Reine... euh, je veux dire : Votre Impériale Malveillance... Les Alyssiens les plus importants étaient là, et on aurait pu se débarrasser d'eux si Le Chat n'avait pas fait d'Alyss une obsession.

— J'avais exigé du Chat qu'il s'occupe exclusivement de ma nièce ! dit Redd.

— Je ne la crois pas aussi dangereuse que...

— On t'a demandé ton avis ? vociféra Redd en appliquant la pointe de son sceptre au creux de la gorge de Jack de Carreau. Est-ce que tu as neuf vies, toi aussi ?

Jack déglutit difficilement :

— Je n'en ai qu'une, que je consacre à vous servir, Votre Impériale Malveillance !

Redd grogna, fit tournoyer son sceptre comme un bâton de majorette et le ramena contre elle.

— Chat, pourquoi y a-t-il une caisse de sphérogénérateurs vide dans le couloir ?

Au même instant, une caisse de munitions arriva en glissant dans la pièce.

— Ah, ça..., fit le félin.

En réalité, il brûlait d'impatience que Redd lui pose cette question. Il était convaincu que, cette fois, Jack de Carreau était cuit.

— On l'a trouvée dans le camp alyssien. Il y en avait plein d'autres. J'ai vérifié leurs codes de manufacture. Elles ont été volées dans votre usine numéro trois, il y a un demi-cycle lunaire. On a attrapé les voleurs. Ils ont été interrogés et punis, mais les douze caisses d'armes n'étaient pas à l'endroit qu'ils nous ont indiqué.

— Dis-moi où tu veux en venir, Chat, ou je te transperce les boyaux !

Le félin se courba pour indiquer qu'il avait reçu le message :

— Votre Impériale Malveillance, vous avez capturé les voleurs grâce aux informations que vous a données Jack de Carreau. Vous autorisez cet individu adipeux à traiter avec les Alyssiens. Comment les rebelles auraient-ils pu entrer en possession de ces armes, si ce n'est par son intermédiaire ? Il savait où trouver les voleurs, il devait savoir aussi où trouver les armes.

— Intéressant..., fit Redd, pensive. Ainsi, mon informateur bien nourri aurait profité des faveurs que je lui accorde pour livrer des armes à mes ennemis ?

— C'est faux ! s'exclama Jack. Votre Impériale Malveillance, c'est ridicule !

— C'est ce que nous verrons...

La pointe aiguisée du sceptre de Redd revint se poser contre la gorge de Jack. Cependant la reine n'avait pas complètement chassé Alyss de son esprit. Dans un éclair d'imagination, elle vit la princesse entourée de surfaces miroitantes.

— Elle est dans le Continuum Cristal ! hurla-t-elle. Brisez les miroirs ! Brisez-les jusqu'au dernier !

Le visage de Redd, blême de rage, apparut sur les panneaux d'affichage de Merveillopolis :

— J'ordonne que tous les miroirs du royaume soient détruits ! Immédiatement !

Sa fureur était telle qu'elle prit de vitesse la plupart des Maravilliens. Dans les pubs et les débits de stimulants, dans le moindre recoin de Merveillopolis, dans les maisons des Maravilliens ordinaires, dans les demeures bien gardées des Figures, les miroirs explosèrent sur-le-champ. Les casseurs volontaires n'eurent plus qu'à sillonner les rues pour briser les vitrines, et tout ce qui ressemblait de près ou de loin à une surface réfléchissante.

CHAPÎTRE 41

Ils étaient piégés. Ils allaient mourir, pris en tenailles entre deux escadrons d'Yeux de Verre.

– Le Continuum ! Il... il disparaît !

Lorsque le dernier miroir du royaume fut brisé, les sentiers cristallins formant le réseau s'estompèrent progressivement. Les Yeux de Verre qui poursuivaient Alyss et ses compagnons étaient à deux doigts d'être aspirés par le néant, qui gagnait du terrain.

« Être avalé par le néant équivaut à être réduit au néant, songea Alyss. Au moins, nous ne souffrirons pas ! On ne peut rien sentir si on devient rien... »

Le vide commença par avaler l'arrière-garde des Yeux de Verre et grignota leurs rangs à une vitesse fulgurante.

– Quelqu'un a-t-il un miroir de poche ? cria Dodge.

Alyss et les autres le dévisagèrent sans comprendre. « Un miroir de poche ? Pourquoi veut-il... ? »

– Vite !

Bibwit fouilla dans les plis de sa toge et en sortit un miroir à peine plus grand qu'une aile d'oiseau-luce. Dodge s'en empara en un éclair. Aucun Maravillien n'avait jamais tenté ce qu'il s'apprêtait à faire : cela ne s'était jamais avéré nécessaire.

Le jeune homme leva le miroir et l'orienta de façon à réfléchir une petite partie du Continuum, qui se régénéra. À mesure que le vide avalait la partie située derrière eux, le modeste petit miroir créait en avant une longueur de tunnel correspondante. Mais à quoi bon, s'ils étaient condamnés à courir indéfiniment dans cette minuscule portion de Continuum pour échapper au néant ? À présent, de Continuum, il n'avait que le nom, ainsi que l'aurait signalé Bibwit s'il avait eu la tête à ça, puisqu'il n'était plus connecté à rien... Leur destin était-il de rester prisonniers de ce prisme mobile jusqu'au moment où ils mourraient de faim, ou jusqu'à ce que la fatigue oblige Dodge à lâcher le miroir ?

« Qu'est-ce que c'est que ça ? Est-ce... Mais oui ! On dirait une sortie ! »

Apparemment, il restait dans le royaume au moins un miroir intact. À une courte distance devant eux, comme suspendu au milieu du vide, s'ouvrait un sentier de cristal qui s'arrêtait net à l'endroit où il avait dû être relié à l'artère principale.

– Dodge !

– J'ai vu !

Le jeune homme modifia subtilement l'inclinaison du petit miroir pour leur permettre de s'engager dans le sentier. La lumière, le jeu des couleurs translucides... c'était la vie !

Dodge, Bibwit et Alyss, le général Doppelgänger, puis le Chapelier, quittèrent le Continuum dans l'ordre dans lequel ils y étaient entrés, pour découvrir un paysage à peu près aussi hospitalier qu'un cratère de volcan. Des nuages de fumée sulfureuse s'étiraient paresseusement dans le ciel, tandis que des flammes jaillissaient du sol rocailleux, entre des torrents de lave bouillonnante.

Ils étaient dans les Plaines Volcaniques !

CHAPITRE 42

Ils avançaient péniblement, à la queue leu leu, sur l'arête étroite d'un cratère. Ils s'étaient couvert le nez et la bouche de morceaux d'étoffe déchirés dans la toge de Bibwit pour se protéger de la cendre en suspension dans l'air. Il faisait trop chaud pour parler, et presque trop chaud pour respirer. Personne n'avait prononcé un mot depuis qu'ils étaient arrivés dans les Plaines Volcaniques. Dodge avait suggéré qu'ils brisent le portail de sortie, par mesure de prudence. Il ne fallait pas sous-estimer les ressources diaboliques de Redd. N'importe quel débris du Continuum Cristal pourrait lui servir à le reconstruire dans sa totalité, et lui permettrait d'atteindre les plaines plus rapidement. Désormais, la reine et ses soldats devraient voyager à pied, ou à dos d'esprit-chien.

— Ce miroir était sans doute utilisé par les braconniers de Jabberwocky, dit Bibwit Harte. Nous avons eu de la chance qu'il ait été oublié. Autrement, nous serions...

Il frissonna à l'idée du néant.

— Si Redd nous a vus dans le Continuum, elle nous surveille peut-être encore, intervint le général Doppelgänger.

— Nous n'avons aucun moyen de l'en empêcher, indiqua le Chapelier.

261

Dodge s'impatienta :

— Ne restons pas là à jacasser. Allons là où nous devons aller !

Bibwit, qui transportait des cartes détaillées du royaume dans son crâne chauve, leur indiqua la direction de la Vallée des Champignons. Ils reprirent leur périple sur la corniche accidentée, forcés de fixer le sol en permanence pour ne pas trébucher, en gardant toujours à l'esprit l'altitude à laquelle ils se trouvaient, et combien tout cela était dangereux.

— Ah !

Le général Doppelgänger venait de recevoir un bloc de lave durcie sur l'épaule. Les Alyssiens s'arrêtèrent et levèrent les yeux. Un autre bloc dévala la pente. Puis un autre, et encore un autre.

« Le volcan a tremblé ! »

En réalité, ce n'était pas le volcan qui avait tremblé, mais seulement la couche superficielle de terre et de rocaille qui s'était détachée de l'escarpement au-dessus d'eux.

« On dirait qu'il va y avoir un glissement de... »

À cet instant, la corniche s'effrita et céda sous les pieds des Alyssiens. Ils basculèrent dans le vide et dégringolèrent jusqu'au pied du volcan, où le général Doppelgänger était à demi enseveli sous la terre et les gravats. Bibwit atterrit les quatre fers en l'air ; il eut tôt fait de se redresser, toussant, crachant et suffoquant. Alyss, qui était la plus légère, avait rebondi sur la pente et terminé sa descente sur un lit de gravier. Le Chapelier et Dodge étaient déjà debout et époussetaient nonchalamment leurs manteaux, comme si survivre à un glissement de terrain n'avait rien d'exceptionnel en soi.

— Tout le monde est entier ? demanda le général Doppelgänger.

— Alyss, ça va ? fit Dodge d'une voix inquiète.

La jeune femme dressa un bilan rapide de la situation :
« Je suis noire de poussière, j'ai les coudes et les genoux écorchés,
la paume de la main droite à vif. »

— Tout va bien, répondit-elle.

Elle voulait éviter de passer pour une mauviette aux yeux de
ses compagnons : elle était censée être forte pour vaincre Redd.

— On nous regarde ! s'exclama-t-elle soudain.

Deux yeux jaunes perçaient l'obscurité d'une grotte toute
proche. Avant que quiconque ait pu parler, l'énorme tête repti-
lienne d'un Jabberwock surgit entre les rochers, non loin de la
cavité. Le monstre sortit sa langue, qui fouetta Bibwit et roussit
sa peau délicate à travers la manche de sa toge.

— Ouille !

Malgré la chaleur étouffante qui régnait dans les Plaines
Volcaniques, Alyss et ses compagnons sentirent sur eux le
souffle brûlant du Jabberwock, et son odeur infecte de car-
casse décomposée. La créature ouvrit démesurément sa gueule
baveuse, tel un cobra qui veut avaler un lapin. C'était tout
à fait exagéré, vu qu'elle aurait pu facilement caser deux
Maravilliens adultes entre ses mâchoires en se contentant de
les entrouvrir.

Les Alyssiens battirent en retraite. Le Jabberwock, qui
avançait vers eux en titubant, cracha une boule de feu sur
Alyss. La princesse plongea à terre, et le projectile incandes-
cent finit sur la paroi rocheuse. Ce bref éclat de lumière permit
aux Alyssiens de voir que les yeux jaunes appartenaient à un
Jabberwock miniature, entouré d'os rongés. Un nouveau-né !

— Elle protège son bébé, dit Bibwit.

La maman Jabberwock se dressa sur ses pattes arrière, prête
à charger. D'un geste vif, le Chapelier aplatit son chapeau
haut-de-forme et le lança sur le rocher surplombant la grotte.

Tchak tchak tchak tchak !

Plusieurs blocs de lave se détachèrent aussitôt et vinrent boucher l'entrée de la caverne. Le Chapelier récupéra son arme boomerang tandis que la maman Jabberwock poussait un cri plaintif. Ignorant les Alyssiens, elle entreprit de gratter les rochers à grands coups de griffes pour délivrer son bébé. Alyss et les autres filèrent sans demander leur reste.

Ils savaient cependant que la menace des Jabberwocky planerait sur eux aussi longtemps qu'ils seraient dans les Plaines.

CHAPITRE 43

Ayant traversé les Plaines Volcaniques sans autres encombres, ils avaient établi un campement près d'une large rivière. Étonnamment, Bibwit Harte n'avait pas d'allume-feu en pierre de gemme caché dans sa toge. Ils durent donc recourir à l'ancienne méthode et utiliser des allumettes et un tas de bois mort.

Dodge pansa la brûlure de Bibwit avec une feuille humide, qu'il fixa à l'aide d'une liane. Bibwit fit remuer son bras et grimaça, exagérant peut-être un peu sa souffrance. Dodge lorgna vers le général Doppelgänger et dit :

— On risque de devoir amputer.

Bibwit se pétrifia, trop horrifié pour parler.

— Vous pourrez enseigner aussi bien avec un seul bras qu'avec deux, n'est-ce pas ? insista le jeune homme.

Bibwit ouvrit la bouche et la referma sans avoir émis aucun son.

Dodge et le général éclatèrent de rire :

— Je plaisantais, Bibwit ! lança Dodge. Tout ira bien.

— Oh ! Ha, ha ! fit Bibwit, embarrassé. Rien de tel qu'un peu de légèreté pour soulager notre fardeau. Oui ! Ha, ha !

Toutefois, il serra contre lui son bras blessé et le garda ainsi jusqu'à ce que Dodge et le général s'endorment. Retrouvant alors son sang-froid, il alla s'asseoir près de la princesse :

— Il est temps, Alyss, de commencer cette leçon que nous ne cessons de reporter. Vous avez de la chance : j'ai mémorisé la plupart des livres dont nous aurons besoin.

Alyss hocha la tête. Elle n'était pas d'humeur à écouter son précepteur. Il lui semblait que toute la journée n'avait été qu'une longue leçon... De survie.

— Je vais fermer les yeux, continua Bibwit, pour trier les savoirs appropriés parmi tout ce que j'ai dans la tête. Cela ne me prendra qu'un instant.

À peine eût-il fermé les yeux qu'il se mit à ronfler. Ses oreilles s'ouvraient et se refermaient à chaque respiration. Alyss sourit avec lassitude et ramena les pans de sa toge sur lui en guise de couverture. Puis elle alla s'asseoir de l'autre côté du feu, afin de ne pas le déranger. Elle se rappela la première nuit qu'elle avait passée, autrefois, en compagnie de Quigly et des orphelins, sous un pont de Londres. Aujourd'hui aussi, comme ce soir-là, trop de choses lui encombraient l'esprit pour qu'elle trouve le sommeil. Elle se demanda comment elle s'y prenait, petite, pour faire apparaître des objets par la force de son imagination. « Comment cela marchait-il ? » La muselière, c'était un coup de chance. Elle n'y avait pas vraiment pensé. Elle avait juste essayé d'imaginer Dodge libéré de l'étreinte gluante de l'araignée.

Le Chapelier, assis un peu plus loin, nettoyait ses armes à la lueur du feu, son haut-de-forme posé près de lui. Il retira ses bracelets et essuya les lames avec une feuille. C'était la première fois qu'Alyss voyait un membre de la Chapellerie ainsi désarmé. « Il ressemble à un homme ordinaire », songea-t-elle. Le Chapelier interrompit son travail, **retira** son manteau et l'étala par terre. Désormais, plus rien dans son apparence ne permettait de le distinguer d'un autre Maravillien de sexe masculin. « Il doit avoir des espoirs, des rêves, des amours et des chagrins, comme tout le monde. C'est étrange que je sache si peu de chose d'un homme qui a consacré sa vie à protéger ma famille. »

Le Chapelier surprit la princesse en train de le dévisager. Elle lui sourit pour s'excuser, comme si elle s'était rendue coupable d'une indiscrétion. Il retourna à son nettoyage, et elle à ses questionnements : « Comment faisais-je travailler mon imagination ? » C'était ça, le problème : elle ne se souvenait pas que son imagination ait dû un jour « travailler ». Elle était là, tout simplement.

– Chapelier ?

– Oui, princesse ?

– À quoi pensez-vous quand vous combattez ?

Le Chapelier réfléchit avant de répondre :

– À rien, princesse. À rien du tout.

– Vous ne vous dites pas : « Je vais d'abord lancer mon haut-de-forme, puis j'attaquerai avec mes lames de poignet ? » Ni rien de la sorte ?

– Non.

– Non, répéta Alyss. Non, bien sûr. Vous le faites, c'est tout. Votre corps sait ce qu'il doit faire.

Le Chapelier approuva.

« C'est inconscient, conclut Alyss en pensée. On ne peut produire quelque chose que si l'on ne doute pas de soi. Le pouvoir imaginatif doit apparaître comme un don, une faculté incontestable, à laquelle on est forcé de croire. »

Les heures lunaires s'écoulèrent. Au début, Alyss était trop consciente de ses efforts, et des objets qu'elle tentait de faire apparaître. « Une assiette, une couronne, une épée. Une assiette, une couronne, une épée. » Elle répéta ces mots inlassablement en elle-même. Aucune couronne ne se matérialisa. Un morceau d'assiette se forma, mais disparut aussi vite. Quant à l'épée, seul son contour apparut, comme si Alyss ne l'avait pas visualisée précisément. Plus tard, alors qu'il ne restait du feu qu'un tas de braises rougeoyantes, la jeune femme devint plus lucide. Elle était presque en transe lorsqu'une grande cloche de verre, semblable à celles que l'on voit parfois au-dessus des gâteaux, se forma en l'air. Alyss la considéra sans surprise. Elle inclina la tête à gauche et la cloche pencha vers la gauche. Elle la pencha à droite, et la cloche accompagna son mouvement. Puis, immobile, elle la fit descendre sur le feu. Privés d'oxygène, les tisons pâlirent. La cloche de verre se dissipa.

Alyss rayonnait. Non seulement elle avait fait apparaître quelque chose, mais elle avait aussi contrôlé son imagination d'une manière nouvelle. « Il faut encore que je m'entraîne. Je dois... Oh ! Il m'a sûrement vue ! »

Le Chapelier avait en effet assisté à ce premier exercice couronné de succès. Il hocha la tête en signe de respect.

Puis ils entendirent un ronflement plus fort que les autres, semblable à un coup de klaxon, et Bibwit se réveilla en frissonnant. Il croisa les bras sur son torse :

— Il fait froid, vous ne trouvez pas ?

Chapitre 44

Lorsque tous les miroirs du royaume furent détruits, Redd tourna de nouveau sa colère contre Jack de Carreau :

— Je t'accorde une indulgence dont tu es le seul à profiter. Pourquoi ? Parce que je suis censée en tirer un bénéfice ! Je te laisse croire que tu es maître de tes actes, pour que tu me donnes en échange des renseignements sur les Alyssiens. Je suis la reine, et j'exige que toutes ces tractations me soient favorables. Je suis très fâchée, seigneur de Carreau, que tu m'aies trahie à ton profit.

— Votre Impériale...

Redd fit mine de lui tirer dessus avec la main. Jack alla s'écraser contre un panneau du Dôme Observatoire. Le Chat remua la queue, tout guilleret.

— Qu'est-ce que je vais faire de toi ? demanda Redd.

— Vous p-pourriez p-peut-être..., commença Jack.

Le Chat leva une patte :

— Je sais !

— C'était une question purement rhétorique, imbéciles ! Ce n'est pas à vous d'y répondre. Depuis quand ai-je besoin d'aide pour faire souffrir quelqu'un ?

Cette fois, Le Chat et Jack de Carreau eurent la sagesse de se taire. Redd s'avança vers Jack en flottant à quelques centimètres du sol et caressa sa perruque. Elle prit une boucle dans sa paume et l'examina attentivement. Puis, avec une soudaine férocité, elle l'arracha et la lança au loin. La boucle se mit à grandir et grossir à vue d'œil ; il lui poussa des bras et des jambes. Elle mesurait, pour finir, presque deux fois la taille de Jack.

— Seigneur de Carreau, dis bonjour à ma Bête-Perruque ! fit Redd en bâillant.

Jack n'eut pas le temps d'obéir : la créature lui décocha un violent coup de poing dans le ventre, et il se plia en deux, le souffle coupé. La Bête-Perruque le ramassa et l'envoya valser de l'autre côté de la pièce. Il atterrit avec un bruit sourd qui en disait long sur son embonpoint. En un bond, la Bête fut à son côté. Elle le remit sur ses pieds de son bras ondulé, tout en le giflant de l'autre.

Le Chat, béat, regardait Jack de Carreau souffrir en ronronnant. Il fut tiré de sa torpeur par un cri perçant. Redd venait d'exprimer sa colère et son incrédulité. La reine, qui avait focalisé son œil imaginatif sur sa nièce, s'attendait à voir du rien, puisque Alyss faisait désormais partie du néant. Au lieu de cela, elle avait distingué la princesse, le Chapelier Madigan et les autres, qui traversaient à pied le paysage calciné des Plaines Volcaniques.

— Elle n'est pas morte ! glapit-elle. Alyss n'est pas morte !

Jack entendit ces paroles, lui aussi, mais il lui fallut un moment pour comprendre leur signification, tant il était désorienté. Entre les assauts répétés de la Bête-Perruque, il parvint à lâcher :

— Ils sont... partis... à la recherche... du Dédale... Miroir.

Redd leva une main, et la Bête s'immobilisa :

— Aurais-tu dit une chose qui vaille la peine d'être entendue, Seigneur de Carreau ?

Par chance pour Jack, Redd n'avait rien retenu du savoir que Bibwit Harte avait tenté de lui inculquer lorsqu'elle était adolescente. Il comprit très vite que sa connaissance du Dédale Miroir pourrait lui sauver la vie, et décida de délivrer ces précieuses informations au compte-gouttes. Sa survie dépendrait de son doigté.

— J'ai mentionné le Dédale Miroir, Votre Impériale Malveillance. En traversant ce labyrinthe, Alyss atteindra le summum de sa force et de sa puissance imaginative, et sera capable de vous vaincre.

— Mais moi, j'ai le Cœur Cristal, intervint Redd. N'en a-t-elle pas besoin pour atteindre son « summum », comme tu dis ?

— Je me contente de répéter les paroles de Bibwit Harte, Votre Impériale Malveillance.

Jack n'aurait pas dû faire allusion à Bibwit, car Redd se hérissa aussitôt. Il jeta un coup d'œil sur la Bête-Perruque. Elle était parfaitement immobile. C'était déjà ça.

— Et si je traversais le Dédale à la place d'Alyss ? suggéra Redd.

— C'est très judicieux, Votre Impériale Malveillance ! Si vous traversez le Dédale, vous n'en serez que plus puissante, et je doute qu'Alyss puisse vous vaincre un jour.

Ce que Jack savait du Dédale Miroir tenait dans la troisième narine d'un Gouinouk — un orifice minuscule. Quand il était petit, il avait souvent entendu sa mère raconter avec amertume comment la princesse Geneviève avait traversé le Dédale pour accéder au trône. Mais la Dame de Carreau croyait sans doute que pour pénétrer dans ce labyrinthe, il suffisait de le décider. Aucun membre de la famille de Carreau n'ayant eu

Bibwit pour précepteur, ils ignoraient donc tous que seule la personne à laquelle était destiné le Dédale Miroir avait le pouvoir d'y entrer. Comme la plupart des jeunes gens qui ont grandi dans l'opulence, Jack de Carreau ne soupçonnait même pas sa propre ignorance.

— Nous allons voir si tu dis vrai, fit Redd. Qu'on m'apporte *In Regina Speramus* !

Le Morse entra dans le Dôme à pas hésitants.

— Le voici, Votre Impériale Malveillance. *In Regina...*

Le livre quitta ses nageoires en volant et resta suspendu en l'air devant Redd. La reine le feuilleta, cherchant une allusion au Dédale Miroir. Elle n'en trouva aucune. Elle remarqua que des pages du livre avaient été arrachées, et lut ses propres mots, consignés par Bibwit.

— Bah !

Elle referma le livre d'un coup sec et le jeta au Morse, qui se baissa pour l'éviter. L'ouvrage rebondit sur le sol et continua son trajet jusque dans le couloir. Le majordome se dépêcha de le suivre.

— Je vais le chercher, Votre Impériale Malveillance ! fit-il, toujours prompt à quitter sa maîtresse.

Redd avança vers Jack sans se presser. Sa nonchalance était presque plus inquiétante que son courroux.

— Et maintenant, serviteur indigne, tu vas me dire où se trouve le Dédale Miroir.

— Mais... je n'en ai aucune idée !

Redd serra le poing, et Jack crut voir bouger la Bête-Perruque.

— Les Alyssiens ne le savent pas non plus ! s'empressa-t-il d'ajouter. Ce sont les Chenilles qui doivent le leur dire !

Redd tapa du pied : les Chenilles, ces ennuyeuses larves géantes ! Quand elle avait pris le contrôle du royaume, elle avait tenté de les exterminer, elles et leurs prophéties d'un autre âge. Il n'aurait plus manqué que ces *choses* alimentent la dissidence, avec leurs prédictions ! Hélas, chaque fois qu'elle essayait de les attaquer, les Chenilles la voyaient venir et disparaissaient comme par enchantement. La reine avait fini par passer sa rage sur leur bien-aimée Vallée des Champignons. Mais que faire maintenant ? Un nouveau raid sur la Vallée ne servirait pas ses desseins.

— J'ai décidé de laisser Alyss rencontrer les Chenilles, annonça-t-elle. Nous continuerons à surveiller de près cette petite Cœur modèle. Quand elle découvrira l'emplacement du Dédale Miroir, nous l'attaquerons, et j'y entrerai à sa place. Chat, va donc appâter les Chercheurs.

— Et le Seigneur de Carreau ? gronda le félin.

— Il peut encore m'être utile.

Jack adressa un petit sourire sarcastique à l'assassin. C'était sa faute s'il avait des ennuis ! Ce traître était responsable des bleus qui se formaient partout sur son corps. Il lui revaudrait ça, d'une manière ou d'une autre.

— Tu ne tiens pas autant à tes vies que je l'aurais cru, Chat ! tonna Redd. Autrement, tu aurais déjà obéi à mon ordre.

Tandis que le félin partait, la tête basse, Redd dirigea son œil imaginatif sur Alyss. Son plan était d'une cruauté délicieuse ! Mademoiselle Sainte-Nitouche lui servirait de guide jusqu'au Dédale Miroir, et serait responsable de son propre échec. Oui, vraiment, c'était d'une méchanceté exquise !

Le Chat entendit les hurlements déchirants des Chercheurs avant même d'atteindre l'extrémité du couloir. Il poussa de l'épaule la porte massive et entra dans une salle creusée au cœur du Mont Isolé. Il ne distinguait plus le bruit de ses pas, ni sa respiration, car les cris stridents des monstres — la douleur personnifiée — couvraient tout.

La salle était faiblement éclairée par quelques morceaux de cristal enchâssés dans les murs. Des centaines de cages étaient accrochées au plafond, chacune contenant plusieurs Chercheurs. Ces créatures assoiffées de sang, aux corps d'oiseaux de proie et aux têtes d'insectes, étaient les meilleurs limiers de Redd. Elle les avait nourries de sa méfiance et de sa paranoïa. Le Chat arpenta la pièce de long en large et agita devant toutes les cages la robe de mariage qu'Alyss portait à Londres, récupérée lors de l'assaut du QG alyssien. L'odeur de la princesse excita les rapaces, qui pressèrent leurs faces impatientes contre les barreaux de leurs cages.

Lorsqu'il eut terminé de les appâter, le Chat actionna un levier dans le sol, et un mur coulissa. Un mur qui, de l'extérieur, semblait faire partie intégrante de la montagne. Les cages s'ouvrirent, et les Chercheurs s'envolèrent dans la nuit en poussant des cris de bêtes écorchées.

CHAPITRE 45

Au sommet d'une montagne, les Alyssiens sortirent d'un petit bois et découvrirent la Vallée des Champignons à leurs pieds. Les soleils disparaissaient derrière l'horizon, et leurs rayons obliques éclairaient les champignons, nichés au fond d'un cirque bordé de collines bleu crépuscule. Il n'y en avait pas deux identiques ; la gamme de leurs couleurs s'étendait de l'ocre rose au brun ténébreux, en passant par le presque-translucide. Les jeux de lumière sur leurs chapeaux et les ombres multicolores qu'ils projetaient sur le sol de la vallée offrirent aux voyageurs un spectacle d'une splendeur incomparable.

Cette débauche de couleurs emplit Alyss et ses amis d'un nouvel espoir. L'espace d'un instant, il leur sembla impossible que Redd survive à leur rébellion. Ils n'étaient pas nombreux, mais ils étaient forts, et décidés !

Hélas, cet optimisme fut de courte durée : en descendant dans la vallée, ils s'aperçurent qu'elle n'était pas aussi luxuriante qu'ils l'avaient cru. Elle avait perdu sa beauté d'autrefois. Les pieds des champignons portaient les marques de la Coupure ; des chapeaux gisaient par terre, massacrés. Des temples dédiés à la prière avaient été saccagés.

Sans mot dire, Bibwit guida les Alyssiens jusqu'à une clairière où cinq Chenilles géantes, paresseusement lovées, aspiraient la fumée d'un narguilé ancien. Elles étaient installées sur des champignons aux couleurs aussi vives qu'elles-mêmes : rouge, orange, jaune, violet et vert.

Elles ne parurent pas surprises en voyant les Alyssiens : elles étaient averties de leur venue depuis longtemps.

– C'est le conseil des Chenilles ! souffla Bibwit à ses compagnons.

Il fit un pas en avant pour s'adresser aux oracles :

– Sages, nous avons besoin de votre aide. Nous...

La Chenille Orange leva sa première patte droite pour le faire taire. Ses autres pattes se levèrent aussi, avec un léger retard.

– Nous savons pourquoi vous êtes là, déclara-t-elle.

– Nous serions de piètres oracles si nous ne l'avions pas deviné, ajouta la Chenille Jaune.

La Chenille Violette tira une longue bouffée du narguilé, qui gargouilla. Ses yeux se révulsèrent ; de la fumée jaillit de ses narines.

– Aaaaah !

Dodge et le général Doppelgänger échangèrent un regard perplexe. Le Chapelier était sur le qui-vive, une main sur le bord de son haut-de-forme. Il scrutait les environs, à l'affût d'un possible danger.

– Ô sages Chenilles, vous qui voyez tout, continua Bibwit Harte, c'est avec humilité et respect que nous venons vous trouver, pour vous...

– J'ai comme une impression de déjà-vu, l'interrompit la Chenille Verte.

– Tiens ! fit la Chenille Jaune. Ce ne serait pas parce que tu l'as prédit ?

– Ah, ouais.

Le conseil des Chenilles partit d'un rire idiot.

— Nous sommes navrés de voir que votre vallée a pâti, elle aussi, du règne de Redd, dit Bibwit. Mais puisque vous savez qui nous sommes et pourquoi nous sommes là, vous devez savoir aussi...

Les Chenilles joignirent leurs voix à la sienne :

— ... que nous sommes venus vous trouver pour que vous nous aidiez à installer la reine légitime sur son trône, et mettre fin à cette tyrannie sanguinaire.

Le fait qu'elles étaient capables de voir l'avenir faisait des Chenilles des interlocuteurs peu agréables.

— Est-ce que vous avez apporté quelque chose à grignoter ? demanda la Chenille Orange.

— Des tartatartes, peut-être ? précisa la Chenille Jaune.

Bibwit fouilla en vain dans les replis de sa toge :

— Euh...

« Je vais faire apparaître une douzaine de tartatartes, ce sera un bon exercice », décida Alyss.

Elle se concentrait quand des ronds de fumée bleue s'élevèrent vers le ciel.

— Bleue convoque Alyss, dit la Chenille Orange. Elle lui dira tout ce qu'elle doit savoir.

Les membres du conseil se turent et se remirent à tirer des bouffées de narguilé, comme si cet accessoire leur permettait de communiquer entre eux.

— Allez-y, Alyss ! lui conseilla Bibwit Harte. Vous ne risquez rien.

La princesse suivit les ronds de fumée qui planaient entre les champignons jusqu'à un temple en ruine. Au-dessus de l'entrée, elle lut les mots suivants : « Est-ce Lao-tseu qui a rêvé le papillon, ou le papillon qui a rêvé Lao tseu ? » Installée sur un champignon, la Chenille Bleue fumait son propre narguilé.

Alyss esquissa une révérence :

— Merci d'accepter de me recevoir.

— Tss-tss, fit la Chenille en exhalant un nuage de fumée.

Au milieu du nuage, la jeune femme aperçut Leopold. Le prince était dans un salon de réception londonien, où il faisait les cent pas avec anxiété. Sa mère, la reine Victoria, s'éventait, assise dans un fauteuil capitonné. Le doyen Liddell et son épouse étaient là aussi, perchés côte à côte sur un sofa, très droits et l'air guindé. Ils paraissaient mal à l'aise, comme si la reine les intimidait. Alyss devina que cette scène la concernait. Si ce n'avait pas été le cas, pourquoi l'oracle la lui aurait-elle montrée ? Leopold marchait de long en large parce qu'il s'inquiétait pour sa fiancée disparue. « Au moins, il a survécu », pensa-t-elle. Mais s'agissait-il du passé ou du présent ?

La Chenille prit la parole :

— Même dans cet autre monde, où personne ne savait que tu étais une princesse, tu étais sur le point d'épouser un prince. Il semble que le destin ne te laissera pas renier ton identité.

— Je n'ai pas l'intention de la renier, madame Chenille.

La Chenille fronça les sourcils et tira sur son narguilé :

— Appelle-moi Bleue.

— Ah... d'accord ! Je n'ai pas l'intention de la renier, Bleue. C'est juste que les années que j'ai passées loin du Pays des Merveilles m'ont embrouillée. J'ai vécu tant de choses étranges, et je reviens pour fuir les plus puissants que moi. Ça ne me paraît pas très... très digne d'une reine.

— Tss-tss, fit Bleue.

Elle souffla un nuage de fumée, dans lequel apparurent les mots : « Il est parfois plus courageux de fuir. »

— En fuyant, tu te donnes du temps pour te préparer à affronter des incertitudes et des ennuis futurs, expliqua-t-elle. Il te serait beaucoup plus facile de renoncer. Tu ne devrais pas douter de ton courage, Alyss de Cœur. Celle qui fuit ses ennemis jusqu'à ce qu'elle ait la force de les combattre fait preuve de sagesse et de bravoure.

« Tiens, songea Alyss, et moi qui prenais ça pour de la lâcheté... »

— Vous savez pourquoi je suis là ? demanda-t-elle.

— Tu cherches le Dédale Miroir, comme l'a fait ta mère avant toi.

Alyss ne répondit pas. Elle se rappela sa surprise lorsqu'elle avait vu sa mère s'engager si volontiers dans la bagarre. Geneviève avait dû, un jour, venir consulter Bleue, exactement comme elle. Et déjà, à cette époque, la menace de Redd planait sur le royaume.

Bleue lut dans ses pensées :

— Alyss, ta mère était une reine guerrière, ainsi que tu l'as découvert dans de tragiques circonstances. Elle avait traversé le Dédale pour monter sur le trône et développer les dons qu'elle possédait, de façon innée. Mais sa résistance avait des limites : Redd a toujours été plus douée qu'elle. Toi, Alyss, tu as dans le sang la force de plusieurs générations. Tu en auras la certitude si tu réussis à traverser le Dédale Miroir.

— Et si j'échoue ?

Bleue ignora la question :

— Toutes les expériences que tu as vécues jusqu'à ce jour étaient nécessaires. Elles ont contribué à forger ton tempérament. Ce tempérament sage et judicieux, qui fera de toi une digne protectrice du Cœur Cristal. Le Chapelier Madigan va te mener à une personne qui sait où se trouve le Dédale. Cherche une boutique de puzzles. Tu reconnaîtras la clé du Dédale en la voyant. Pour cela, tu dois retourner à Merveillopolis.

Bleue arrondit ses lèvres en « O » et souffla un torrent de fumée sur la princesse, qui s'endormit instantanément.

Quand Alyss se réveilla, elle était seule. Elle rebroussa chemin pour rejoindre ses compagnons. Les Chenilles du conseil, toujours perchées sur leurs champignons, fumaient avec des airs béats. Elles n'exprimèrent rien de particulier à la vue d'Alyss. Les Alyssiens, en revanche, eurent du mal à cacher leur impatience.

— Il est à Merveillopolis, dit-elle.

Un concert de grognements accueillit ces mots.

— Autant entrer dans un repaire de Jabberwocky ! geignit Bibwit. Ou aller provoquer les Chercheurs dans leur nid, ou...

La Chenille Verte souffla sur le précepteur. La fumée l'enveloppa, et il se détendit instantanément.

— Bon, fit-il avec un sourire rêveur. Quand il faut y aller, il faut y aller...

— Où se trouve-t-il précisément ? demanda Dodge.

— Je sais seulement que le Chapelier va me conduire auprès de quelqu'un qui connaît son emplacement.

Ils se tournèrent tous vers l'intéressé. Ce dernier, qui perdait rarement son sang-froid, parut exaspéré :

— Moi ! Comment voulez-vous que je connaisse ce quelqu'un ? Je n'ai pas mis les pieds à Merveillopolis depuis treize ans ! Les gens que je connaissais sont tous morts, ou alors ils se cachent.

Bibwit, encore sous l'emprise de la fumée, lui posa une main sur l'épaule :

— Détendez-vous, mon ami. L'oracle n'a pas dit cela pour le seul plaisir de s'entendre parler. Il doit y avoir une raison. Détendez-vous donc, et réfléchissez.

Le Chapelier suivit ce conseil. Il se demanda ce qu'il aurait fait, treize ans plus tôt. Auprès de qui aurait-il sollicité de l'aide ? Où serait-il allé ?

— Il y a bien un endroit..., lâcha-t-il enfin. J'ignore s'il existe toujours : je m'y rendais autrefois quand je n'arrivais pas à obtenir une information par les voies officielles.

— Parfait ! C'est là que nous irons ! trancha le général Doppelgänger.

— Alors, allons-y ! Qu'est-ce qu'on attend ? les pressa Dodge.

Cela lui était bien égal, à lui, de provoquer les Chercheurs dans leur nid. Il en concevait même un certain plaisir.

CHAPITRE 46

Le voyage vers Merveillopolis fut long et éprouvant en l'absence du Continuum Cristal. Pour ne pas risquer de nouvelles rencontres avec des Jabberwocky, les Alyssiens contournèrent les Plaines Volcaniques. Par chance, leur périple se déroula sans incident. Ils ne croisèrent pas un seul Œil de Verre, ni aucun soldat-carte, ce qui était surprenant, vu l'agressivité naturelle de Redd.

Ils s'arrêtèrent au pied d'un immeuble abandonné, dans une rue miteuse de la ville.

— Où est-ce ? demanda le général Doppelgänger.

— Là.

Le Chapelier indiqua deux Maravilliens qui sortaient en titubant d'une taverne au sous-sol.

— C'est vraiment ici ? insista le général Doppelgänger. Cet endroit me paraît... peu recommandable.

— Je n'en connais pas d'autre, dit le Chapelier.

Il observa attentivement ses compagnons. Bibwit, dans sa toge de précepteur ; le général, Dodge et Alyss, vêtus de leurs uniformes d'Alyssiens. Aucun déguisement n'aurait pu les faire passer pour des Maravilliens ordinaires ; ils n'étaient pas pour autant obligés d'afficher leurs couleurs de rebelles et d'attirer l'attention. Le Chapelier aplatit donc son haut-de-forme et le rangea dans une poche intérieure. Puis il ôta son manteau et le drapa sur son bras.

— Vous êtes prêts ? demanda-t-il.

Alyss acquiesça. Ils traversèrent la ruelle, descendirent l'escalier de la taverne et s'arrêtèrent un instant sur le seuil, le temps que leurs yeux s'habituent à l'obscurité. Le tavernier et un vieux serveur édenté à l'allure de contrebandier en profitèrent pour les examiner. Quant aux clients, ils étaient trop pris par la boisson pour s'intéresser à eux. Ils étaient affalés sur le bar, à demi inconscients, voire ivres morts.

— Inutile de nous donner en spectacle, dit Dodge. Asseyons-nous.

Ils s'installèrent autour d'une table. Le propriétaire fit un signe du menton, et une adolescente sortit d'un coin de la taverne plongé dans la pénombre. Elle s'approcha des Alyssiens pour prendre leur commande. Elle portait un chapeau de feutre mou et un long manteau qui rappelait celui du Chapelier.

« Tiens... s'étonna Alyss. Mais oui, c'est elle ! La jeune fille timide que j'ai vue au QG. Celle qui nous a servi le thé pendant que je discutais avec Bibwit. »

Le précepteur reconnut l'adolescente, lui aussi.

— Vous ? dit-il, surpris.

— Oui, fit la fille.

— Mais... comment... Je ne...

Pour une fois, Bibwit Harte était à court de mots.

— Mon enfant, dit-il lorsqu'il eut recouvré ses esprits. Je ne sais comment vous avez survécu à l'attaque du campement, et, bien sûr, je suis heureux de constater que vous êtes encore en vie, mais... que faites-vous ici ? Vous êtes trop jeune pour travailler dans un endroit pareil !

— J'ai treize ans. C'est assez âgé, selon moi. Et j'ai de la chance d'avoir un travail, quel qu'il soit.

Alyss regarda Dodge. L'expression interrogatrice, légèrement inquiète, du jeune homme lui confirma qu'il pensait comme elle. Était-ce la personne qu'ils étaient censés rencontrer ? Oui, forcément. Autrement, la coïncidence aurait été trop grande. Mais la fille était si jeune... Alyss ne s'était pas attendue à cela.

— Connaissez-vous bien la ville ? demanda le général Doppelgänger à la serveuse.

— Mieux que la plupart des gens, fit-elle en haussant les épaules.

Le Chapelier aperçut alors un petit « m » bleu tatoué sous son oreille gauche, et son visage se durcit.

— C'est une moitié ! déclara-t-il. L'enfant d'une civile et d'un membre de la Chapellerie. On ne peut pas lui faire confiance !

— Madigan..., commença Bibwit.

— Je me moque que vous me fassiez confiance ou pas, riposta la fille. Je suis au service de la princesse, si elle veut bien de moi.

Elle fit une légère révérence, que seuls les Alyssiens remarquèrent, et s'adressa directement à Alyss :

— Molly Feutre-Mou, pour vous servir, Votre Altesse.

Alyss hocha la tête :

— Nous cherchons une boutique de puzzles. La connaissez-vous ?

— Je pense que oui.

— Comment pouvons-nous être sûrs que ce n'est pas un piège ? demanda le Chapelier.

— Vous ne le pouvez pas, répliqua Molly.

— Madigan, intervint Bibwit, je pense que nous n'avons rien à craindre de cette personne. Et, à voir les mines des clients, nous n'aurons pas trop d'une alliée, ici.

Plus les Alyssiens s'attardaient dans la taverne, plus les habitués sortaient de leur torpeur. Certains étaient à présent assez lucides pour les foudroyer du regard, leur signifiant clairement qu'ils n'étaient pas les bienvenus. Le serveur édenté sortit de derrière le bar, traversa la taverne sans les quitter des yeux et passa la porte.

— Tiens, je me demande où il va..., lança Dodge, sarcastique.

— Si vous avez peur, dit Molly au Chapelier, vous pouvez rester ici.

— Peur ?

— Ça arrive à tout le monde.

— Hé, gamine, remue-toi un peu ! beugla le tavernier.

— Vous devriez commander quelque chose, leur suggéra Molly.

— Apportez-nous ce que vous voudrez, pourvu que ça vous évite d'avoir des ennuis, dit Bibwit.

Molly s'en retourna au bar. Tout en remplissant cinq chopes ébréchées d'un breuvage mousseux et fumant, son patron la houspilla en la traitant de fainéante.

Bibwit secoua la tête :

— Dans quel monde vit-on ! N'est-ce pas malheureux qu'une jeune fille soit obligée de travailler dans un endroit pareil pour survivre ?

— C'est une moitié, répéta le Chapelier, comme si c'était une raison plus que suffisante d'éviter la jeune fille.

— Il y avait des moitiés au QG alyssien, Madigan, signala le général Doppelgänger. Après la chute de la Chapellerie, plusieurs ont vécu avec nous. Certaines de ces personnes sont nées sous notre protection. Elles ne sont pas aussi déloyales que vous le supposez.

— Elles ne connaissent rien au devoir. Elles ne servent que leurs intérêts.

— Elle prétend qu'elle connaît la boutique de puzzles…, commença Alyss.

La tablée se tut.

— C'est forcément à elle que pensait la Chenille. Regardez autour de vous : il n'y a personne d'autre.

— En supposant que nous sommes bien à l'endroit dont parlait la Chenille, dit Dodge.

Mais Alyss avait pris sa décision : ils étaient au bon endroit, et Molly Feutre-Mou était la bonne personne.

— Nous y sommes, déclara-t-elle.

Molly revint avec leurs boissons et les posa sur la table :

— Vous voyez cette affiche, là-bas, princesse ? Celle de l'hôtel-casino Redd ?

— Oui.

— Elle cache une issue de secours. On l'utilise chaque fois qu'il y a un raid. Sachez que la Coupure est déjà en route.

— Grâce à votre ami édenté, grogna Dodge.

En effet, au même moment, une division de la Coupure pénétra dans la ruelle, guidée par le vieux contrebandier. Quand on entendit dans la taverne le grincement caractéristique de leurs jambes d'acier, il était déjà trop tard. Les soldats firent irruption dans la salle. Les clients, retrouvant miraculeusement leur sobriété, bousculèrent les tables et s'enfuirent en se marchant dessus. Dodge, Bibwit, le général Doppelgänger et le Chapelier formèrent un cercle autour d'Alyss. Les trois premiers tirèrent leur épée, tandis que le Chapelier sortait ses lames de poignet. Molly Feutre-Mou aplatit son chapeau, qui se changea en un disque hérissé de lames de rasoir, et leur ouvrit la voie. Un à un, sous la conduite de l'adolescente, les Alyssiens traversèrent le faux mur et empruntèrent un tunnel humide, qui les mena à l'extérieur, sains et saufs.

La rue était calme, curieusement à l'abri des violences auxquelles ils venaient d'échapper. Il aurait pu s'agir d'une nuit ordinaire à Merveillopolis. Molly marchait d'un pas tranquille. Elle semblait savoir exactement où elle allait. Les Alyssiens la regardèrent sans broncher jusqu'à ce qu'elle s'arrête et se tourne vers eux :

— Alors, qu'est-ce que vous attendez ? Venez !

Chapitre 47

L'avenue d'Émeraude était l'une des plus anciennes artères de la capitale. Au temps de Geneviève, c'était une voie majestueuse, bordée de boutiques et de restaurants de luxe. Par la suite, les rues adjacentes étaient devenues le domaine des bandes de pillards, des dealers d'imaginostimulants, et, plus généralement, de tous les Maravilliens occupant des emplois illicites mais lucratifs. Les habitants avaient donc progressivement déserté les lieux, et la misère s'était étendue jusque sur l'avenue, si bien qu'aujourd'hui la promenade prisée d'autrefois ne se distinguait plus des rues crasseuses alentour.

Çà et là, des sans-abri se réchauffaient autour de braseros où rougeoyaient des cristaux à feu. Ils interrompirent leurs conversations en voyant un étrange petit groupe s'approcher d'une boutique fermée depuis des lunes.

« ZZLES & » était tout ce qu'il restait de l'enseigne. La porte d'entrée massive, que deux esprits-chiens auraient pu franchir aisément côte à côte, était fermée à clé. La vitrine était si poussiéreuse que l'on ne voyait rien au travers.

Dodge cogna à la porte.

— Ça m'étonnerait qu'il y ait quelqu'un, dit le général Doppelgänger.

Les oreilles de Bibwit frémirent :

— J'entends un bruit. Des ennuis en perspective !

Plus pâle que jamais, le précepteur sortit une épée de dessous sa toge et l'empoigna à deux mains. Ils ne tardèrent pas à comprendre l'origine de ce bruit. Le ciel, déjà sombre, s'obscurcit encore : un essaim hurlant de Chercheurs éclipsait la lune Redd.

Les sans-abri s'éparpillèrent lorsque les monstres ailés donnèrent l'assaut. Dodge, Alyss, Bibwit et le général accueillirent les créatures de la pointe de leurs épées, tandis que le Chapelier leur envoyait son haut-de-forme. Tchak tchak tchak ! Tchak tchak tchak ! Le couvre-chef blessa et tua plusieurs volatiles avant de lui revenir. Molly aplatit son propre chapeau d'une pichenette, et l'utilisa simultanément comme bouclier et comme arme, tranchant de ses bords effilés les ailes des Chercheurs qui fondaient sur elle, avec leurs bouches d'insectes affamés grandes ouvertes.

— Aah !

Un Chercheur venait de frapper violemment Dodge à l'épaule. Le choc envoya le jeune homme à terre et lui fit lâcher son épée, qui glissa hors de sa portée. Les serres en avant, le monstre fondit de nouveau sur sa proie désarmée, prêt à lui assener le coup fatal. Une demi-seconde avant l'impact, quelqu'un renvoya son arme à Dodge.

— Viens chercher ! siffla le jeune homme entre ses dents avant d'embrocher la bête.

Il roula sur lui-même pour s'éloigner de la créature à l'agonie. Ce faisant, il s'aperçut que La Tour et le Cavalier blanc, ainsi qu'un petit peloton de pièces d'échecs, étaient venus prêter main-forte aux Alyssiens.

— J'espère que vous ne nous en voudrez pas d'arriver toujours à l'improviste, lui lança La Tour.

— Nous avons suivi les Chercheurs, expliqua le Cavalier blanc.

D'un geste parfaitement coordonné, Dodge et La Tour tournoyèrent, leurs épées pointées vers le ciel, juste à temps pour y empaler un Chercheur. Le monstre périt en poussant un hurlement hideux. Au même moment, une division de la Coupure apparut au bout de l'avenue. Certains des soldats-cartes étaient armés de DA-52, des distributeurs automatiques conçus pour tirer des cartes à jouer tranchantes comme des rasoirs, au rythme de cinquante-deux par seconde. Les soldats avaient à peine repéré les Alyssiens qu'un Quatre en tira une rafale.

— Attention ! cria le général Doppelgänger.

Les Alyssiens se jetèrent tous à plat ventre, sauf Alyss et Molly Feutre-Mou, qui s'aplatirent contre la vitrine de la boutique. Le Chapelier bondit devant elles, activa ses lames de poignet, et, en quelques moulinets des bras, pulvérisa les projectiles qui les menaçaient.

Un autre tir de DA-52 suivit le premier. Cette fois, Alyss ferma les yeux et rejeta la tête en arrière ; les cartes-rasoirs passèrent au-dessus des Alyssiens. La princesse avait imaginé qu'une bulle de protection invisible les entourait, elle et ses compagnons. Les projectiles déviés de leurs trajectoires par ce bouclier invisible atteignirent des Chercheurs, dont les corps sans vie se mirent à pleuvoir sur le trottoir.

Voyant que les soldats se rapprochaient, le Chapelier projeta violemment son haut-de-forme contre la vitrine. Les lames découpèrent dans le verre un trou assez grand pour qu'Alyss s'y faufile.

— Allez-y ! cria-t-il.

Le général Doppelgänger se dédoubla et les deux généraux brandirent leurs épées. Dodge jeta un regard meurtrier aux soldats-cartes et lança à Alyss :

— On les retient. Vous n'avez plus qu'à trouver le Dédale !

« Ils sont trop nombreux, protesta intérieurement la princesse. Même avec le renfort des pièces d'échecs, nous ne faisons pas le poids. »

Molly la tira par la manche. « Bon... Je n'ai plus le choix. Je dois y aller. »

Avant de suivre l'adolescente dans la boutique, Alyss imagina les DA-52 enrayés, hors d'usage. Elle ne s'attarda pas pour vérifier si son stratagème fonctionnait. Les soldats-cartes étaient arrivés à la hauteur des Alyssiens, et déjà, les lames se croisaient. Elle plongea dans la vitrine.

Comme c'était sans doute l'usage dans une boutique de puzzles et de jeux, celle-ci était aménagée de façon insolite. Le mobilier était constitué d'étagères artisanales formant un petit labyrinthe, aux couloirs étroits. Alyss et Molly les arpentèrent en courant sans rien trouver : tous les rayonnages étaient vides. Elles renversèrent les bibliothèques, ouvrirent placards, trappes et fenêtres factices, sans plus de succès.

– Que cherche-t-on ? cria Molly.

Alyss l'entendit à peine, tant la bagarre faisait rage à l'extérieur. « Si je le savais... », songea-t-elle.

C'est alors qu'un scintillement bleuté attira son attention. Elle leva la tête et vit, sur la dernière étagère de la plus haute bibliothèque, un cube de cristal étincelant.

– Là-haut !

– J'y vais, s'écria Molly.

La jeune fille ne put escalader que la moitié de la bibliothèque avant que celle-ci ne bascule. Elle sauta à terre et se mit à l'abri. Accompagnant le meuble dans sa chute, le cube de cristal fila vers le sol à une vitesse effarante.

– Nooooon ! hurla Alyss.

S'il se brisait, le royaume serait à jamais perdu.

Elle se précipita en avant, les bras tendus. La bibliothèque tomba et se fracassa, mais Alyss parvint à attraper le cube. Il était intact. Elle le tourna et le retourna entre ses mains, cherchant un indice : « Qu'est-ce que je suis censée en faire... ? »

Un craquement la fit sursauter : la porte de la boutique venait de céder. Toujours agrippée au cube, Alyss bascula dans un miroir peint, qu'elle avait d'abord pris pour un mur. Alors que les combats reprenaient dans l'échoppe, l'héritière légitime du trône, flottant comme en apesanteur dans le miroir, vit la scène se figer, s'arrêter dans le temps. Dodge, l'épée levée, attaquait un Deux. Le Chapelier, entre deux airs, la taille ceinte de sabres, combattait simultanément trois soldats-cartes. Les généraux se lançaient au secours de Bibwit, qui avait malencontreusement perdu son épée. Et Molly Feutre-Mou, les yeux écarquillés, regardait l'endroit où s'était tenue la princesse avant de tomber dans le miroir. Alyss vit tout cela à travers une sorte de voile liquide. Et, malgré la menace mortelle qui planait sur ses compagnons, malgré l'incertitude de leur devenir à tous, elle se laissa dériver presque sereinement à l'intérieur du Dédale Miroir.

Chapitre 48

Alyss atterrit doucement dans une sorte de prison... une prison de miroirs. Elle était entourée de glaces d'une hauteur démesurée, et, dans quelque direction qu'elle se tournât, elle voyait son reflet répété à l'infini.

– Est-ce un labyrinthe ? demanda-t-elle.

Les sons eux-mêmes semblaient reflétés, car elle entendit des milliers de voix identiques à la sienne lui répondre en écho.

C'était bizarre : elle n'était pas dans un labyrinthe. « J'ai dû me tromper », songea-t-elle. Puis : « Tiens... C'est étrange : cette silhouette me ressemble, et pourtant, ce n'est pas tout à fait moi... »

Elle tendit le bras.

– Aaah !

Son reflet venait de l'attraper et de la tirer à l'intérieur du miroir.

– Dépêchons-nous ! lui dit-il. Nous avons plein de choses à faire, et beaucoup de gens à voir en très peu de temps.

– Mais...

Ce fut tout ce qu'Alyss trouva à dire.

Son reflet refusa de lui lâcher le poignet. Il l'entraîna à toute vitesse dans des couloirs miroitants, qui se ramifiaient et serpentaient à perte de vue, débouchant par endroits sur des alcôves et des impasses. Même le sol était revêtu de glaces. Guidée dans une direction, puis dans une autre, Alyss soupçonna que son reflet empruntait exprès un chemin compliqué pour la troubler et la perdre. « J'espère que je n'aurai pas besoin de revenir sur mes pas pour rentrer », se dit-elle, complètement désorientée.

Le reflet s'arrêta dans une espèce de salon aux parois réfléchissantes, plus large que les couloirs qu'ils avaient empruntés jusqu'alors.

— Attends ici, lui conseilla-t-il. Quelqu'un t'y rejoindra bientôt.

— Ne me laisse pas !

Mais elle était déjà seule. Seulement, l'était-elle vraiment, face à ses innombrables reflets ?

— Bonjour ! lança-t-elle à la cantonade.

De nouveau, un chœur de voix lui répondit. Elle tendit la main vers son image la plus proche, cependant, cette fois, ses doigts ne purent pénétrer dans le miroir ; ils se cognèrent contre sa surface de mercure froide.

« Aurais-je dû suivre mon guide, tout à l'heure ? Dans quelle direction est-il parti, déjà ? Je suis sans doute censée imaginer une sortie. Oui, voilà, ce doit être un test ! »

Elle rassemblait toute sa concentration pour fournir l'effort d'imagination nécessaire pour cela, quand elle aperçut, entre ses paupières mi-closes, une silhouette qui s'approchait dans un miroir. Elle reconnut les vêtements de la visiteuse avant de distinguer son visage.

— Mère ! murmurèrent la jeune femme et ses reflets.

Geneviève était habillée ainsi que sa fille l'avait vue pour la dernière fois, mais elle ne portait pas de couronne. Elle s'arrêta de l'autre côté du miroir.

— Alyss ?

Un sourire empreint de fierté et de nostalgie se dessina sur les lèvres de la reine morte, et la princesse sentit les larmes lui monter aux yeux.

— Elle est aussi belle que je l'imaginais, dit une voix masculine.

Alyss fit volte-face et découvrit son père, le roi Nolan. Son image avait pris place dans l'un des miroirs et il la regardait, radieux.

— Papa ! s'écria-t-elle en courant pour l'embrasser.

Il lui avait tellement manqué !

« Au diable le Dédale, Redd et le Cœur Cristal ! pensa-t-elle. Je veux que nous soyons de nouveau réunis ! Je veux retrouver mes parents ! JE VEUX MES PARENTS ! »

Hélas, elle ne put traverser le miroir.

— Que se passe-t-il ? cria-t-elle. Où êtes-vous ?

— Nous sommes en toi, ma chérie, dit Nolan.

Geneviève poussa un petit soupir :

— Notre combat aura exigé bien des sacrifices ! Je me demande parfois si ce n'est pas trop cher payé... Même si nous finissons par triompher de Redd.

— C'est le lot de tous ceux qui défendent l'Imagination Blanche, murmura Nolan.

— Oui, bien sûr, convint Geneviève. Le sentier qui mène à la victoire est forcément pavé d'échecs.

Nolan posa sur son épouse un regard doux et compatissant, puis changea de miroir pour aller se placer à son côté. Il lui passa un bras autour des épaules et lui baisa le front, ce qui sembla la rasséréner un peu.

— Alyss, dit Geneviève, c'est une bonne chose que tu aies décidé d'exercer ton imagination. Tu atteindras ainsi ton plein potentiel. Mais tout ce que tu as expérimenté et découvert sur toi-même ne suffit pas. Pas encore.

— Laisse-la, gloussa Nolan. Tu vois bien qu'elle est adulte. Elle n'a nul besoin que ses parents la harcèlent. Alyss, ma chérie, contente-toi de croire en toi, car tous les autres te font confiance. Si tu y parviens, même un petit peu, alors tout ira bien.

Sur ces mots, le couple royal fit demi-tour et s'éloigna dans le miroir.

— Attendez ! cria Alyss. Ne partez pas !

Geneviève et Nolan continuèrent de marcher.

— Attendez ! Est-ce que je vous reverrai un jour ?

Ils s'arrêtèrent, apparemment surpris par la question.

— Bien sûr, dit Nolan. Encore et encore.

— Si tu sais où nous chercher, précisa Geneviève.

Ils disparurent, et le reflet d'Alyss reprit leur place.

À bout de forces, la princesse tomba à genoux et enfouit son visage entre ses mains. Elle ne se remettrait jamais d'avoir perdu ses parents si soudainement, si violemment. Elle n'accepterait jamais le vide que leur mort avait laissé. « Comment est-ce possible ? Comment font les autres ? »

Ses reflets pleurèrent avec elle, multipliant ses sanglots. Puis la vague de désespoir qui l'avait submergée reflua ; il n'en resta bientôt plus qu'un hoquet par-ci par-là, et une brusque inspiration.

Quelqu'un lui toucha l'épaule.

— On joue à chat ?

Alyss releva la tête et vit une fillette. « Est-ce... Mais comment... ? »

Elle écarta une mèche de cheveux et s'essuya les yeux pour en avoir le cœur net. La ressemblance était frappante ! C'était elle, Alyss de Cœur, âgée de sept ans, et vêtue de sa robe d'anniversaire.

— Tu veux que je t'attrape ?

La petite fille fit claquer sa langue, ennuyée.

— Tu ne sais pas jouer à chat ? Tu n'y as jamais joué ?

— Si… Mais ça fait longtemps.

La princesse se leva. Ce n'est pas tous les jours que l'on se rencontre soi-même, en plus jeune. Elle se demanda où cela allait la mener.

— D'accord, dit-elle. Je te conseille de courir vite !

La fillette poussa un cri de joie et détala. Alyss s'élança à sa poursuite, et elles visitèrent en courant le Dédale Miroir. La princesse était aussi gaie qu'elle avait été triste un instant plus tôt. Elle mettait beaucoup d'entrain dans ce jeu, et riait chaque fois qu'elle était près d'attraper la petite fille. Elles rirent bientôt si fort qu'il leur devint difficile de courir. Quand la fillette s'arrêta pour reprendre sa respiration, Alyss l'attrapa.

— Je te tiens ! dit-elle en la chatouillant.

— Non ! Arrête ! Arrête !

La jeune Alyss poussait de petits cris de ravissement. Naturellement : son aînée connaissait par cœur ses points sensibles. Mais, soudain, la fillette devint sérieuse ; elle se libéra de l'étreinte de la jeune femme et regarda fixement un point devant elle. Alyss pivota pour voir de quoi il s'agissait. Tout au bout d'un large corridor, elle aperçut un sceptre incrusté de diamants, coiffé d'un cœur de cristal blanc.

— Tu crois que tu peux le prendre ? demanda la fillette.

Cela semblait facile : il suffisait de marcher tout droit et de ramasser l'objet.

— Pourquoi pas ?

Les murs du couloir étaient tapissés de miroirs qui se faisaient face deux à deux, parfaitement alignés. Alyss s'aventura entre les deux premiers. Ses reflets se mirent à tourbillonner, formant un remous qui la précipita hors du Dédale. Elle se retrouva dans le vide, au milieu d'une tornade d'images. Mais n'étaient-ce que des images ? Elles étaient d'un réalisme troublant, et les gens qui y figuraient, leurs mots et leurs gestes étaient aussi blessants que s'ils eussent été réels.

« Qu'on lui coupe la tête ! » hurla Redd en fondant sur sa nièce.

Alyss s'écarta d'un bond, le cœur battant à tout rompre.

À cet instant apparut Dodge Anders, petit garçon, vêtu de son uniforme de garde, recevant de sir Justice une leçon de savoir-vivre.

Comme Redd avant eux, Dodge et son père disparurent, laissant la place à Quigly Gaffer. Il montra Alyss du doigt et s'esclaffa, à croire qu'elle était la créature la plus ridicule qu'il eût jamais vue.

— Arrête ! s'écria-t-elle.

Quigly fut rejoint par les autres orphelins londoniens : Charlie Turnbull, Andrew MacLean, Otis Oglethorpe, Francine Forge, Esther Wilkes et Margaret Blemim, ainsi que par quelques surveillants de l'orphelinat de Charing Cross.

— Arrêtez ! hurla Alyss.

Leur rire résonna dans ses oreilles longtemps après qu'ils eurent disparu. Elle fixait à présent une scène muette mais déconcertante. Elle se voyait, en compagnie du prince Leopold, pique-niquer dans la Forêt Immortelle avec quatre enfants. Leurs enfants ! Le doyen et Mrs Liddell étaient là aussi. Deux des enfants, des nouveau-nés, avaient les visages de Geneviève et de Nolan. Alyss voulut les appeler, mais elle n'avait plus de voix. Le Chat, penché sur eux, léchait ses pattes sanglantes. Une goutte tomba et se changea en mer de sang bouillonnante, où sa famille se noyait. Dodge, Bibwit, le général Doppelgänger, les pièces d'échecs s'y débattaient également. Puis la mer se vida par une porte ouverte, emportant tous ceux qu'Alyss chérissait. Au-dessus de la porte était fixé un panneau lumineux, sur lequel était écrit « Sortie ». À côté se tenait le Morse-majordome.

— Le pire reste à venir, ma pauvre enfant, se désolait celui-ci. Vous n'êtes pas obligée de subir tout cela ! Ce n'est pas nécessaire. Je vous en prie, partez pendant qu'il en est encore temps.

Il lui indiqua la sortie de sa nageoire gauche.

Mais Alyss n'était pas décidée à abandonner la partie. Le Dédale lui avait montré ces images pour la préparer à ce qui l'attendait ensuite. Pour la rendre vulnérable. Et, quelles que fussent les épreuves qui se présenteraient, elle voulait les affronter.

Elle tourna le dos au Morse, s'appliqua à poser un pied devant l'autre pour avancer dans le néant, et se retrouva comme par enchantement dans le Dédale, au milieu du couloir menant au sceptre. Elle avait réussi à dépasser les deux premiers panneaux.

Elle se plaça entre les deux miroirs suivants. Aussitôt, le Dédale disparut de nouveau. Elle était à présent dans la salle à manger sud du palais de Cœur, dans les secondes qui précédaient l'invasion de Redd. « J'aurais dû partir, m'échapper », songea-t-elle. Puis elle s'écria :

— Je ne veux pas voir ça !

Dans la salle, tout le monde observait la transformation du chaton en assassin lorsqu'une explosion souffla les portes. Redd et ses scélérats de soldats envahirent les lieux.

— Non ! hurla Alyss.

Était-elle forcée de revivre cette scène horrible ? La mort de sir Justice et la destruction de son palais ? Le moment où elle-même avait failli être tuée par sa tante ? « Une fois, c'était déjà trop ! Personne ne devrait avoir à subir cela. Personne ! »

Sa colère grandit quand elle se vit, à sept ans, sauter derrière le Chapelier dans le miroir de secours ; elle éprouva de nouveau le sentiment déchirant d'être séparée de sa mère. Puis elle aperçut Geneviève qui pivotait sur elle-même pour affronter sa sœur, et assista pour la première fois à une scène épouvantable : sa tante lâchant sur sa mère des roses carnivores, la ligotant avant de lui trancher la tête d'un éclair d'énergie écarlate.

« La meurtrière de mes parents ! »

— Aaaah !

Alyss se précipita sur Redd, la rage au cœur. La distance qui la séparait de sa tante s'allongea, et soudain elle aperçut Dodge, âgé de vingt-trois ans, qui courait à son côté. D'une voix tendue par la fureur, il lui lança : « La haine vous donne de la force. La vengeance est la seule justice. Le seul moyen de vaincre Redd est de cultiver votre colère. »

Le Chat bondit devant eux. Plusieurs fois de suite, Dodge lui transperça le corps de son épée. Le jeune homme ne semblait pas moins furieux pour autant, comme si sa rage était désormais ancrée en lui, quel que fût le nombre de fois où il tuerait son ennemi.

Alyss était sur le point de rattraper sa tante quand la tête de sa mère, qui avait roulé dans un coin, ouvrit les yeux et dit : « La haine nourrit l'Imagination Noire, Alyss. Si tu cèdes à ta colère, tu deviendras un pion au service de ce fléau. L'Imagination Noire pourra triompher pendant un temps, mais pas pour l'éternité.

— Mais regardez-vous ! Regardez ce que vous êtes devenue ! protesta la jeune femme.

— Oui, regarde-moi ! N'est-ce pas instructif, que *moi*, je te dise cela ?

La haine exerçait une telle pression dans le crâne d'Alyss que ces paroles la laissèrent indifférente.

– Vous êtes faible, c'est pour cela que vous avez perdu ! hurla-t-elle à sa mère tout en arrachant son sceptre à Redd.

Elle trancha la tête de sa tante d'un seul geste, exactement comme cette dernière avait tué Geneviève.

Redd et les roses disparurent. Alyss se retrouva dans une pièce circulaire, entourée de panneaux de verre télescopiques qui offraient une vue étonnante sur le Désert de l'Échiquier et Merveillopolis. Elle regardait autour d'elle quand Bibwit fit irruption dans la salle avec un livre ouvert. Il se mit à lire en insistant sur chaque mot, comme s'il voulait à tout prix qu'Alyss les comprenne : « Fleg Lubra messingpla gree bono plam. Tyjk grrspleenuff rosh ingo. »

– Bibwit ?

« Zixwaquit ! Zergl grgl ! Fffghurgl grgl ! »

Le précepteur continua de débiter son charabia. Voyant que son élève n'en saisissait pas le sens, il devint fébrile.

La jeune femme croisa alors son reflet dans un miroir et sursauta. À la place de ses traits habituels, elle avait vu ceux de Redd. Elle était devenue Redd !

– Non !

Elle brisa le miroir et tout ce qui était autour. Des fragments de la pièce circulaire et du Bibwit absurde se mirent à pleuvoir autour d'elle.

Elle se retrouva à l'entrée du Dédale, derrière le miroir. De l'autre côté de la glace, la bagarre opposant les Alyssiens aux soldats de Redd était toujours figée.

– Pourquoi suis-je revenue ici ? Qu'est-ce que cela signifie ?

– Tss-tss.

Un nuage de fumée traversa son champ de vision. Elle se tourna et vit la Chenille Bleue tirer sur son narguilé.

– Cela signifie que vous avez échoué, princesse.

– Je... je ne peux pas échouer. Le Dédale m'est destiné.

— Vous n'avez pas su naviguer dans le Dédale. C'est fâcheux pour nous tous, mais personne n'y peut rien. Vous devez traverser la glace et réintégrer le champ de bataille.

« Ce n'est pas possible ! s'insurgea Alyss. Je ne peux pas échouer. »

Elle aurait donné cher pour être ailleurs, bien sûr, mais elle ne voulait pas partir. Pas déjà. Pas rester sur un échec.

— Il n'en est pas question ! dit-elle.

Avant que Bleue ne lui souffle sa fumée au visage, elle fit demi-tour et s'enfonça en courant dans le Dédale. Elle ne tarda pas à se perdre, mais ce n'était pas important. Tant qu'elle était là, elle pouvait encore réussir. Elle *devait* réussir ! Autrement...

Elle fut tirée de sa réflexion par une silhouette qui s'approchait à grandes enjambées.

— Chapelier !

Alors qu'elle se réjouissait de le voir, l'homme dégaina une de ses épées et se précipita sur elle sans mot dire.

— Attendez ! Qu'est-ce que vous... ?

Vite ! Elle devait réagir ! Elle imagina qu'elle tenait une épée et croisa le fer avec le combattant mythique. Il enchaînait des attaques et elle se défendait en copiant le moindre de ses mouvements.

Finalement, le Chapelier baissa son arme et recula en hochant la tête, approbateur :

— C'est bien !

Alyss comprit qu'il l'évaluait, qu'il cherchait à développer ses talents guerriers... Ou, du moins, à entraîner son imagination dans ce but. Elle tressaillit lorsqu'un second Chapelier Madigan apparut...

« Comment ! Je dois en combattre deux ? »

Elle s'arma d'une Main de Tyman en plus de son épée. Elle riposta aux attaques des deux Chapeliers, s'appropriant tous leurs mouvements comme s'ils faisaient partie de son répertoire. Hélas, un troisième et un quatrième Chapelier surgirent bientôt, puis un cinquième et un sixième. Il ne lui suffirait pas, pour en venir à bout, de s'imaginer qu'elle maniait mieux l'épée : elle devait puiser de nouvelles ressources dans son imagination. Elle imagina donc que chaque Chapelier accusait les coups qu'elle lui portait. Cela s'avéra efficace un temps, jusqu'à ce que de nouveaux Chapeliers se matérialisent. Elle appela alors ses innombrables reflets à la rescousse. Ils sautèrent de leurs miroirs, épée en main. Désormais, il y avait une Alyss de Cœur pour chaque Chapelier Madigan.

— Bravo ! s'écria l'un d'eux.

À ce signal, tous ses sosies lâchèrent leurs épées, activèrent leurs lames de poignet et aplatirent leurs hauts-de-forme.

« Je suis fatiguée…, songea la jeune femme. Je ne tiendrai plus très longtemps… »

Elle imagina que les manches de son uniforme tiraient des cartes-rasoirs, mais ses adversaires les neutralisèrent aisément. Jamais Alyss n'avait exercé ses pouvoirs avec une telle précision, une telle intensité – ni aussi longtemps. Elle était épuisée.

Alors qu'elle sentait venir la défaite, elle eut l'idée de tirer, à la place des cartes, des boulettes d'une substance épaisse et poisseuse, qui allèrent se coller sur les armes à hélices des Chapeliers et stoppèrent leur rotation. Puis elle inspira profondément et souffla de toutes ses forces sur ses assaillants. Cela produisit un vent d'une telle force qu'il souleva les Chapeliers de terre. Ils retombèrent sur le dos, en ordre dispersé, hors d'état de nuire.

La bataille était terminée : Alyss venait de triompher. Ses reflets regagnèrent leurs miroirs respectifs.

— L'autorité et le pouvoir ne sont pas tout, énonça alors un Chapelier. Vous devez défendre une grande cause, une cause qui dépasse vos intérêts personnels. Alors, seulement, vous serez digne du Cœur Cristal.

Lorsqu'il eut fini de parler, ses doubles se relevèrent, firent une révérence et disparurent dans les couloirs du Dédale.

Après un bref repos, Alyss se sentit revigorée, en pleine forme. Mieux qu'elle ne s'était sentie avant sa rencontre avec les Chapeliers. Mieux qu'elle ne s'était jamais sentie, en fait.

Cela lui rappela le sentiment de toute-puissance qu'elle éprouvait dans sa septième année. Rien ne l'effrayait, en ce temps-là, et elle trouvait que le monde était un endroit merveilleux.

La jeune femme tressaillit soudain. Elle venait d'entendre un drôle de grincement sur sa gauche, comme si on avait actionné une poulie... Des voix, aussi.

Les bruits se répétant, elle tenta de les localiser. Au détour d'un couloir, elle découvrit Dodge, Bibwit, le Chapelier, le général Doppelgänger, le Cavalier et La Tour, agenouillés, les mains attachées dans le dos et la tête sous une immense guillotine. Redd et Le Chat se tenaient près du levier. Ils l'attendaient.

— Mais... je vous ai déjà tuée ! s'écria Alyss en découvrant sa tante.

— Ah bon ? fit Redd.

Elle se tourna vers le Chat :

— Pourquoi ne m'a-t-on rien dit ?

Le félin haussa les épaules.

« Est-ce réel ou pas ? se demanda la princesse. Si Redd est toujours vivante alors que je l'ai tuée tout à l'heure, cela signifie peut-être que nos actes dans le Dédale n'affectent pas la réalité.

Je peux donc passer mon chemin, car mes amis ne risquent rien. Elle n'a pas *vraiment* la possibilité de les décapiter. »

Malgré cette déduction, Alyss ne put se résoudre à abandonner ses compagnons en aussi fâcheuse posture. Elle ne voulait pas les exposer au moindre danger.

— Je vous tuerai une nouvelle fois, s'il le faut, dit-elle en s'approchant de sa tante.

— Peut-être, dit Redd. Mais cela ne sauvera pas tes amis.

Alyss imagina qu'elle tirait des boulettes gluantes qui enrayaient le mécanisme de la guillotine et empêchaient la lame de tomber. Sans résultat.

Elle imagina la lame changée en eau, éclaboussant les têtes des Alyssiens. En vain.

Redd s'esclaffa.

— Ce qu'il y a de bien, ici, dit-elle en montrant le Dédale, c'est que je peux imaginer ton imagination impuissante. Dommage que ce ne soit pas le cas à l'extérieur. Mais trêve de bavardages : puisque tu dois mourir, tu dois avoir hâte qu'on en finisse ! Toi disparue, ces individus ne seront plus une menace pour moi. Je les épargnerai si tu te rends. C'est ta seule chance de leur sauver la vie, et je te conseille de la saisir, car je finirai quoi qu'il arrive par te tuer. Alors, vous serez tous morts, toi *et* eux.

Alyss n'était pas certaine que Redd respecterait son engagement si elle se sacrifiait. Encore moins qu'elle laisserait ses compagnons aller et venir librement. Il était probable qu'après l'avoir tuée, Redd supprimerait les Alyssiens parce qu'elle en aurait le pouvoir. Mais si, en vertu d'une clémence inattendue, elle leur laissait tout de même la vie sauve ? Si, en se sacrifiant, Alyss permettait à ses amis de vivre, le devoir ne lui commandait-il pas de se soumettre ? Ils pouvaient encore s'échapper. Le Chapelier les y aiderait. Elle était absente, et pendant treize ans ils s'étaient battus pour l'Imagination Blanche. Ils continueraient après elle...

Convaincue que ce geste mettrait un point final à sa courte vie mouvementée, elle s'agenouilla devant sa tante.

— Voilà ton héritage ! s'exclama Redd en levant son insigne.

Au moment où sa lame glacée touchait la nuque d'Alyss, la scène s'estompa et la princesse se retrouva devant le sceptre au cœur blanc.

« Est-ce que... Est-ce que j'ai vraiment... ? »

Elle tendit la main pour le saisir. Lorsque ses doigts se refermèrent sur le manche, elle fut transportée comme par magie dans la boutique de puzzles, au milieu de la bataille qui faisait de nouveau rage entre les Alyssiens et les soldats-cartes.

Chapitre 49

La clé du Dédale Miroir scintillait dans le creux de sa main. Alyss s'en étonna ; elle ignorait que celle à qui le Dédale est destiné ne le quitte jamais plus démunie qu'en entrant. Pour sa part, elle en sortait comblée.

Le cube luisant dans une main, le sceptre au cœur blanc dans l'autre, la princesse se tenait bien droite au milieu de la mêlée. Un Quatre tenta de l'attaquer ; elle lui souffla dessus, et il alla s'écraser contre un mur de la boutique.

— Princesse ! s'écria Molly Feutre-Mou.

— Elle a le sceptre !

Bibwit était si joyeux qu'il faillit se faire embrocher par un Deux. Molly le sauva *in extremis* en sautant devant lui avec son chapeau bouclier.

Deux Trois faussèrent compagnie au Chapelier. Plus rapide que son garde du corps, Alyss enfonça la pointe de son sceptre dans leur zone vulnérable, au-dessus de leur cage thoracique. Les soldats-cartes se plièrent, désactivés, morts. Au même instant, un Chercheur fit irruption dans la boutique et, profitant de l'effet de surprise, subtilisa le cube qu'Alyss tenait toujours à la main. Molly allait projeter son chapeau sur la créature quand la princesse l'en dissuada :

— Laisse ! Je n'en ai plus besoin.

Tandis que les Chercheurs s'éloignaient à tire-d'aile pour regagner la forteresse du Mont Isolé, elle décida d'en finir avec les soldats-cartes. Frappant le sol de son sceptre, elle fit apparaître une nuée de sceptres miniatures, tous identiques. D'un geste, elle les projeta sur les soldats-cartes, qui se plièrent les uns après les autres. Alors, les Alyssiens se retrouvèrent seuls, dans le silence, au-dessus d'un tapis de soldats de la Coupure.

Dodge, le général Doppelgänger et les pièces d'échecs se tournèrent vers leur princesse. Tout imprégnée d'Imagination Blanche, elle rayonnait comme un soleil. La légère luminescence qui l'avait caractérisée, enfant, avait reparu, débarrassée de ses voiles d'immaturité, d'incertitude et d'hésitation. Si un doute avait subsisté dans l'esprit des Alyssiens sur la capacité d'Alyss à les mener, il aurait été balayé sur-le-champ.

— Je pense qu'elle est prête, dit La Tour. Pas vous ?

En guise d'approbation, les Alyssiens acclamèrent leur princesse. Tous, excepté Dodge. Le jeune homme n'avait jamais été aussi près d'assouvir sa vengeance.

Alyss regarda son ami d'enfance et son éclat intérieur s'estompa légèrement. Son expérience dans le Dédale l'incitait à se méfier de lui.

« Le jour où il m'a emmenée au palais, se rappela-t-elle, il l'a lui-même admis. Il m'a avoué qu'il cherchait davantage à se venger qu'à rétablir l'Imagination Blanche au pouvoir, qu'à rendre au Pays des Merveilles sa gloire passée. Je vais devoir le surveiller de près. »

Elle devrait pareillement surveiller tous ceux qui, nourris de haine, seraient tentés de recourir à l'Imagination Noire.

— D'autres membres de la Coupure vont arriver, signala le général Doppelgänger.

— Qu'ils viennent, dit Alyss.

Elle quitta la boutique de puzzles, suivie par ses compagnons. Dans l'avenue d'Émeraude, elle leva les yeux pour contempler les immeubles délabrés et tressaillit, comme si elle ressentait au plus profond d'elle-même les maux de ces structures inanimées ; comme si elle était habitée par les souffrances que Redd avait infligées à sa ville bien-aimée. Puis elle se concentra sur les panneaux d'affichage holographiques et imagina que son visage y remplaçait les publicités et offres de récompense habituelles.

— J'ai fini de fuir devant toi, Redd ! défia-t-elle sa tante. À toi de fuir, à présent.

À cet instant, partout dans Merveillopolis, les Maravilliens interrompirent leurs activités, licites et illicites, pour fixer le beau visage qui venait d'apparaître sur les panneaux d'affichage, d'ordinaire réservés à la reine. Certains auraient sans doute préféré que l'Imagination Noire reste au pouvoir, car ils savaient comment profiter d'un monde tel que celui de Redd. Mais la plupart, bien que n'osant encore se réjouir haut et fort, fêtaient dans leur cœur le retour d'Alyss.

Chapitre 50

— Moi, fuir ? s'esclaffa Redd.

Elle jeta un coup d'œil distrait à travers les panneaux du Dôme Observatoire et grinça :

— Ma chère nièce est trop naïve. Elle vient de signer son arrêt de mort !

— Aujourd'hui, le Pays des Merveilles va se débarrasser une bonne fois pour toutes d'Alyss de Cœur ! déclara Jack de Carreau d'une traite — ce qui, étant donné son embonpoint, l'essouffla considérablement.

Redd dut sentir qu'il avait prononcé cette phrase dans le seul but de lui plaire, car elle lorgna vers la Bête-Perruque d'un air agacé.

— Je... j'implore votre pardon pour avoir parlé, Votre Impériale Malveillance.

— Implore ce que tu voudras, imbécile poudré ! Si je n'entre pas bientôt dans le Dédale Miroir, cela ne changera rien à ton destin.

Le Chat sourit de toutes ses dents et se lécha les babines.

Le Roi et la Dame de Carreau, le Roi et la Dame de Trèfle, le Roi et la Dame de Pique, qui composaient le cabinet de vigilance militaire de Redd, se mirent à danser d'un pied sur l'autre, s'éclaircirent la gorge et furent pris de tics — une agitation qui trahissait leur souci constant de se faire bien voir de leur irascible maîtresse.

La Dame de Trèfle se jeta à l'eau :

— Votre Impériale Malveillance... Avec l'immense respect que nous vous devons — et bien que vous n'ayez rien à craindre d'Alyss —, nous pensons que vous devriez déplacer le Cœur Cristal en lieu sûr.

Redd trouva ce conseil aussi amusant que pathétique, vu que ni la Dame de Trèfle, ni aucun membre de son cabinet ne savait où était caché le Cœur Cristal.

— « Nous ? » protesta la Dame de Carreau. Je tiens à préciser que la Dame de Trèfle parle en son nom, Votre Impériale Malveillance.

— En son nom, absolument ! renchérit le Roi de Pique.

Redd haussa un sourcil.

— M'auriez-vous suggéré ce que je *dois faire* ? lança-t-elle à la Dame de Trèfle.

— Mille excuses, Votre Impériale Malveillance. J'ai parlé sans...

— Vous pensez donc que ma force ne suffira pas à protéger le Cœur Cristal ? Supposeriez-vous que mon règne est menacé ?

— Non, bien sûr que non ! Ce que je voulais dire, c'est...

Au grand soulagement de la Dame de Trèfle, cet échange fut interrompu par les cris étranglés des Chercheurs qui rentraient au bercail. Le Chat quitta le Dôme en quelques bonds et revint en un clin d'œil, sans même laisser à Redd le temps de s'impatienter. Il tenait dans sa patte le cube scintillant, la clé du Dédale Miroir. La reine tendit la main, et le cube fendit l'air jusqu'à elle.

— De toutes les façons, conclut-elle en le tripotant fébrilement, vous n'avez pas à vous inquiéter du Cœur Cristal. Il n'est pas ici. Comment ça marche, ça ?

Jack de Carreau fit un pas en avant :

— Permettez, Votre Impériale Malveillance...

Il prit le cube, en pressa chacune des faces, le tourna et le retourna, le secoua près de son oreille, pour le cas où il aurait contenu quelque chose... Pendant ce temps, Redd s'adressait à son cabinet :

— Je refuse de quitter cette forteresse. J'aurais l'air de fuir, alors que je n'ai rien à craindre. Si Alyss veut se battre contre moi, qu'elle vienne ! J'en finirai avec elle. Et ce sera tant mieux pour vous, car si je venais à perdre le pouvoir, je ne crois pas qu'Alyss vous bichonnerait comme je le fais. Si cela vous rassure, ordonnez à la Coupure de préparer une défense. Le Chat s'occupera des Yeux de Verre.

— Votre Impériale Malveillance..., intervint le félin.

Il hocha la tête pour attirer l'attention de la reine sur Jack de Carreau, qui jouait toujours avec le cube de verre.

— Quoi ? demanda Jack. Il n'est pas cassé ! Laissez-moi juste une minute pour en déchiffrer le code. Ce ne sera pas long. Il n'est pas cassé, je vous assure !

— Ça vaudrait mieux pour toi ! l'avertit Redd, les lèvres pincées.

Là-dessus, elle sortit du Dôme en trombe, dévala un couloir en spirale et traversa à grands pas une salle de bal à ciel ouvert, où aucun bal n'avait jamais été donné. Le mur du fond était orné d'un gigantesque portrait de la reine en mosaïque de quartz et d'agate. La bouche du portrait s'ouvrit à son approche. Redd s'engouffra dans un passage secret, dont seuls Le Chat et elle connaissaient l'existence. Il menait à un balcon circulaire, surplombant un puits creusé au cœur de la forteresse. C'était là, dans les entrailles du Mont Isolé, installé sur une console, que se trouvait le Cœur Cristal. Il brûlait d'un rouge sombre : la couleur qu'il avait prise le jour où Redd avait accédé au pouvoir.

La reine se pencha par-dessus le balcon et posa les mains sur le cristal. Instantanément pénétrée de sa puissance, elle se sentit prête à affronter la bataille qui se préparait.

CHAPITRE 51

Pendant ce temps-là, Alyss de Cœur était partout à la fois dans Merveillopolis.

On la vit commander une chope de cidre dans une brasserie du centre-ville. On la vit aussi grignoter un kebab de Gouinouk dans la rue Tyman et s'attarder aux abords du complexe immobilier de Redd. On l'aperçut qui entrait dans une station de métro place Redd, qui faisait un safari en Bêtasauvagie Extérieure, et dans de nombreux autres lieux, occupée à toutes sortes d'activités. Toutefois, les Yeux de Verre et les soldats-cartes que Redd avait envoyés pour l'éliminer rentrèrent bre-douilles, car il ne s'agissait que de spectres d'Alyss, de reflets animés issus de l'imagination de la véritable princesse, que celle-ci avait dispersés dans le royaume pour confondre l'œil imaginatif de sa tante.

Pendant que les hommes de Redd perdaient leur temps à traquer ces leurres, Alyss et ses compagnons avaient atteint la lisière du Désert de l'Échiquier. Le promontoire du Mont Isolé se dressait à l'horizon. Le Cavalier et La Tour s'occupaient de leurs hommes, pansaient les blessures qu'ils avaient reçues sur l'avenue d'Émeraude, leur recommandaient de vérifier par deux fois leurs stocks de munitions et le bon fonctionnement de leurs armes. Dodge, assis dans un coin, examinait l'épée posée sur ses genoux, comme pour s'assurer qu'elle serait capable de faire ce qu'il lui ordonnerait, à savoir prendre une à une toutes les vies du Chat. Alyss, qui aurait dû réfléchir activement à une stratégie militaire digne de ce nom, ne pouvait s'empêcher de lui jeter des coups d'œil de temps à autre.

« Il ne voudra pas m'écouter, songeait-elle. Il n'écoute personne ! Et si j'imaginais une réplique du Chat pour qu'il la combatte ? Est-ce que cela le purgerait de sa haine ? »

— Alyss ?

— Oui.

À voir les expressions de Bibwit Harte, du Chapelier Madigan, de Molly Feutre-Mou et du général Doppelgänger, elle devina qu'elle avait manqué un épisode.

— Nous avons encore une grande partie du désert à traverser, dit Bibwit.

— Et il nous faut trouver le moyen de prendre d'assaut le Mont Isolé, enchaîna le général. N'oubliez pas que c'est une forteresse, conçue pour résister aux attaques. Nous aurons besoin d'une armée plus importante que celle de Redd.

« Non, je n'imaginerai pas un double du Chat ! décida Alyss en reprenant le fil de ses pensées. Ce serait encourager sa haine... »

— Je vous rappelle que notre objectif est de renverser Redd, et non de nous venger, déclara-t-elle, assez fort pour que Dodge l'entende. Nous devrons aussi récupérer le Cœur Cristal.

Dodge garda les yeux rivés sur son épée, mais Alyss était sûre qu'il l'avait écoutée.

— Nous trouverons le Cœur Cristal près de Redd, déclara Bibwit. Elle ne voudra pas s'en éloigner, afin de disposer du maximum de puissance.

— Pouvez-vous nous imaginer une armée d'une taille suffisante, princesse ? voulut savoir le général Doppelgänger.

— Je l'ignore.

S'imaginer des doubles ne lui avait pas posé de problème ; mais toute une armée, c'était une autre affaire...

— Essayez, l'encouragea Bibwit.

Alyss les observa. Le Chapelier lui fit une révérence muette. Molly hocha la tête, enthousiaste. Même Dodge était attentif. Pour façonner une armée, il lui faudrait être extrêmement précise, produire des répliques parfaites des armes, ne laisser au hasard aucun détail vestimentaire... Si un seul manquait de netteté, l'ensemble en serait compromis, et l'édifice s'écroulerait. Elle avait beau se sentir plus forte que jamais, Alyss doutait d'être à la hauteur de cette tâche.

Plus elle se concentrait, plus son sceptre brillait, comme s'il indiquait l'intensité de son effort. Le cœur de cristal blanc se mit à lancer des éclairs, à grésiller, et elle se retrouva bientôt entourée d'un halo d'énergie. Quand les feux d'artifice cessèrent et que la princesse rouvrit les yeux, elle découvrit une gigantesque armée de soldats alyssiens, déployée en éventail derrière elle. Les premiers rangs n'étaient qu'à quelques mètres d'elle, et elle ne voyait pas les derniers, tant ils étaient nombreux.

« J'y suis arrivée. J'ai... »

Un éclat de rire fusa. Alyss se retourna brusquement.

— Pardon, princesse ! s'esclaffa Molly Feutre-Mou.

Elle appliqua une main sur sa bouche pour tenter de contenir son fou rire.

Quelle mouche l'avait piquée ? Bibwit, qui n'était pas du genre à se fier aux apparences, s'approcha des soldats pour les examiner.

— Ah !

L'armée en question était une armée de jouets, de figurines guère plus grandes que les oreilles du précepteur.

— La princesse est trop loin du Cœur Cristal, diagnostiqua-t-il. Elle ne peut pas vaincre Redd d'ici.

Le général Doppelgänger se dédoubla et les généraux firent les cent pas, parfaitement en phase.

— Il faudra donc trouver un moyen de l'approcher ! dit le général Doppel.

— Sans le renfort de soldats de taille normale, notre cause est perdue ! protesta le général Gänger.

Alyss s'approcha à son tour des soldats, qui lui avaient paru assez convenables.

« C'est étonnant comme la perspective peut nous jouer des tours... », songea-t-elle.

Elle prit une figurine et l'imagina qui marchait dans sa main.

— J'ai une idée ! dit-elle.

CHAPITRE 52

La forteresse était bien gardée. Des jeux entiers de la Coupure l'encerclaient, venus du fin fond du royaume pour défendre le bastion de leur reine. Leurs rangs formaient la ligne de front, tandis que, derrière eux, d'innombrables pelotons d'Yeux de Verre constituaient une seconde ligne de défense. Ils possédaient tout l'assortiment d'armes existant au Pays des Merveilles : des sphérogénérateurs, des grenades serpentines, des fusils à cristal, des bombaraignées, des DA-52, ainsi qu'une quantité impressionnante de couteaux et d'épées.

Les soleils se levaient sur une nouvelle journée. Dans le Dôme Observatoire, Redd prenait un petit déjeuner composé de pattes d'oiseaux-luces croustillantes et épicées. Le Chat et les membres de son cabinet, qui n'avaient rien mangé depuis le déjeuner de la veille, la regardaient, affamés mais silencieux. Jack de Carreau avait eu la bonne idée de se faire excuser : il craignait que Redd ne s'irrite encore à le voir tripoter sans succès la clé du Dédale Miroir.

Redd croqua dans la dernière patte d'oiseau-luce, tandis que l'ultime lambeau de nuit se diluait dans le jour naissant.

Ils découvrirent tous la scène au même moment. Il leur aurait d'ailleurs été impossible d'y échapper : derrière les panneaux de verre télescopique était massée une armée alyssienne qui semblait rivaliser en nombre avec la population du royaume tout entier. Comme les soldats de Redd, les Alyssiens étaient armés de sphérogénérateurs, de grenades serpentines, de bombaraignées et de DA-52.

— Comment Alyss a-t-elle pu réunir une armée aussi immense ? souffla la Dame de Pique.

— Plus il y a de soldats, plus il y aura de cadavres ! gronda Redd.

À la tête de ses troupes, juchée sur un esprit-chien, Alyss leva un bras et le maintint un instant au-dessus de sa tête, avant de le baisser brusquement. À ce signal, les Alyssiens chargèrent.

— Distribuez le premier jeu ! ordonna Redd.

Les soldats de la Coupure tirèrent assez de sphérogénérateurs et de bombaraignées sur l'ennemi pour en supprimer des colonnes entières ; puis ils chargèrent au milieu de la fumée et des flammes. Redd observait le champ de bataille depuis son perchoir, confiante. Quand la fumée se dissipa, elle vit ses soldats entourés de minuscules Alyssiens. Leurs armes n'avaient servi à rien, et l'armée miniature continuait de marcher sur la forteresse.

La reine comprit aussitôt le subterfuge, et un affreux rictus lui tordit le visage.

— Comment ai-je pu être aussi stupide ? rugit-elle.

Le Chat se demandait s'il convenait de répondre à cette question quand elle ajouta :

— C'est une construction mentale !

Elle fit le geste de balayer la scène du bras, avec mépris. Alyss et son armée scintillèrent ; les milliards de points d'énergie dont ils étaient composés devinrent visibles une fraction de seconde avant de se disperser. Puis Redd scruta le royaume avec son œil imaginatif :

— Où es-tu, Alyss ? Où est ma chère petite nièce ?

Alyss et ses compagnons entendirent les explosions, puis les grincements métalliques indiquant que les soldats de la Coupure se précipitaient sur leur armée imaginaire. Quant à eux, ils prenaient d'assaut l'autre versant de la forteresse. Ils avaient échappé jusque-là à la vigilance des guetteurs en se déplaçant exclusivement sur les carreaux noirs du Désert de l'Échiquier, composés de goudron et de roche volcanique. En revanche, pour pénétrer dans l'enceinte de la forteresse, ils seraient forcés de se montrer à découvert.

Invisible sur fond de rocher noir, le Chapelier changea son haut-de-forme en arme et le lança sur les soldats-cartes et les Yeux de Verre qui gardaient l'entrée. Avant même de récupérer son arme boomerang, il activa ses lames de poignet et chargea. Molly aplatit son feutre mou et suivit Dodge, à la gauche du Chapelier. Les Généraux Doppel et Gänger s'élancèrent à sa droite. Les pièces d'échecs leur emboîtèrent le pas.

— On s'approche du Cœur Cristal, confia Alyss à Bibwit.

Le précepteur la regarda, étonné. L'inclinaison de ses oreilles trahissait sa curiosité.

— Je le sens... Je ne sais comment l'expliquer. Regardez !

La princesse tendit les bras et écarta les doigts. Des filets d'énergie, éblouissants comme des soleils, jaillirent de ses doigts et se ramifièrent pour aller se fixer sur les soldats-cartes et les Yeux de Verre. Lorsque tous furent emprisonnés dans ce filet improvisé, la princesse leva les bras au-dessus de sa tête et fit monter les captifs dans les airs. Puis, d'un geste vif, elle les projeta au loin. Peu après, quelque part dans le Désert de l'Échiquier, il se mit à pleuvoir des Yeux de Verre et des soldats-cartes.

Les Alyssiens entendaient toujours les explosions des sphéro-générateurs, sur l'autre versant du Mont Isolé. Un instant avant qu'ils ne pénètrent dans la forteresse, le vacarme cessa. Le silence ne pouvait signifier qu'une chose.

— Elle a deviné, dit Alyss.

— La voyez-vous ? s'enquit Bibwit.

La princesse hocha la tête. En général, la vue à distance n'était pas son fort, mais là elle distinguait très nettement Redd dans son œil imaginatif – grâce à la proximité du Cœur Cristal, sans doute. La reine se tenait dans une vaste cour intérieure, non loin d'un couloir qui montait en spirale dans les étages de la forteresse. Derrière elle, le Cœur Cristal, plus sombre que dans le souvenir d'Alyss, battait d'un pouls régulier. Un sourire froid se dessina sur ses lèvres, et elle fit signe à sa nièce de la rejoindre.

— Elle m'attend, fit Alyss.

— Séparons-nous, c'est plus sûr ! suggéra le général Doppel.

— Deux cibles sont plus difficiles à combattre qu'une seule, déclara le général Gänger, et nous pourrons encercler Redd si nous parvenons à l'approcher. Bibwit, La Tour, Molly, venez !

— Je reste avec la princesse, décréta Molly.

Les généraux se regardèrent. L'adolescente semblait inflexible, et l'heure n'était pas aux querelles.

— Laissez-la m'accompagner, trancha Alyss.

Les généraux inclinèrent la tête : les souhaits de la princesse étaient des ordres.

— Le Cavalier, le Chapelier et Dodge vous accompagneront aussi, décida le général Doppel.

Ils s'aperçurent alors que Dodge n'était plus parmi eux.

— Où est-il allé ? s'étonna le général Gänger.

« Il est parti chercher Le Chat », répondit intérieurement Alyss. Dans son œil imaginatif, elle vit le jeune homme arpenter un couloir à pas de loup. « Que se passera-t-il s'il croise Redd ? se demanda-t-elle. Ils se battront, et il perdra. »

Elle lança à Bibwit un regard inquiet. Lui aussi savait pourquoi Dodge les avait quittés. Et cette soif de vengeance égoïste risquait de compromettre leurs chances à tous.

— Répartissons-nous les pions, suggéra le général Doppel.

— Rendez-vous au Cœur Cristal ! lança Alyss. Cherchez un couloir en colimaçon.

— D'ici là, puisse la paix de l'Imagination Blanche être descendue sur le royaume, conclurent les généraux avec une révérence.

Se fiant à son œil imaginatif, Alyss mena Molly Feutre-Mou et les pièces d'échecs dans la forteresse. À la voir choisir son chemin sans hésiter, on aurait pu croire qu'elle connaissait les lieux comme sa poche.

Tandis que la princesse et son escorte allaient à la rencontre de Redd, Dodge traquait Le Chat, attentif à ne pas se faire repérer par les jeux de soldats-cartes qui patrouillaient dans les salles et les couloirs lugubres.

— Par ici, minou, minou, minou...

Il avait déjà arpenté tout le sous-sol, visité la grotte des Chercheurs et la caserne des Yeux de Verre, qu'il avait trouvées désertes. Il décida d'explorer le reste de la forteresse méticuleusement, et suivit le couloir qui montait dans les étages en s'incurvant, tel un tire-bouchon. Le passage donnait, à droite comme à gauche, sur une multitude de corridors. Le jeune homme aurait dû les parcourir un à un, mais quelque chose — un pressentiment, un instinct — le poussa à avancer droit devant lui. Soudain, à moins de trois longueurs d'esprit-chien de la salle de bal où Redd attendait Alyss, il entendit des voix chuchoter derrière une porte, sur sa droite. Oubliant alors toute prudence, tant il avait hâte d'affronter sa Némésis[1] à moustaches, il défonça la porte d'un coup de pied, et trouva... non pas Le Chat, mais Jack de Carreau et le Morse-majordome, qui s'étaient cachés pour échapper au déferlement de violence qu'ils prévoyaient. Ces deux-là sursautèrent, effrayés. Retrouvant rapidement ses esprits, Jack sortit un canif de son gilet et en menaça le Morse :

— Ha-yah ! Yah ! On te tient, cette fois !

Puis, à l'intention de Dodge :

— Par la grâce d'Issa, te voilà enfin ! J'ai cru que j'allais devoir tous les tuer de mes propres mains !

Jack continua à lacérer l'air de coups de couteau, mais Dodge n'était pas dupe ; il l'était d'autant moins qu'il avait surpris Jack en train de fourrer la clé du Dédale Miroir dans sa poche de pantalon.

Pour Dodge, quiconque avait collaboré avec les assassins de son père était un ennemi.

— Les traîtres ne méritent qu'une récompense, gronda-t-il.

Il levait son épée pour assener le coup fatal à Jack de Carreau quand il entendit derrière lui un bruit inimitable. Un ronronnement ! Il se retourna et découvrit Le Chat, debout dans l'embrasure de la porte.

— Et moi, quelle est ma récompense ? le défia le félin.

En guise de réponse, le jeune homme se rua sur lui, l'épée en avant. Le Chat fit un bond de côté. Dodge le manqua ; sa lame percuta le mur de pierres, et le félin en profita pour lui donner un violent coup de patte sur l'épaule. Les griffes déchirèrent son uniforme, mais ne firent qu'érafler le jeune homme.

---

1. Némésis est une divinité grecque personnifiant la justice et la vengeance.

Quatre petites lignes sanglantes apparurent sur sa peau blanche. Ç'aurait pu être pire.

– Un petit cadeau pour aller avec ta joue, ricana Le Chat en désignant les cicatrices qui barraient le visage de son adversaire.

Dodge fit mine de frapper à gauche, et, comme le monstre se déplaçait sur la droite pour esquiver le coup, il pivota et le poignarda de l'autre main avec son poing maravillien, une arme ancienne qui équipait ses phalanges de quatre lames en biseau.

La fourrure du Chat se teinta de sang, mais la blessure n'était pas mortelle. Il plongea sur le côté, effectua une ruade tout en souplesse et, de ses pattes arrière, lacéra la poitrine de Dodge, qui tomba à la renverse.

Profitant de ce que la voie était libre, Jack de Carreau et le Morse détalèrent chacun de leur côté, en quête d'une nouvelle cachette.

Alyss, encadrée par le Chapelier Madigan et Molly Feutre-Mou, approcha à grands pas du couloir en spirale et s'arrêta brusquement.

– Qu'y a-t-il, princesse ? lui demanda Molly.

Dans son œil imaginatif, Alyss venait de voir Le Chat bondir, Dodge rouler sur lui-même et se relever, meurtri et ensanglanté, mais plus déterminé que jamais.

– C'est Dodge, dit-elle. Il est...

Elle laissa sa phrase en suspens, car une patrouille de soldats-cartes venait de les repérer, et elle accourait. « Vite ! » Dans le mur le plus proche, Alyss fit apparaître une porte. L'ouverture donnait sur l'une des nombreuses pièces inutilisées de la forteresse. Elle s'y engouffra et fit signe à ses compagnons de la suivre ; puis elle imagina que la porte n'avait jamais existé.

Leurs poursuivants se cassèrent le nez contre le mur, à l'exception d'un Trois qui, plus rapide que ses camarades, avait presque franchi le seuil et se retrouva prisonnier de la paroi reconstituée.

Alyss focalisa de nouveau son œil imaginatif sur Dodge. Elle le vit frapper Le Chat au visage avec le manche de son épée. Pour l'aider, elle imagina un second Dodge. « Je n'encourage pas ses mauvais penchants, se persuada-t-elle. J'essaie seulement de lui sauver la vie. »

— Je m'en sortais très bien tout seul ! cria le jeune homme en apercevant son double.

Il décapita sa réplique, offrant ainsi au Chat l'occasion de le repousser et de reprendre l'avantage. Tandis que le double se dissipait, le félin se jeta sur Dodge, les pattes en avant. Erreur fatale ! Dodge les prit pour cible et les frappa simultanément de son épée et de son poing maravillien. Avant que le monstre ait pu battre en retraite, il lui enfonça son épée jusqu'à la garde dans le poitrail. Le Chat se recroquevilla à terre et rendit l'âme.

— Debout ! lui cria Dodge. Debout, debout, debout !

Il eut l'impression d'attendre neuf vies avant que son ennemi ne revienne à lui. Lorsque les paupières de la bête tressaillirent, il plongea une nouvelle fois son épée dans sa poitrine velue. Il ignorait que Geneviève et le Chapelier avaient déjà ôté chacun une vie au félin, et que Redd elle-même l'avait tué trois fois. Maintenant qu'il avait goûté à sa vengeance, il était pris d'une étrange frénésie, un mélange de rage et d'impatience.

— Allez ! Debout !

Dodge savait qu'un soldat a des réflexes plus rapides quand il est détendu ; cependant, ses émotions prenaient le pas sur son jugement, et il en oublia que Le Chat était loin d'être stupide. Campé au-dessus de lui, il le fixa longuement, à l'affût du moindre mouvement. Mais, cette fois, en ressuscitant, le félin prit soin de demeurer immobile. Son premier geste ne fut donc pas de cligner de l'œil, mais de lacérer la cuisse de Dodge, infligeant au jeune homme la blessure la plus sérieuse qu'il eût jamais reçue.

– Aaaargh !

Dodge vacilla. Le sang imbiba son pantalon en lambeaux et coula le long de sa jambe.

Lentement, presque nonchalamment, Le Chat se releva. Il souriait. Ses plaies étaient cicatrisées. Il était rétabli, et plus fort que jamais. Dodge, quant à lui, souffrait de ses blessures, qui diminuaient ses réflexes. Son épaule, sa jambe et son torse l'élançaient. Le félin fit quelques pas vers lui. Alors, pour la première fois depuis le début de la bagarre, le jeune homme recula, anticipant une possible défaite.

*

Alyss et son escorte arrivèrent enfin devant la salle de bal, où Redd patientait. La princesse eut une dernière pensée pour son ami : « Je t'envoie tous mes vœux de succès, Dodge, puisque tu ne m'autorises pas à te venir en aide. Tâche de survivre, et, je t'en prie, ne laisse pas tes penchants obscurs prendre le pas sur ce qui est bon en toi. »

Ils allaient pénétrer dans la salle quand une horde d'Yeux de Verre déferla sur eux. Le Chapelier, Molly, le Cavalier et les pions blancs se jetèrent aussitôt dans la mêlée.

« Redd veut m'affronter seule à seule », en conclut Alyss.

Elle s'attarda un instant pour regarder le Chapelier et Molly combattre côte à côte. « C'est étrange comme ils se ressemblent », pensa-t-elle.

Ils avaient la même façon de combattre, de virevolter, d'envoyer coups de pied et coups de poing et d'utiliser leurs armes. Bien qu'elle ne fût qu'une moitié, Molly se battait comme un véritable membre de la Chapellerie.

Alyss laissa là ses pensées fugaces et abandonna les Alyssiens aux prises avec leurs adversaires. Puis elle poussa la porte de la salle de bal et se concentra sur sa tante, qu'elle allait voir en face pour la deuxième fois de sa vie seulement.

Chapitre 53

Redd avait regardé sa nièce progresser dans la forteresse avec une fureur croissante. À ses yeux, Alyss n'était qu'une enfant gâtée qui jouait aux adultes. Cette gamine avait un sacré culot ! Comment pouvait-elle se croire l'héritière de la couronne ? Par quel raisonnement insensé s'en était-elle convaincue ? Déjà Geneviève n'aurait jamais dû monter sur le trône ; alors, sa fille !... « Non, pensa-t-elle. Je suis, et j'ai toujours été la reine légitime ; le moment est venu de le prouver une bonne fois pour toutes ! »

Alyss entra dans la salle de bal. « Enfin, la voilà : Alyss de Cœur en chair et en os ! »

Le problème, c'était qu'il y en avait huit. Huit Alyss de Cœur. Laquelle était la vraie ?

— Tu crois que tes petits jeux vont te sauver la vie ? cracha Redd.

Elle fit jaillir de son sceptre une longue tige de roses carnivores. Le rameau serpenta vers l'une des princesses, et la traversa sans qu'il ne se passe rien. Une seconde tige rampa vers une autre Alyss en faisant claquer ses petites mâchoires, sans plus d'effet.

« Je ne me mettrai pas en colère ! Non ! Je ne me mettrai pas en colère... », se répétait la véritable Alyss, la troisième à partir de la gauche. Elle se félicitait de s'être imaginé des doubles, car elle était momentanément paralysée. La vue de Redd l'affectait plus qu'elle ne l'aurait cru. « J'ai pourtant dompté ma colère dans le Dédale ! Je ne peux pas me laisser aller. Je dois à tout prix me contrôler ! »

Malgré ces bonnes résolutions, la princesse s'échauffait. Elle repensait à la mort de ses parents et éprouvait, plus forts que jamais, les sentiments d'abandon et d'injustice qui ne l'avaient jamais vraiment quittée.

— Allez, je n'ai pas de temps à perdre avec ces simagrées ! s'écria Redd. Que la véritable Alyss de Cœur fasse un pas en avant !

Elle envoya assez de tiges épineuses pour attaquer en même temps les huit visiteuses. Les roses en traversèrent sept. La véritable Alyss inclina la tête, et la branche qui la menaçait se recroquevilla, se flétrit et mourut.

— Nous sommes de la même famille, dit-elle.

— Et alors ? grogna Redd. Qu'est-ce que c'est censé vouloir dire ?

— De la même famille..., répéta Alyss, qui tentait surtout de s'en convaincre elle-même.

— Ne me parle pas de famille ! Tu n'as jamais été reniée par tes parents, toi !

— J'aurais préféré qu'ils me renient, plutôt que de les voir assassinés.

— Tant mieux pour toi !

Redd ouvrit la bouche et exhala une flamme. Il en sortit deux Jabberwocky, qui, à leur tour, crachèrent leur feu sur Alyss. La princesse dérouta les flammes, brandit son sceptre de cristal blanc et désintégra les monstres en milliers de particules d'énergie. Puis elle tira une série de sphérogénérateurs sur Redd, qui n'avait pas encore fait étalage de sa puissance, préférant attendre qu'Alyss lui montre de quoi elle était capable : ses forces comme ses faiblesses. Telle une surveillante revêche éteignant des flammes de bougie, elle moucha les sphérogénérateurs avant qu'ils ne l'atteignent, en les pinçant à plusieurs reprises entre le pouce et l'index. L'une après l'autre, les sphères pétillèrent et s'évanouirent en faisant « pchiii ! ».

Alyss sentait l'énergie du Cœur Cristal l'irradier, lui insuffler des forces nouvelles. « Il est là-bas, derrière le mur », devina-t-elle.

Redd, qui veillait à ne pas s'en éloigner pour disposer de sa pleine puissance, permettait par la même occasion à sa nièce de décupler la sienne.

La jeune femme tira deux sphérogénérateurs sur la mosaïque de quartz et d'agate. Le mur qui la soutenait tomba en miettes, et le rougeoiement du Cœur Cristal emplit la pièce.

Redd abandonna alors toute retenue :

— Il est à moi ! hurla-t-elle. Le cristal est à moi !

Elle précipita sur Alyss une série de lames en forme de X, qui tournoyaient à une vitesse vertigineuse. La princesse eut tout juste le temps de sauter sur le côté. À peine les avait-elle esquivées que d'autres foncèrent sur elle. La jeune femme s'imagina alors, en guise de bouclier, un cocon d'Imagination Blanche. En vain : une lame la fit culbuter dangereusement. Elle tenta d'émousser les bords des suivantes ; cela n'arrêta pas leur progression.

« Il est temps que je passe à l'offensive », décida-t-elle.

Elle fit jaillir de ses manches des jeux de cartes-rasoirs et quelques bombaraignées ; cependant elle était trop absorbée par sa défense pour vérifier si elles atteignaient leur but. Prise d'une soudaine inspiration, elle serra un poing et le posa sur la paume de son autre main. Les lames se couchèrent à terre, inoffensives. Pourtant, Redd n'avait pas dit son dernier mot. La pièce grouillait désormais de roues énormes, couvertes de piques, qui roulaient à vive allure vers sa nièce. Plus rapide, cette fois, Alyss transforma ces roues de cauchemar en cubes, qui s'immobilisèrent.

« Je ne peux pas laisser Redd me bombarder indéfiniment. Je ne la vaincrai jamais si je me contente de riposter. »

Elle imagina alors une bombe étonnante, qui créait au lieu de détruire. L'engin explosa aux pieds de Redd et l'emprisonna dans une cage scintillante, renforcée par un alliage d'Imagination Blanche.

– Tu crois que tu peux m'enfermer ? ricana la reine.

Elle sortit de sa mini-prison sans fournir le moindre effort. Derrière elle, le Cœur Cristal palpitait, changeant de couleur constamment : il passait du rouge au rose, puis au blanc, et inversement ; par moments, il se couvrait de marbrures bicolores.

Les deux femmes se tenaient, face à face, dans l'œil d'une tornade d'Imagination Noire et Blanche. Les vents rugissaient. L'air grésillait, tant il était chargé d'électricité, et des éclairs fusaient de tous côtés.

« Donne-moi de la force, Cœur Cristal, implora Alyss. Donne-moi... »

Une de ses bombaraignées avait dû manquer sa cible, car un grand trou aux bords déchiquetés s'ouvrait dans le mur, sur sa droite. Au travers, elle aperçut Dodge, aux prises avec Le Chat.

« Aïe ! Je n'aurais pas dû quitter Redd des yeux, même pendant... »

Elle se retourna juste à temps pour voir une énorme sphère fondre sur elle. Elle en imagina une à son tour, et les deux boules jumelles se percutèrent violemment. La collision produisit une onde de choc qui secoua toute la pièce. Redd vacilla à peine, mais Alyss fut violemment projetée en arrière, et se trouva allongée par terre.

« On dirait que la situation ne tourne pas à mon avantage », se désola-t-elle.

Un coup d'œil sur Dodge lui apprit qu'il n'était guère en meilleure posture. Le Chat, penché sur lui, était sur le point de lui trancher la gorge. Le jeune homme regardait venir la mort avec défiance.

– Dodge !

Dans un ultime réflexe, Alyss l'imagina armé d'un DA-52. Puis quelque chose la frappa à la tête ; un voile noir lui obscurcit les yeux et elle perdit connaissance, donnant enfin à Redd l'occasion de se débarrasser d'elle.

CHAPITRE 54

Alice s'éveilla dans son lit, tremblante et en sueur. Le prince Leopold, Mrs Liddell et le doyen la regardaient, à la fois inquiets et soulagés.

— Qu'est-ce que c'est ? demanda-t-elle.

Elle nageait en pleine confusion.

— Ceci ? demanda Mrs Liddell. C'est votre lit. Vous êtes à la maison, ma chérie.

— Vous nous avez fait très peur, mon amour, enchaîna Leopold. Vous souvenez-vous de ce qui s'est passé ?

« Est-ce que je m'en souviens ? » réfléchit Alyss. Elle eut peur de répondre.

— Vous vous êtes évanouie à l'église, et depuis vous n'avez cessé de délirer.

« Non, c'est impossible ! »

— J'étais au Pays des Merveilles, lâcha-t-elle.

Le visage de Mrs Liddell se ferma ; le doyen se racla la gorge.

— Comme dans le livre de Lewis Carroll ? s'enquit Leopold avec bienveillance.

— Ça n'a rien à voir avec le livre !

337

Sa véhémence les effraya : elle était faible, il fallait lui éviter les émotions.

— Vous avez été très malade, ma chérie, dit Mrs Liddell. Nous allons vous laisser vous reposer.

— Je viendrai prendre de vos nouvelles très bientôt, lui promit le prince.

Ils se dirigèrent vers la porte.

« Ils ne vont pas partir. Pas déjà ! » s'affola la jeune femme.

Elle ne voulait pas rester seule alors qu'elle était aussi troublée, aussi... déçue, elle devait bien l'admettre.

« Ainsi, rien ne serait réel ? Dodge, ma discussion avec la Chenille Bleue, le Dédale Miroir... »

Elle s'assit toute droite dans son lit :

— Attendez...

Le doyen se retourna :

— Qu'y a-t-il ?

— Est-ce que j'ai vraiment été ici tout le temps ?

— Bien sûr.

Elle se laissa retomber sur ses oreillers.

« N'aurais-je fait que délirer, en proie à la fièvre ? C'était pourtant si saisissant de vérité ! »

— C'est une ruse, Alyss ! lui cria Dodge en traversant le mur de sa chambre, armé d'un DA-52. Je ne sais pas ce que vous voyez, mais c'est une machination ! Ce n'est pas réel !

Il retraversa le mur et disparut aussi vite qu'il était apparu. Ni les Liddell ni Leopold n'avaient remarqué cette intrusion. Alyss les examina plus attentivement, et discerna les milliards de grains d'énergie qui les composaient. Puis elle sentit quelque chose dans sa main. Le sceptre au cœur blanc !

« Dodge a donc raison. Et il a échappé au Chat. »

En effet, confronté à une mort imminente, Dodge n'avait pas hésité à utiliser le DA-52 qui s'était matérialisé dans sa main. Ainsi, au lieu de trépasser, il avait tué une nouvelle fois Le Chat, à qui il ne restait plus qu'une vie.

Alyss balaya d'un geste la construction mentale. Le lit, les meubles, les Liddell, le prince Leopold, tout disparut, et elle se retrouva allongée par terre, dans la salle de bal du Mont Isolé. Redd était au-dessus d'elle, et brandissait son sceptre pour lui couper la tête.

« Je ne suis pas furieuse, se répétait la princesse. Je ne suis pas... Quoique... Si, en fait, je le suis ! »

Alors que le sceptre de Redd n'était plus qu'à quelques centimètres maravilliens de son cou, elle souffla dessus de toutes ses forces. La bourrasque propulsa la reine dans les airs, et Alyss sauta sur ses pieds. Sa tante flottait encore lorsque la jeune femme fit naître un éclair d'énergie au bout de son index et le dirigea sur elle. Puis, agitant son doigt d'avant en arrière, elle l'envoya s'écraser contre les murs de la salle de bal. Ainsi désorientée, Redd était beaucoup moins dangereuse : à peine matérialisés, les produits de son imagination pétillaient et s'estompaient, inoffensifs. Quant à Alyss, sa puissance semblait proportionnelle à son assurance.

« C'est irréaliste, de vouloir ne jamais être en colère ni contrariée, songeait-elle. Tout n'est qu'une question de dosage. »

La fureur stimulait la vigilance de la princesse, sans pour autant gouverner ses actes. Cela dit, elle semblait disposée à précipiter Redd contre le mur jusqu'à ce que mort s'ensuive ; c'eût été une fin plutôt brutale, à laquelle la reine parvint à se soustraire en tranchant de son sceptre la flèche d'énergie qui la retenait prisonnière.

Redd regagna la terre ferme, mais Alyss ne lui laissa pas reprendre l'initiative des attaques. Elle la mitrailla de cartes-rasoirs et imagina que des hordes de bombaraignées explosaient à ses pieds. Les arachnides géants empêchaient la reine de se concentrer assez longtemps pour passer à l'offensive. Alyss écrasait aisément les roses carnivores qu'elle lui envoyait, se débarrassait sans effort des sphères et des lames volantes qui déferlaient sur elle. Même les flèches d'énergie noire, dont elle était flattée d'avoir inspiré l'idée à sa tante, s'immobilisaient en l'air en rencontrant ses flèches blanches.

Redd et Alyss étaient toutes deux fortifiées par la proximité du Cœur Cristal, mais Alyss sentait qu'elle était plus puissante que son adversaire. Redd le devina sans doute aussi : folle de rage et de dépit, elle renonça à bombarder Alyss et se rua sur elle, le sceptre levé.

Elles employèrent alors leurs sceptres comme des épées, telles deux féroces guerrières engagées dans un corps à corps sans merci, à l'ancienne. Autour d'elles, l'air scintillait, claquait et crépitait, saturé d'énergie imaginative.

Soudain, vive comme un battement d'aile d'oiseau-luce, Alyss accrocha le cœur blanc de son sceptre à la crosse noueuse de celui de Redd, qu'elle précipita à terre, où elle le pulvérisa d'une décharge d'énergie blanche. Puis elle hésita : « Dois-je la tuer ? Que faire d'elle, autrement ? Tant qu'elle sera vivante, elle représentera une menace. Il me faut décider... »

Redd serra les poings. Elle n'avait pas dit son dernier mot.

— Je suis plus forte que toi ! l'avertit Alyss.

— Tu ne me vaincras jamais ! hurla la reine.

Alyss, qui se préparait à une nouvelle attaque, comprit trop tard ce que mijotait sa tante et ne put qu'écarquiller les yeux, incrédule, quand Redd plongea dans le Cœur Cristal.

Le Cristal grésilla, fuma et se mit à vibrer. Il s'en échappa un bourdonnement grave et uniforme, qui s'approfondit et s'amplifia peu à peu.

Le Chat, qui n'avait plus qu'une vie, avait senti le vent tourner, et il n'était pas rassuré de voir son ennemi armé d'un DA-52. Il cracha et fonça. Dodge tira une rafale de cartes-rasoirs dans sa direction, mais le félin, plus rapide, eut le temps de sauter à son tour dans le Cœur Cristal. Celui-ci fut pris de violentes secousses qui firent vibrer la forteresse de façon inquiétante, menaçant de la faire s'écrouler.

Puis le bruit cessa ; le calme revint, et le Cœur Cristal se mit à rayonner d'un blanc uniforme.

Le petit groupe d'Alyssiens menés par les généraux Doppel et Gänger était arrivé à temps pour aider le Chapelier, Molly et les autres à vaincre les Yeux de Verre. En pénétrant dans la salle à cet instant précis, ils furent tous frappés d'une stupeur qui les incita au silence. L'heure était grave : dans toute l'histoire du royaume, personne n'avait jamais plongé dans le Cœur Cristal. Personne ne savait donc ce que cela impliquait pour l'avenir.

Chapitre 55

Le général Doppel fut le premier à recouvrer ses esprits. Il vit Dodge assis par terre, essoufflé et couvert de sang.

— Qu'on appelle un chirurgien ! ordonna-t-il.

— Ce ne sera pas nécessaire, mon général ! s'écria le Morse-majordome. J'ai tout ce qu'il faut.

Il enjamba des cadavres d'Yeux de Verre et traversa la salle en se dandinant. Il portait une trousse contenant une baguette rougeoyante, destinée à nettoyer les blessures et à les empêcher de saigner, un manchon de nœuds de NRG interconnectés et de noyaux en fusion, ainsi qu'un rouleau de peau artificielle et un cautériseur laser. Il fit une révérence à Alyss, ravi que le cours des événements lui en donne enfin l'occasion.

— Je salue chaleureusement votre retour, reine Alyss, dit-il.

Ces mots mirent la jeune femme en joie : personne ne l'avait encore appelée « reine ».

Alors que le Morse soignait les blessures de Dodge, ce dernier, impassible, fixait le Cœur Cristal. Son expression était impénétrable. Était-il heureux de ce qui était arrivé ? Avait-il assouvi sa vengeance, ou...

Un remue-ménage se fit à l'entrée de la salle. Le Roi et la Dame de Carreau, le Roi et la Dame de Trèfle et le Roi et la

Dame de Pique se frayèrent un chemin entre les pièces d'échecs et se dépêchèrent de rejoindre Alyss. Ils avaient l'air très soulagés.

— Nous avons entendu un tapage incroyable ! commença la Dame de Carreau, et quand il a cessé, nous avons accouru, osant à peine espérer...

— Votre victoire comble nos espoirs les plus intimes, prétendit le Roi de Pique.

— Absolument ! continua la Dame de Carreau. C'était épouvantable ! Si vous saviez quel martyre nous avons souffert, aux mains de cette femme !

— Redd nous a pris en otage, Votre Altesse, précisa la Dame de Trèfle.

— Vraiment ? dit Alyss en jetant un regard dubitatif à Bibwit.

— Certes, nos corps étaient moins otages que nos esprits, expliqua la Dame de Trèfle. Si nous n'avions pas obéi à Redd, comme d'autres Maravilliens, nous aurions été exilés aux Mines de Cristal.

— Et c'est honteux à dire, renchérit la Dame de Carreau, mais nous, les Carreaux — une famille titrée depuis les âges les plus anciens —, avons été traités par l'ancienne reine d'une façon indigne.

— Vous ! s'esclaffa le Roi de Trèfle. Ma femme et moi avons souffert bien plus que vous et votre clan, et j'ose dire...

— Dites la vérité, lui suggéra la Dame de Pique. Si certains peuvent se prévaloir d'avoir été les plus maltraités, je pense qu'il s'agit de mon mari et de moi.

Les Rois et les Dames se mirent à parler tous ensemble, se disputant pour savoir qui avait le plus souffert, jusqu'à ce qu'Alyss pose un doigt sur ses lèvres. Alors, ils se turent.

— Dès que les circonstances le permettront, un tribunal sera formé pour déterminer si vous vous êtes comportés honorablement, ou si vous êtes coupables de crimes de guerre, déclarat-elle.

— Des c-crimes de guerre ? bredouilla la Dame de Pique.

Le Cavalier blanc et ses pions encerclèrent les Figures.

— Le plus coupable n'est pas ici ! déclara alors Bibwit Harte.

— Vous voulez sans doute parler de lui ? fit une voix grave.

Toutes les têtes se tournèrent pour voir La Tour traîner Jack de Carreau dans la salle.

— Il se terrait dans le vestiaire ! Il a failli manquer les réjouissances.

— Tu vas me lâcher, espèce de... d'échec !

Jack se libéra de l'étreinte de La Tour, tira d'un petit coup sec sur sa veste, tapota sa perruque et s'inclina devant Alyss :

— Votre Altesse, je n'ai fait qu'essayer de vous servir de mon mieux. J'ai risqué ma vie pour infiltrer cette forteresse. Long règne à l'Imagination Blanche !

Entre-temps, le Morse avait fini de soigner Dodge. Le jeune homme se traîna vers Jack de Carreau, et, sans un mot, tira la clef du Dédale Miroir de la poche du corpulent personnage. Jack prit un air étonné :

— Tiens, qu'est-ce qu'elle fait là ?

— Jack ! Comment as-tu osé... ? s'écria la Dame de Carreau. Quelle honte ! Mes aïeux, quelle honte !

— Notre fils unique ! Coupable d'une telle tromperie ! se lamenta le Roi de Carreau, qui, tout comme son épouse, n'ignorait rien des activités de leur fils.

Alyss pointa un index sur les pieds de Jack. Une bombe bâtisseuse y explosa, érigeant une mini-prison autour du traître.

Bibwit ramassa la couronne que Redd avait perdue dans la bataille et la tendit au Morse :

— S'il te plaît, peux-tu...

— Avec plaisir ! le coupa le majordome.

— ... la polir et la préparer pour l'intronisation d'Alyss ? termina le précepteur.

Il se tourna vers la jeune reine, qui fixait pensivement le Cœur Cristal, et songea qu'il n'avait plus grand-chose à lui enseigner : la vie lui avait déjà tout appris.

— Alyss ?

— Que va-t-il arriver ? murmura-t-elle. Doit-on envoyer quelqu'un à leur poursuite ?

Bibwit pesa longuement sa réponse avant de la formuler :

— Redd, telle que nous la connaissons, ne devrait plus exister. Hélas, comme tout ce qui traverse le Cristal, elle deviendra sans doute une source d'inspiration pour les créateurs, dans d'autres mondes. Sauter dans le Cristal l'a rendue immortelle. Je ne peux prédire quelles formes elle prendra à l'avenir, mais j'ai très peur pour l'Univers.

Alyss ne dit rien. Elle était perdue dans ses pensées : « J'aurais dû la tuer ! Je... »

— Votre Altesse... à propos des gens qui vous ont élevée dans cet autre monde...

— Oui ?

Les oreilles de Bibwit s'agitèrent malicieusement :

— Quelque chose me dit qu'ils s'inquiètent pour leur fille disparue. Je ne suis qu'un albinos érudit, et vous n'êtes pas forcée de m'écouter, mais je vous suggère de faire apparaître une Alice Liddell en chair et en os. Faites naître de votre imagination fertile votre jumelle et envoyez-la vivre, là-bas, cette vie qui n'est plus la vôtre.

— Ah bon ? Mais comment ? En serai-je capable ?

Bibwit sourit : peut-être pouvait-il encore apprendre quelque chose à Alyss, tout compte fait.

— Regardez autour de vous. Voyez ce que vous avez accompli.

N'avez-vous pas encore compris que vous pouvez faire n'importe quoi ?

Sur son conseil, Alyss posa les deux mains à plat sur le Cœur Cristal. Une explosion de lumière blanche obligea l'assemblée à se couvrir les yeux, tandis qu'au milieu, en parfaite synergie avec le Cristal, Alyss imaginait les millions de particules qui composèrent Alice Liddell, jusqu'au dernier pore de sa peau. Quand ce fut chose faite, quelque part aux environs d'Oxford, en Angleterre, une jeune femme sortit d'une flaque en apparence ordinaire, à la grande surprise d'une oie assoiffée.

Après avoir passé plusieurs semaines à Londres en tant qu'hôtes du prince Leopold, les Liddell étaient rentrés à Oxford. Ils allaient dîner lorsque Alice passa la porte d'entrée. S'ensuivit un concert d'exclamations, de cris d'étonnement, de soulagement, de joie, et autres émotions positives. Tout en s'efforçant de minimiser son exploit, la jeune femme raconta comment elle avait échappé à ses ravisseurs, une bande de dockers écossais qui voulaient faire du chantage à la famille royale.

En l'absence d'Alice, et convaincu qu'il ne la reverrait plus, Leopold était tombé amoureux de la princesse Helen de Waldeck. La jeune femme fut moins contrariée que sa mère par la nouvelle idylle du prince. Elle épousa bientôt un homme plus en rapport avec sa condition sociale : Reginald Hargreaves, intendant de l'université d'Oxford. Le prince Leopold et la princesse Helen se marièrent peu après.

Toute leur vie durant, Alice et le prince se vouèrent une amitié sincère. En souvenir de leur presque-union, Alice nomma son premier fils Leopold, et le prince, sa première fille Alice. Les uns et les autres vécurent parfaitement heureux... Sauf peut-être Mrs Liddell, qui aimait bien Reginald, mais regretterait toujours qu'Alice n'ait pas fait de noces royales !

CHAPÎTRE 56

Un tel désordre régnait au Pays des Merveilles qu'il eût été déplacé d'y faire la fête. Aussi Alyss décida-t-elle que sa cérémonie de couronnement serait brève, limitée à l'essentiel. Sa seule concession au cérémonial fut de retransmettre l'événement sur les panneaux d'affichage holographiques de Merveillopolis. Elle tenait à informer les citoyens qu'ils avaient une nouvelle reine. Leur assurer que, désormais, ces panneaux ne présenteraient plus de promesses de récompenses à qui trahirait les adeptes de l'Imagination Blanche, ni de publicité pour telle ou telle invention diabolique de Redd.

Après le couronnement, la reine et ses proches – Dodge, Bibwit, le Chapelier Madigan, Molly Feutre-Mou, le général Doppelgänger, La Tour et le Cavalier – se retirèrent dans le Dôme Observatoire du Mont Isolé.

– Qu'est-ce que c'est ? demanda Molly en examinant avec dégoût une énorme chose velue qui gisait au pied d'un panneau télescopique.

Le Morse arpentait la pièce en se dandinant, chargé d'un plateau de verres de vin.

– Ah ! dit-il, c'est la Bête-Perruque, un jouet de Jack de Carreau. N'aviez-vous encore jamais vu de Bête-Perruque ?

— C'est répugnant ! s'écria Molly. Je déteste ce truc !

Le Morse convint que c'était fort laid.

Plus tard, un nouveau Palais de Cœur remplacerait l'ancien. Dans son parc, on admirerait la tombe de sir Justice Anders, ainsi que des monuments à la mémoire de la reine Geneviève, du roi Nolan, et des nombreux Alyssiens courageux qui avaient péri sous le règne tyrannique de Redd. Mais il conviendrait de rester très vigilant pour mener le Pays des Merveilles sur la voie de la guérison. Les Yeux de Verre et les soldats-cartes devraient être traqués, et détruits, faute de pouvoir être reprogrammés. Les principes de l'Imagination Blanche reprendraient le dessus dans le pays ; cependant, comme à l'époque de Geneviève, des problèmes demeureraient. Il faudrait surveiller de près les adeptes de l'Imagination Noire, désintoxiquer les citoyens consommant du cristal artificiel ou des imagino-stimulants ; inciter tous ceux qui se livreraient à la corruption à adopter des conduites plus honnêtes, ou les arrêter.

— Reine Alyss ?

— Oui ?

Le Chapelier Madigan hésita. Il semblait avoir du mal à trouver ses mots.

— J'ai donné... J'ai consacré ma vie à vous protéger, vous et votre mère. J'ai fait tout ce qui était en mon pouvoir, et si j'ai jamais manqué à mon devoir...

— Vous avez fait plus qu'aucune reine ne pouvait raisonnablement demander, le coupa Alyss.

Le Chapelier la remercia d'une révérence avant de poursuivre :

— Et je souhaite continuer à vous servir, mais j'ai une requête peu orthodoxe : j'aimerais... prendre un congé temporaire.

« Ainsi, songea Alyss, cet homme n'est pas esclave de son devoir. Il a des centres d'intérêt, des passions... » Elle le revit, assis près du feu, le soir où pour la première fois elle s'était exercée à maîtriser son imagination. Elle se rappela comme il lui avait paru ordinaire sans ses armes. Cela lui ferait du bien de vivre quelque temps dans la peau d'un Maravillien ordinaire ; comme un homme, plutôt que comme le légendaire Chapelier Madigan.

— J'avais espéré que vous rebâtiriez la Chapellerie, lui dit-elle.

— Je n'y manquerai pas, Majesté. Je m'y attellerai dès que je reprendrai mon service.

Il aurait voulu lui donner ses raisons. Lui expliquer qu'il avait perdu une amie chère, dont il n'avait pas encore eu l'occasion de faire le deuil. Hélas, les mots lui manquèrent. Le chagrin lui serrait la gorge, l'empêchant de parler.

— Qui veillera sur moi, entre-temps ? s'enquit Alyss.

Le Chapelier indiqua Molly :

— Vous avez ici la meilleure des gardes du corps...

L'intéressée le regarda, surprise, puis toucha son chapeau.

— Madigan, dit Alyss, vous êtes un homme autant qu'un Chapelier, et si vous avez besoin de temps pour des affaires personnelles, je vous l'accorde volontiers. Votre requête est acceptée.

— Merci, Votre Altesse.

Le Chapelier prit congé de la reine, et Molly, qui sautillait de plaisir, lui emboîta le pas. Jamais une reine n'avait eu de garde du corps aussi jeune ! L'adolescente bombarda le Chapelier de questions, tandis qu'Alyss regardait Bibwit Harte et le général Doppelgänger débattre des vertus du jus de baie gribouille. Le Cavalier blanc prit le parti du précepteur, et La Tour celui du général. Ni l'un ni l'autre ne s'intéressaient au sujet du débat, mais ils se régalaient de voir s'affronter les deux célèbres Maravilliens.

Se détournant d'eux, Alyss aperçut Dodge. Seul devant un panneau télescopique, le jeune homme contemplait les ruines du Palais de Cœur. Elle s'approcha de lui.

— Il sera reconstruit, dit-elle.

Dodge acquiesça.

— Personne ne sera oublié, Dodge. Ni sir Justice, ni le plus humble des soldats-cartes, personne.

Dodge hocha de nouveau la tête.

— Je vous dois des remerciements, fit-il en tapotant le DA-52 qu'il portait encore en bandoulière.

— Je suis heureuse que tu n'aies pas été trop fier pour t'en servir.

— J'aurais dû l'utiliser plus souvent.

Alyss comprit l'allusion. Dodge avait enlevé au Chat plusieurs vies, mais pour finir le félin s'était échappé. Leur affrontement avait-il suffi à desserrer le nœud d'Imagination Noire qui lui étreignait le cœur ? À déraciner la haine qui avait si longtemps donné un sens à sa vie ? Seul l'avenir le dirait. Alyss espérait qu'il parviendrait à se débarrasser de sa colère. Elle avait hâte que le jeune homme retrouve en lui la part du petit garçon qu'elle avait connu.

« Nous referons peut-être connaissance, se dit-elle. Nous renouerons avec notre amour d'autrefois. Un amour qui n'avait rien d'enfantin, malgré notre jeune âge. »

Elle décida qu'elle porterait désormais, en pendentif, la dent de Jabberwock qu'il lui avait offerte. Pour lui montrer qu'elle n'avait rien oublié et qu'il lui était cher. Elle la porterait comme un talisman contre ses plus sombres penchants.

Alyss se détourna de Dodge et aperçut son reflet dans un miroir. Elle se souvint de l'instant fugace où, dans le Dédale, elle avait vu le visage de Redd à la place du sien au même endroit. Puis l'image ondula, disparut et fut remplacée par celles de ses parents, enlacés, qui lui souriaient fièrement. Le coup d'État victorieux des Alyssiens, la convalescence du royaume... les succès ou les revers que l'avenir leur réservait, tout était passé et passerait par elle. Par leur seule présence, Geneviève et Nolan semblaient rendre hommage à la force et à la sagesse de leur fille, lui assurer qu'elle serait la reine la plus puissante que le Pays des Merveilles ait jamais connue.

— Tout est dans ta tête, murmura Geneviève.

— Je sais, dit Alyss.

Cet ouvrage a été mis en pages
par DV Arts Graphiques à Chartres

Impression réalisée sur CAMERON par

BRODARD & TAUPIN

GROUPE CPI

La Flèche

pour le compte des Éditions Bayard
en octobre 2006

Imprimé en France
Dépôt légal : octobre 2006
N° d'impression : 37779